Nós & eles

Tradução **Natalia Borges Polesso**

Porto Alegre　São Paulo · 2019

Copyright © 2017 Bahiyyih Nakhjavani
Título original: *Us & them*

CONSELHO EDITORIAL Gustavo Faraon e Rodrigo Rosp
CAPA E PROJETO GRÁFICO Luísa Zardo
REVISÃO DA TRADUÇÃO Julia Dantas
REVISÃO Rodrigo Rosp e Tanize Ferreira
FOTO DA AUTORA Arquivo pessoal

Dados Internacionais de Catalogação na Publicação (CIP)

N125n   Nakhjavani, Bahiyyih
           Nós & eles / Bahiyyih Nakhjavani; trad. Natalia
           Borges Polesso — Porto Alegre: Dublinense, 2019.
           304 pág.; 21cm

           ISBN: 978-85-8318-133-0

           1. Literatura Iraniana. 2. Romances Iranianos.
           I. Polesso, Natalia Borges. II. Título.

                                          CDD 891.5

Catalogação na fonte: Ginamara de Oliveira Lima (CRB 10/1204)

Todos os direitos desta edição
reservados à Editora Dublinense Ltda.

EDITORIAL
Av. Augusto Meyer, 163 sala 605
Auxiliadora • Porto Alegre • RS
contato@dublinense.com.br

COMERCIAL
(11) 4329-2676
(51) 3024-0787
comercial@dublinense.com.br

Nós 11

Apocalipse 17

Trânsito 29

Imigração 43

Espera 49

Mentir 55

Chá 69

Anedotas 75

Assimilição 81

Verde 91

A associação 101

Arte 107

Vizinhos 115

Ameaçados 125

Perdendo a trama 137

Sacolas de compra 143

Conferência 155

Jardim 163

Revolução 173

Lavanderia 177

Parentes 189

Muros 195

Casamentos 205

Divórcio 209

Imóveis 221

Tapetes 227

Economia 237

Cabeleireira 241

Telefonema 251

Tudo em família 265

Imitação 271

Feno-grego 275

Honestidade 281

Eles 297

Nós

Nós esperávamos que o livro saísse fazia algum tempo. Um assunto tão óbvio, só aguardando para ser explorado. Um doce de tema. Sabíamos que aumentaria nossa confiança, e a nossa confiança certamente precisava de um empurrãozinho depois de tudo o que passamos. Era uma história pessoal, claro, mas nós acreditávamos que ela capturava o zeitgeist, o espírito do tempo. Há milhões de nós, afinal de contas, recobrindo todas as gamas da humanidade: homens e mulheres, jovens e velhos, radicais e conservadores, pró-isso e antiaquilo, e tudo que há entre uma coisa e outra. E nós estamos literalmente em todos os lugares também, espalhados pelo planeta, na Europa e na Austrália, no Canadá e nos Estados Unidos. Bem, nós até fixamos residência na China, na América Latina e em algumas partes de África, bem como nos Emirados Árabes, embora alguns desses países nem contem, claro, quando se trata do mercado editorial. O interessante é: como o mundo é pequeno quando se trata do mercado editorial. Mas em todo lugar que o livro saísse e em qualquer língua, nós tínhamos certeza de que ele teria ampla leitura.

Nossa história se tornaria um best-seller, um blockbuster, um sucesso mundial. Iria da lista dos selecionados para a dos finalistas, de entrevistas a uma turnê de palestras, e o autor, seja lá quem ele ou ela fosse, se tornaria um nome familiar, por mais difícil que fosse de pronunciar. Nós especulamos sobre isso por um momento, realmente nos preocupamos um pouco com a autoria, temos que admitir. Era certo que tinha que ser uma mulher, concluímos, escrevendo bem ou não; mulheres iranianas tendem mesmo a receber toda a atenção da mídia hoje. E isso meio que nos incomodou de verdade, para sermos honestos; isso meio que alfinetou de verdade nosso orgulho. Houve uma quantidade desmedida de atenção dada às mulheres artistas, cientistas, atrizes, astronautas, advogadas e suicidas nas últimas décadas. Mas não dá para fazer tudo como a gente quer depois de uma revolução, dá? Além disso, mulher ou não, a autora teria que mobilizar a primeira pessoa do plural no tal livro, e isso pousaria um véu sobre a questão. A primeira pessoa do plural é obrigatória em tais situações. Nós usamos esse ponto de vista em persa para mostrar nossa modéstia, para demonstrar nossa humildade. Às vezes, é preciso admitir, também a usamos para escapar de responsabilidades. Mas isso é outro assunto. A questão é que o apagamento do eu é tão vital para a sintaxe persa quanto é para nossa identidade. Nosso padrão discursivo será reconhecido imediatamente como o iraniano pela obliteração da personalidade. E o reconhecimento não importa mais do que o gênero em última análise? Já era tempo de recebermos isso, sem dúvida. Estivemos esperando algum reconhecimento, alguma atenção mais séria — outra senão aquela que recebemos regularmente ao passar pela imigração — por muito tempo.

A pergunta principal era: que forma o livro teria? Ficção? Análise dos fatos? Alguns de nós esperávamos por um comentário vanguardista, um levantamento sociopolítico sobre *O aryan original: antes e depois*. Outros pensaram que uma obra-prima da literatura seria mais chique, um deslumbrante romance de estreia, intitulado *Os exilados de Malibu* ou algo assim, uma história que capturasse o inverno longo e úmido do nosso desenraizamento. A maioria de nós queria apenas um conto sincero com um título tipo *A Scheherazade do bairro*, talvez uma história triste sobre um amor impossível ou uma família disfuncional, provocando empatia imediata nas primeiras dez páginas e com um final reconfortante e sentimental. Nós até teríamos ficado satisfeitos com um manual de autoajuda, com dez capítulos-fáceis-de-ler e um subtítulo difícil tipo *Repercussões geracionais da Síndrome da Pós--Diáspora*. Qualquer coisa mesmo, desde que fosse sobre nós, a palavra final que diz respeito a nós.

Estávamos animados com a ideia. Antecipávamos sua aparição todos os dias. Mas nada acontecia. Nós esperamos semanas, meses. Mas ainda nada. As eleições foram manipuladas, reformistas foram colocados em prisão domiciliar, jovens foram corridos das ruas e lhes foi negada educação, currículos universitários foram apagados de computadores e enterrados à força e nenhum livro apareceu. Nada. Vasculhávamos resenhas; inspecionávamos os arquivos. Mas nossa história não havia sido escrita. Nem mesmo historicamente, que dirá atualmente. Nem mesmo com brevidade, no The Economist. Nem mesmo em francês. Nós, iranianos na primeira pessoa do plural, não estávamos publicados.

Foi devastador. Havia mais evidências do que o suficiente de iranianos na primeira pessoa do singular nas prateleiras das livrarias, mas nós não éramos o foco da atenção. Histórias subjetivas abundavam em franquias de lojas, mas essas não eram sobre nós, "o nós" real. Essas eram sobre indivíduos com os quais mal poderíamos nos identificar, sobre um país que nem existia mais, sobre um passado de sensibilidade estética que pertencia a poucos acadêmicos, ou um lugar para os ricos, para os muito religiosos, para as muito feministas, ou antifeministas, antirreligiosos, antirricos até. Havia biografias daqueles que eram associados ao Trono do Pavão. Ou teorias da conspiração sobre a queda de Mossadegh. Ou a confissão verdadeira daqueles que ainda lembravam de Hitler e do nosso petróleo na Segunda Guerra Mundial. Ou as memórias ficcionais de figuras cruciais da Revolução Constitucional. Mas nenhuma dessas histórias era sobre o multifacetado, contraditório, paradoxal nós, a múltipla primeira pessoa do plural nós em Toronto e Sydney, em Bogotá e Pequim, falando persa no mundo inteiro.

Começamos a duvidar de nós mesmos. Será que éramos uma invenção da nossa própria imaginação? Será que nossa multiplicidade era uma construção falsa, mera ilusão? Será que estivemos nos enganando, deslocando nossas expectativas? Mas claro que não! Havia evidência concreta de que nossa história era universal; o impacto do nosso exílio, internacional. Será que não tínhamos uma influência visível no mercado imobiliário mundial, especialmente em Londres e Toronto, especialmente com relação à reforma dos banheiros e ao melhoramento do sistema de encanamento nos chuveiros? Talvez não fôssemos atraentes o bastante para nos vendermos, nem sensacionalistas o suficiente para capturar a atenção da mídia. Mas essa ideia era absurda! Nossas mulheres não estavam entre as mais bonitas do mundo, nossos políticos entre os mais citados? Quanto a questões comerciais, nosso empreendedorismo era famoso, nossa habilidade no comércio, insuperável; nossos tapetes e kebabs se tornaram ícones culturais por onde quer que passemos. E nós temos mais PhDs per capita agora na medicina, no direito e na engenharia do que em qualquer outra comunidade imigrante, exceto talvez pelos chineses; mais cientistas nucleares e mais especialistas em computadores entre nossos filhos do que o que seria razoável para nós e para eles; mais filhas jogando futebol e handebol, se tornando motoristas de ônibus e diretoras de documentários. Nós inventamos a nossa própria e única marca ao atingirmos todos os estereótipos já registrados! Como poderíamos perder a confiança na nossa história?

Nós percebemos que, se não assumíssemos a responsabilidade pelo problema, nossa própria existência estaria em risco. Nós perderíamos a confiança em nós mesmos e não somente na nossa história. Havia apenas uma alternativa, concluímos, apenas uma escolha, nessas circunstâncias. Havíamos tentado todas as outras opções: fomos dependentes de outros, esperamos pelos outros, criamos expectativas quanto à responsabilidade dos outros pela publicação do livro. Acusamos todo mundo — monarcas e mulás, estrangeiros e hereges, até escritoras mulheres — por fracassarem na busca por notoriedade e não sobrou ninguém para culparmos. Então não podíamos perder mais tempo: restava apenas uma saída.

Se quiséssemos que o mundo soubesse de nós, tínhamos que fazer alguma coisa nós mesmos. Tínhamos que reagrupar nossas vidas espalhadas, remembrar nossos membros e órgãos, reunir nossas identidades separadas e escrever nossas próprias histórias.

Seria um grande encontro!

Apocalipse

Quando soubemos que ela vinha para o encontro de família em março, ficamos consternados e surpresos, podemos confirmar. Nós não tínhamos a menor vontade de trombar com aquela jovem de novo, não agora, não depois de todos esses anos. Além disso, ela não era mais jovem, era? Não nos comunicávamos desde que ela tinha deixado o país, há mais de duas décadas e, certamente, não queríamos reviver a amizade. Ela tinha cortado relações e parado de se corresponder quando se mudou para Paris.

Aquela família sempre fora disfuncional. Não foi só a Revolução que os estragou. Ela ia ficar com aquela irmã espalhafatosa dela em Westwood, aparentemente, aquela loira interesseira com o marido duvidoso e dois fedelhos, os quais tentávamos evitar ao máximo. Nós os vimos há pouco, num casamento. Levamos um susto, porque o menino é imagem cuspida e escarrada do irmão morto delas, exceto pelo tamanho. Metade da idade do nosso amigo, mas o dobro do peso. Elas disseram que a velha estava chegando do Irã para comemorar o ano-novo persa com as filhas. Aquilo nos surpreendeu. Nós ouvimos dizer que ela tinha ficado louca depois do que aconteceu com o filho. Imaginem uma bruaca persa que ficou louca, fazendo brotos de lentilhas para o Naw Ruz em Westwood. Ótimo símbolo para um novo começo. Maravilha de encontro que seria. Pai morto, mãe louca, irmão desaparecido e duas irmãs que mal se falavam — uma delas estava tão desesperada para ser americana que afogou o cérebro em água oxigenada e a outra virou lésbica, ou algo assim, para provar o quanto era francesa.

Foi um alívio para a gente que a mais nova nunca voltou aos Estados Unidos. Quando nossos artigos começaram a aparecer e nós recebemos o prêmio pelo livro, fizemos imensos esforços para evitar que encontrássemos suas amigas e conhecidas. Não que ela tenha tido muitas amizades em Los Angeles, isso é verdade, mas o General manteve alguma influência em Teerangeles durante os últimos anos de sua vida, e a irmã mais velha ainda vivia aqui, ainda perambulava pela Bloomingdales naqueles saltos impossíveis. Felizmente, ela não tinha conexão alguma com a comunidade acadêmica, então, por sorte, nós perdemos contato, rompemos com conhecidos mútuos, evitamos encontros. Sobretudo depois que o livro de memórias saiu. Teria sido muito embaraçoso. Nem a demonstração mais hiperbólica e extravagante de *taarof* — aquele assalto acrobático de cortesia verbal tão característico do discurso iraniano — teria nos salvado do constrangimento, caso tivéssemos nos encontrado. Nós éramos os melhores amigos do irmão mais novo delas afinal; tínhamos sido seus melhores amigos no Teerã. Então, certamente não queríamos ver as irmãs de novo. Claro que tínhamos sido próximos no passado. Ficávamos horas na casa deles depois da escola, brincando debaixo do salgueiro no jardim. Mas isso era por causa da amizade com o irmão mais novo. Qualquer que fosse a fofoca, nós certamente não tínhamos nenhum tipo de relação especial com aquelas meninas, não mesmo.

◆

Na verdade, a primeira vez que vimos a mais nova depois de ter deixado o Irã, quase não a reconhecemos. Nós ainda vivíamos na Costa Leste naquela época e tínhamos vindo até a capital da nação para participar de uma audiência do Congresso, como especialistas no assunto, entenda. Muito confidencial. Não foi muito depois da crise dos reféns e eles tinham muita confiança em nós, confidencialmente falando. E lá estava ela, parada na entrada do metrô, toda de cáqui dos pés à cabeça, distribuindo panfletos aos desavisados. Nem olhamos uma segunda vez.

Está tudo nos livros, ela dizia: o apocalipse está predeterminado.

Outra louca, pensamos, quase roçando ao passar. Havia muitos deles por aí naquela época, pressionando para chamar atenção durante a amarga guerra entre Irã e Iraque. Mas aquela era familiar, infelizmente. Ela também nos reconheceu, isso foi o pior, e falou conosco em persa. Um iraniano sempre reconhece outro na multidão. É alguma coisa que tem a ver com a boca, com o movimento dos lábios. O nariz.

Os últimos dias estão chegando, ela nos apontou; o castigo está chegando.

Não somos religiosos, mentimos. Encontrar alguém que você conhece de antes, completamente louca na entrada do metrô, é enervante. Desde quando aquela jovem rebelde teria virado uma religiosa? Ela tinha tendências marxistas quando a conhecemos. Aquele negócio com o irmão dela deve tê-la feito mudar de ideia, marchar ao martírio no meio da guerra. Ele desaparecera nas montanhas curdas, enquanto o pai estava morrendo em Beverly Hills, mas nós soubemos que a mãe ainda estava esperando seu retorno, como o do Messias. Parecia que a irmã estava louca também. Coitada.

A catástrofe é inevitável, o caos é incontornável, ela dizia às pessoas atrás de nós. E, a propósito, como estão?, ela chamou, enquanto nos afastávamos.

Mas nós não respondemos. Não estávamos interessados em suas catástrofes. O apocalipse já tinha acontecido até onde sabíamos; nós tínhamos passado por caos o suficiente para durar a vida toda, muito obrigado. Nossa educação foi abortada no Irã, parcialmente completada na Grã-Bretanha, retomada no Canadá e, agora, tinha a necessidade de ser concluída sem mais interrupções nas faculdades dos Estados Unidos. Mas tínhamos que ganhar bastante dinheiro para conseguir quitar os financiamentos astronômicos depois de tudo. Esse era o nosso cenário de juízo final. Então nos espremos até a escada rolante. O chão estava cheio de panfletos, jogados por pessoas tão indiferentes quanto nós. Que decadência, pensamos. A família dela era rica, diferentemente da nossa; ela tinha conexões e teve a melhor educação que o dinheiro poderia comprar. Diferente de nós. O que fez dela uma fundamentalista? Deve ser alguma fraqueza no sangue: primeiro o irmão, agora ela. Tinha sido um golpe terrível saber do destino dele; ele era um dos nossos melhores amigos na escola, um dos nossos camaradas mais próximos. Nós tínhamos confessado esperanças, compartilhado sonhos, trocado poemas. Mas nós o abandonamos quando a Guerra começou; nós escapamos do alistamento e fugimos do Irã quando ele foi arrastado para o exército. Nos sentimos um pouco culpados por isso. Nos sentimos culpados por não dar atenção à sua irmã também. Havia sombras arroxeadas sob seus olhos, o que nos trouxe memórias doloridas.

Parecia improvável que nos esbarrássemos de novo depois daquele dia no metrô, mas, algumas semanas depois, nós a encontramos na plataforma, empurrando mais panfletos paras as pessoas. Fervorosa. Pregando. Obviamente metida com as pessoas erradas, pensamos. Diversas organizações tinham brotado desde a Revolução, ditos governos em exílio, movimentos de oposição de um tipo ou de outro, a Frente do Povo da Judeia e tudo mais, arrebanhando recrutas entre os desesperados. Há tantas maneiras de uma minoria explorar as massas. De fato, a audiência do Congresso era sobre isso: a exploração construtiva do medo. Foi um baita empurrão na nossa carreira para nos tornarmos conselheiros sobre como lidar com as crescentes hordas de assírios.

Mas agora nós éramos os desesperados, porque lá estava ela mais uma vez, nos seguindo, tirando vantagem do atraso do trem para perguntar como estávamos. De novo.

Bem, na medida do possível, encolhemos os ombros em constrangimento. Ainda respirando. Segurando as pontas. Não é o fim do mundo!, dissemos, numa tentativa de humor. E você?

Quando você é oprimido pelo seu governo e roubado pelos seus compatriotas, ela começou, certamente é um sinal do fim? As brutalidades em plena luz do dia e a intimidação diária provam isso. Um novo tempo está ao nosso alcance, ela disse, séria.

É mesmo?, nós rimos. Para nós, parece mais com os velhos tempos, dissemos a ela, tentando nos esquivar para dentro do trem quando as portas chiaram ao abrir. Bem honestamente, nós achávamos que ela era intimidadora, desconcertante, com aquele rosto pálido e o lenço cáqui feio na cabeça. Deixamos o panfleto cair nos trilhos quando nos enfiamos dentro do vagão.

Mas ela nos seguiu. Para o nosso desânimo, vimos que ela tinha entrado no trem também, um pouco antes que a porta fechasse. Ela estava empurrando aqueles folhetos para os passageiros, entregando panfletos para cima e para baixo e segurando fotos turvas de corpos nus entre as estações. Aquilo era o pior. Como uma mulher jovem e bonita como aquela, e de família decente, com conexões no exército e na corte, podia estar sacudindo fotos de corpos nus bem debaixo do nariz de completos estranhos! Mas ela não estava sozinha; havia um time. Quando dois policiais entraram na parada seguinte e começaram a arrebanhar seus "colegas", nós viramos a cara, aliviados e mortificados de vergonha, tomados pela culpa ao vê-la ser empurrada para fora do trem.

Vocês não têm que ser religiosos para serem responsáveis, ela gritou enquanto era arrastada pela plataforma, o lenço escapando da cabeça. Foi bem chocante.

♦

Quando nossos caminhos se cruzaram de novo, estávamos do outro lado do país. Fomos convidados para apresentar um trabalho, dar um seminário, organizar um colóquio na Costa Oeste, e trombamos com ela por coincidência, no câmpus, no verão, ao fim do semestre. Ela trabalhava de garçonete em uma das cantinas, servindo lasanha para os estudantes; pensamos no que sua irmã mais velha teria achado daquilo, não podíamos imaginar. Elas eram dois extremos: a mais velha em sua mansão em Westwood, depilando as pernas com cera e fazendo as unhas toda semana; a mais nova trabalhando numa cafeteria, enfiando comida ruim e propaganda nos estudantes. O General deve estar se revirando no túmulo, pensamos. Dizem que ela nem foi ao enterro.

Ela veio e sentou na nossa mesa. Melhor amigo do irmão mais novo, afinal de contas, antes de darmos a curva nele. Tínhamos jurado fidelidade eterna antes dele se oferecer para lutar pelo Senhor, então não podíamos nos esquivar da irmã de novo, podíamos? Não nessas circunstâncias. Os estudantes estavam cochilando, o ritmo de trabalho afrouxava na cantina, há quanto tempo e tudo mais. De resto, seu lenço não era mais cáqui, agora era azul e de seda. Influência da irmã? Mas ela ainda insistia no armagedom, ainda tagarelava sobre o apocalipse.

Se os governos do Ocidente não conseguem parar as violações aos direitos humanos no nosso país, ela disse, se os poderes estrangeiros estão paralisados pela ansiedade por votos, por medo de sacos pretos com corpos, então não há alternativa senão agirmos pelos nossos próprios interesses.

Suas bochechas estavam coradas. Será que ela estava usando um pouquinho de maquiagem para variar? Tinha algo diferente no rosto dela. Atraente até. Mas ainda fanático.

Temos que derrubar o regime, ela resplandeceu. Tirar vantagem da mais ínfima rachadura, da menor fissura para destruir o sistema. O caos é inevitável, a violência incontornável.

Não estamos interessados em política, mentimos, raspando nossos pratos. Ela parecia algum tipo de bolchevique ultrapassada. Uma pena. Ela era mesmo bem bonita.

O que vocês estão dizendo, ela contornou, é que não se importam se o caos e a violência reinarem no país de vocês contanto que não estejam lá.

Não é nada disso, replicamos. Nós só não achamos que podemos fazer alguma coisa daqui, só isso. A mudança depende dos iranianos que estão no país.

Iranianos são covardes onde quer que estejam, ela contra-atacou. A mudança só pode ocorrer se você retaliar, se você resistir. E pro inferno com as consequências.

Estávamos horrorizados. Não acreditamos que os fins justifiquem os meios, retrucamos, arrogantemente, e pedimos licença antes que ela pudesse dizer outra coisa.

Mas enquanto nos arrastávamos para jogar no lixo nossa lasanha fria, podíamos sentir que ela estava nos observando, podíamos sentir seu olhar debochado penetrando nossas escápulas. Nossos fins tinham certamente justificado nossos meios quando abandonamos o irmão dela à própria sorte há muito anos; não demos a mínima para as consequências quando o desafiamos a marchar para a morte nas montanhas. Será que nosso cinismo tinha provocado o idealismo dele? Será que nossas palavras tinham, de algum modo, sido a causa de sua prisão e provável morte? E deveríamos agora tentar arrumar isso? Tem alguma coisa distintamente desagradável em ser chamado de covarde, sobretudo quando você está tentando fazer nome na academia.

◆

Foi um erro dizer a ela que tínhamos um escritório no câmpus, uma escrivaninha na biblioteca. Ela não nos deixaria em paz depois daquilo. Tínhamos medo que nossos colegas de departamento notassem. As pessoas olhavam para ela toda vez que ela vinha, avaliando nosso relacionamento. Não queríamos de jeito nenhum que nossos colegas nos vissem andando com uma mulher de *hijab*. Já havia paranoia demais no ar por causa da crise dos reféns por si só, e nós poderíamos ser considerados terroristas simplesmente por associação. Uma coisa era ser especialista e outra era ser suspeito de pertencer à quinta coluna. Uma vez até fomos rudes e não atendemos a porta quando ela veio bater; outra vez nós nos desculpamos e saímos, alegando compromissos urgentes.

Mas ela voltou algumas noites depois, quando estávamos prestes a ir para casa. Primeiro ela tinha usado palavras e argumentos; agora ela nos bombardeava com fotografias. Ali estavam os horrores que ela exibia no metrô: bebês mutilados, crianças expostas a gás, mulheres berrando na poeira sobre corpos de jovens soldados, prisioneiros torturados, meninas desfiguradas, ossos desenterrados de valas comuns, tudo rolando para fora da pasta que ela segurava debaixo do braço. Bastou. Não podíamos fechar a porta na cara dela. Mas como estávamos prestes a sair da biblioteca, não podíamos nem ignorá-la.

Nos oferecemos bravamente para acompanhá-la até sua casa. Era tarde afinal; a luz estava indo embora e aquele câmpus ficava meio feio na escuridão. Não poderíamos dar as costas para uma jovem naquele momento, sobretudo sendo ela a irmã do nosso melhor amigo de escola. Além disso, ela nem estava usando o lenço naquela noite. Na verdade, o cabelo dela cintilava de hena sob as luzes dos postes e havia uma aura de perfume ao seu redor. Nós decidimos flertar com ela, experimentalmente, só para evitar uma pregação.

Sua mãe ainda está no Irã? Sim. E seu irmão? Não. Nós observamos seu perfil na pausa que fez, lembrava o do menino adorável. Mulheres nunca tinham sido o nosso negócio antes.

Mas não dá pra ignorar aqueles que ficaram para trás, ela disse, volteando para nos olhar direto na cara. Ela era bonita mesmo, com aquele cabelo reluzente e os olhos pretos ardentes. Você não pode dar as costas pra eles, ela sussurrou. A degradação deles é a sua, a angústia deles é a sua. Se os direitos humanos deles estão sendo pisoteados, você é cúmplice disso se não protestar.

Havia um tremor na voz dela, uma instabilidade que era irritante. Sua paixão era assustadoramente sincera. Não, não tínhamos pensado naquilo daquele jeito. Sim, talvez fôssemos cúmplices. Nós estávamos tentando encontrar um modo de acalmá-la.

Mas ela não tinha terminado. Se você é cúmplice, então deve ser terrivelmente cruel, ela arrematou, tremendo, e se é tão cruel, então merece o racismo que está se levantando contra você no nosso país.

Ficamos chocados. Também não poderíamos nos intimidar agora, nós dissemos, e naquele momento vimos — Deus do céu — lágrimas brilhando em seus olhos. Não tínhamos percebido até aquele momento que essa garota podia estar sofrendo de verdade. Foi um momento apocalíptico, de fato. Embora detestássemos sermos chamados de cruéis bem na nossa cara quase mais do que sermos considerados covardes pelas costas, nós tínhamos que admitir, sob a luz do poste, que direitos humanos mereciam mesmo atenção. Decidimos que valia a pena apoiar a causa. No momento em que chegamos à parada de ônibus, já estávamos nos oferecendo para fazer nossa parte pelo país. Quando ela nos deu os panfletos, nós aceitamos. Quando ela pediu nossas assinaturas, nós obedecemos. Na verdade, enquanto o ônibus se aproximava, nós até dissemos a ela que escreveríamos um artigo para apoiar sua causa. Mas nosso limite era o lenço da cabeça. Nós teríamos gostado de sentir o inebriante perfume dos seus cachos para sempre e de poder tomá-la em nossos braços.

Nós nos abaixamos para chegar perto dela. Se a desordem universal e conflagração mundial são iminentes, um lenço não vai te proteger muito, não é?, gracejamos, e então demos um beijo rápido em sua bochecha, antes de dar as costas e saltar para dentro do ônibus.

Não é uma proteção; é solidariedade, ela gritou.

Foi só um beijinho na bochecha, mas a voz dela era alta. Todos no ônibus olharam para nós, enquanto cambaleávamos até nossos assentos, nos sentindo estranhos constrangidos. Mulheres são muito complicadas. Quando a ultrapassamos na estrada, ela nem olhou, nem acenou. Foi-se a solidariedade no sofrimento, pensamos com raiva; fomos humilhados, derrotados por sua figura minguada; fomos assombrados pelo seu perfume, pelo cheiro de nossas próprias axilas. Ficamos nos perguntando se ela tinha dito tudo aquilo sobre degradação porque se sentiu culpada também, pelo irmão. Se ele não tivesse morrido — sim, ela nos lembrava terrivelmente do irmão —, onde ele estaria agora? E foi aí que percebemos a diferença. Não era só a falta do lenço. Não era a presença de alguma maquiagem e a aura de perfume. Era o nariz. Fossem quais fossem suas opiniões ideológicas, aquela garota tinha feito uma plástica no nariz! Bem, ao menos a Califórnia tinha feito aquilo por ela, pensamos, de repente nos sentindo azedos e empanturradamente acadêmicos e prematuramente velhos. O motor do ônibus rugiu enquanto a deixávamos para trás no escuro.

Mas nós não jogamos os panfletos fora: fizemos notas neles. E quando vimos um bando de alunos bombardeando uns aos outros na cafeteria uns dias depois, com aviõezinhos de papel feitos com eles, nós nos sentimos humilhados em nome dela. Ela estava certa sobre o racismo. Ela estava certa sobre ser refém do preconceito. Sim, era fácil ser cúmplice de atos de opressão sobre os outros; era fácil apoiar a tirania sem perceber. Pela graça de Você Sabe Quem, e tudo mais. Se ela não tivesse se metido com as pessoas erradas, se ela tivesse estudado, nada a teria impedido de estar agora no nosso lugar. Ela com certeza era inteligente o bastante, articulada o bastante, possivelmente até ambiciosa. Se ela tivesse tido metade de uma chance, ela poderia ser a especialista, a conselheira, a consultora especial convidada para audiências do Congresso. Eles gostam de usar mulheres iranianas para essas coisas.

Nós criamos umas teorias sobre milenarismo baseadas na propaganda dela e escrevemos um artigo, citando seus materiais no apêndice. Mas não a encontramos de novo. Na verdade, a irmã do nosso querido amigo de tanto tempo saiu do país logo depois, sob uma nuvem de suspeitas. Houve um desacordo, um impasse entre as garotas. Elas tinham brigado sobre política, aparentemente, ou talvez dinheiro. O irmão ainda estava dado como ausente e a mãe tinha torrado a fortuna da família tentando encontrá-lo; a irmã mais velha já estava endividada e a mais nova tinha se dado mal com as pessoas da imigração. Alguma coisa a ver com as suas afiliações políticas. Nós sabíamos de tudo, claro, por conta de nossas próprias afiliações políticas.

Foi depois daquele último encontro que começamos a escrever nosso best-seller sobre o irmão dela, as memórias do soldado mártir traído por sua própria família; o livro fez de nós celebridades da noite para o dia.

♦

Então, naturalmente, as notícias a respeito do seu retorno para a reunião familiar, depois de todos esses anos, nos surpreenderam um pouco, nos desanimaram até. E você com certeza pode entender o porquê. Você consegue avaliar nossa posição? Nós não queremos trombar com ela em Westwood ou ver a velha de novo depois de todo o dinheiro que ganhamos transformando seu filho num personagem ficcional. Não estávamos interessados em recriminações vindas daquele lugar; não tínhamos desejo algum de sermos difamados, ou de ter nossa reputação minada, ou de defender nossa pesquisa nesse ponto de nossas carreiras. Aquela garota sabia ser muito intransigente quando queria. Ela poderia causar problemas; é osso duro de roer, como dizem. Apesar das lágrimas.

Fizemos algumas ligações para certos amigos nossos com contatos, só para ter certeza. Ela tinha levantado suspeitas na CIA: sua ficha tinha sido limpa? A organização dela tinha laços com terroristas: tinham sido absolvidos? Para dizer a verdade, ficamos bem aliviados ao saber que ela ainda estava na lista negra. Tiramos um peso da consciência, podemos dizer. Não queríamos um caso de tribunal nas nossas mãos.

Reconhecemos, não fora assim estritamente factual o livro de memórias. Era só bem pessoal, entende, bem íntimo. Tivemos que tomar algumas liberdades para o bem da história. Considerando o papel da irmã mais nova no desaparecimento do irmão, por exemplo. Como ele morreu nas mãos da organização dela. Como ela pode ter sido cúmplice de sua prisão. Pequenos detalhes que indicavam sua responsabilidade direta pelo sofrimento dele. Ela não admitiu algo afinal de contas? Não tomou parte da culpa? Talvez nós tenhamos exagerado um pouco — alguns críticos disseram que foi um tipo de terapia —, mas, se nós enfeitamos seu milenarismo um pouquinho, e se extrapolamos algumas inibições sexuais pela sua virgindade, foi licença poética. Eles chamam isso de escrita criativa de não ficção agora, acreditamos. Além disso, ajudou a vender o livro, não foi?

27

Apesar de tudo, no entanto, acreditamos, com toda modéstia, que nós cumprimos a promessa que fizemos a ela. Ou melhor, ao irmão dela. Fizemos a nossa parte pela causa dela. E dele. Depois que aquele primeiro artigo chamou a atenção dos círculos acadêmicos, nós começamos a dar palestras sobre o tópico e publicamos artigos na imprensa. E, com as memórias, nosso nome se fez. A palavra *apocalipse* foi traduzida para o farsi por nossa causa.

Somos considerados especialistas no campo agora. Não é que tenhamos abraçado a causa dela, não exatamente; é só que nossas carreiras dependem disso. Não é que nós acreditamos em tudo isso tampouco; é só que a aula de Psicologia da Catástrofe 101 paga as contas. Nós temos, de acordo com a mais recente resenha, a última palavra sobre o assunto.

Trânsito

O certo, a decisão sensata teria sido aceitar a cadeira de rodas. Mas ela recusou.

"Não sou uma aleijada!", ela replicou quando Mehdi sugeriu. "E essa é minha palavra final sobre o assunto", completou. Não era, claro.

Ele disse mesmo que a cadeira deixaria a viagem mais fácil, ela concordou; ele mencionou mesmo que quando trocassem de avião, a assistência à cadeira de rodas faria muita diferença na Europa e nos Estados Unidos. Mas ela tinha presumido, pelo deboche dele, que aquilo era só mais uma de suas esnobadas políticas contra a civilização ocidental. Mehdi era vigorosamente antissatânico e sempre caçoava do ocidente como se ele estivesse em sua decrepitude, impotente da cintura para baixo e senil da cintura para cima. Mas quando ele chegou ao ponto de dizer que ela tinha artrite e um coração fraco, e sofria de vista cansada, Bibijan protestou que ainda não estava morta, muito obrigada.

"E eu não preciso um carrinho de hospital enquanto eu ainda tiver pernas", ela completou, resoluta. "Eu quero chegar pra festa de Naw Ruz com meus próprios pés".

A idosa iraniana isolada no aeroporto de Roma examinou criticamente suas pernas inchadas. Bem, elas ainda estavam lá, ela pensou, olhando aqueles apêndices com reprovação, mas isso era tudo o que podia ser dito em favor das pernas. Depois de cinco horas no avião, seus pés e tornozelos pareciam pertencer à Mulher Elefante, do jeito que eles escapavam da cadeira onde ela estava sentada, num canto longínquo da sala de embarque do aeroporto, e ainda tinha doze horas de voo pela frente. Ela esperava que pudesse ser capaz de andar quando chegasse ao destino.

Olhou ao redor. Ninguém mais andando àquela hora, embora ela tivesse a impressão de ter ouvido passos em algum lugar. Tinha bem pouca gente no terminal e todos estavam dormindo. Além de Fathi, que estava roncando na fileira de cadeiras plásticas vermelhas atrás dela, tinha um grupo de adolescentes deitados por cima de suas mochilas de lona no final do corredor e um homem de meia-idade esparramado ali perto com um jornal na cara. Ninguém se mexia. O som dos passos se dissipou. Deve ter sido seu coração. Bibi respirou fundo e olhou de soslaio para o seu recém-adquirido relógio digital. Ele piscou de volta 02:35, em números muito grandes para se acomodar à sua visão que se deteriorava. Duas já foram, quatro pela frente.

Sim, seu estoicismo com relação à cadeira de rodas não tinha sido sábio, e sua companheira de viagem, Fathiyyih, que deveria tê-la ajudado em trânsito, não serviu para nada. Embora Fathi pudesse ziguezaguear as ruas congestionadas do Teerã com impunidade, xingando taxistas, discutindo com comerciantes e subornando sua entrada em escritórios do governo, ela não tinha a menor ideia de como conduzir sua senhora pelo labirinto do free shop em um aeroporto. Apesar de ser capaz de ver melhor do que Bibi, ela foi incapaz de decifrar o número do portão. No fim, elas desmoronaram num canto do corredor, por nenhuma razão melhor do que ficar mais perto dos banheiros.

Mas a expectativa para o Naw Ruz diminuiu todo o desconforto da viagem para Bibi; isso aliviava todas as misérias que envolviam estar encalhada naquele lugar e naquela hora. "Nós temos uma surpresa pra você, Bibijan!". Goli tinha dito no telefone. "Vai ser um grande encontro! Você vai ter que vir pro Ano Novo dessa vez!".

Goli implorava à mãe para que viesse à América fazia vinte e cinco anos. Desde a morte do General, logo depois da Revolução Islâmica, sua filha mais velha ficava enviando convites: "Venha pro Naw Ruz esse ano, Bibi! Venha pra Califórnia pro Naw Ruz!". As festividades de Ano Novo eram importantes em Los Angeles: havia todo tipo de evento em Teerangeles em março, todos os tipos de concertos e festas celebrando o passado pré-Islâmico da Pérsia, o equinócio da primavera. Vai-se o velho e vem o novo. Era até mais exagerado do que no Irã. Mas a senhora sempre encontrava desculpas para recusar os convites da filha. Primeiro a crise dos reféns tinha tornado impossível conseguir um visto para a América. Depois, a burocracia da Revolução Islâmica tinha congelado os bens do marido por conta de sua ligação com o antigo regime. E por fim, quando a guerra com o Iraque se arrastou e Ali nunca voltou do fronte, havia invariavelmente um caso infeliz de gripe no último minuto, a necessidade de uma operação nos olhos, uma pequena deterioração em sua condição cardíaca. Mas a razão real tinha a ver com o filho. O paradeiro de Ali nunca foi confirmado. Enquanto não soubesse se ele estava vivo ou morto, Bibi não podia sair do país.

Mas, dessa vez, Mehdi a encorajou. Usando o horrível título de "senhora", que, como muitos outros aspectos da cortesia do velho mundo, na boca dele soava como uma paródia, ele insistiu que tinha chegado a hora. Era sempre ele quem a aconselhava a não ir antes — "Khanum só pode receber remuneração enquanto estiver vivendo na casa do marido falecido". Ele a tinha alertado que, por causa das ligações bem próximas do General com o velho regime, seu benefício de um oitavo de pensão de viúva seria confiscado se ela saísse — "Khanum vai perder tudo assim que ela deixar o solo iraniano!". Ele também a advertiu que sair do país poderia pôr em risco sua chance de encontrar Ali — "Khanum tem que estar aqui pra assinar os papéis!". Contanto que estivesse no país, poderia fazer requisições e escrever apelos para encontrá-lo — "Por uma pequena taxa de serviço, Khanum". O ponto é que ela tinha que ficar no Irã para pagar os subornos. Agora, no entanto, apesar de seus evidentes pronunciamentos políticos, Mehdi a tinha feito entender que a situação financeira dela exigia intervenção dos Estados Unidos.

"Não tem escolha, Khanum!". Ele tinha tentado protegê-la no passado — "Mas, tem sido difícil agora, Khanum, muito difícil!". Como resultado de seu caso particular, "Novas regulações, Khanum, aplicadas retroativamente" — a pensão tinha secado e até o seguro destinado a idosas sem sustento seria retido. Não havia nada. "Eu fiz todo o possível, Khanum, tudo, mas essa gente é velhaca". Tirando o fato de que ele tinha se sacrificado por ela e pela família dela — "Eu me sacrifiquei completamente, Khanum!" —, os negócios dela requeriam a ajuda do genro Bahman de agora em diante. "O economista americano pode resolver os problemas de Khanum", ele disse, com aquele olhar escorregadio e desonesto que ele adotava quando esperava por alguma compensação extra.

Bibi suspirou. Toda vez que Mehdi a chamava de Khanum, ela sabia que ele estava aprontando. Mas ela também sabia que era a única culpada pela situação. Ela se movia inquieta no assento, suas pernas penduradas como sacos de concreto, seu coração estalando como passos na distância do seu peito afundado. Ela estava esgotada. Mehdi a tinha sugado durante anos. O cobrador de aluguel do General quando ainda havia aluguel para cobrar, seu motorista quando ainda tinha carro e intermediador, que lidava com bancos, advogados e oficiais desde sempre, tinha se feito indispensável para Bibi, a fim de ordenhá-la até que secasse. E agora ele tinha de fato mandado ela fazer as malas. "Diretamente de Roma pra Los Angeles, e Khanum pode ter certeza de que esse humilde servo vai cuidar de tudo durante sua ausência, tudo, pelo bem de Ali, que a minha vida seja um sacrifício por ele!". E então ele subiu uma de suas "esposas" para o quarto no andar de cima do casarão para cuidar de tudo, antes mesmo que ela deixasse o local.

A velha se escorou na cadeira, protegeu seus olhos do brilho das luzes fluorescentes sobre a cabeça. Pelo bem de Ali, é verdade. Bendito Ali. Muitos soldados como seu filho tinham desaparecido no decorrer dessa guerra brutal com o Iraque, logo depois que o novo regime se estabeleceu; muitos casos ainda não tinham sido explicados, mesmo vinte anos depois, quando a maioria das pessoas já havia esquecido sobre o que era aquela guerra. Mas de vez em quando, durante as décadas seguintes, notícias chegavam sobre um pequeno grupo de prisioneiros libertados de alguma montanha remota num campo no Curdistão, de algum outro fluxo de prisioneiros desaparecidos em combate enviados para a Turquia para repatriação. E Mehdi sabia dessas coisas. Bibi dependia da ligação que ele tinha com os serviços de inteligência, de suas conexões com a Guarda Revolucionária, e estava mais que disposta a pagar pelas suas informações privilegiadas sobre prisioneiros ainda não liberados dos campos de prisioneiros de guerra. Se ela estava agora presa no aeroporto de Roma, no meio da noite, com as finanças em desarranjo e Fathi ao seu lado roncando, era porque tinha deixado que ele a enganasse. Por uma razão.

Passos de novo. Clique, claque, clique-claque. Ou era sua cabeça ou era seu coração estúpido. Ela deveria levantar, caminhar um pouco, pensou; parar de pensar em Mehdi, parar de se preocupar com o dinheiro e a casa. Seus olhos queimavam de exaustão, suas pernas latejavam desconfortavelmente. Ela balançou seus pés de elefante um pouco, sacudindo a fileira de cadeiras, esperando que o inchaço dos tornozelos diminuísse. Tendo finalmente aceitado o convite da filha para vir à América depois de todos esses anos, não queria envergonhar Goli na festa de Naw Ruz. Ou chocar seu neto e neta. Ou escandalizar os amigos do General em Los Angeles. Ou irritar qualquer pessoa que pudesse estar vindo de surpresa para a festa. Na verdade, aquilo foi o que tinha finalmente a convencido a aceitar o convite. Goli tinha dito: "E vai ter uma surpresa pra você, Bibijan!".

Ondas de emoção explodiram no peito da velha mulher ao pensar naquilo. Uma grande reunião de família. Amigos e familiares juntos pela primeira vez em meio século. Uma surpresa! Ela apalpou novamente o relógio. 03:06. Ainda faltavam três horas. Acabou que Mehdi já sabia sobre a festa de Naw Ruz — "Nós não podemos contar pra Khanum, ou não será uma surpresa!". Ele também tinha feito um pedido de visto especial para ela, com a ajuda do genro, Bahman, para que ela pudesse entrar nos Estados Unidos da América — "Como uma dependente da família", ele enfatizou. Ele estava se correspondendo com Bahman, aparentemente, sem contar a ela — "Ah, por meses, mas nós não queríamos aumentar as esperanças de Khanum". O que mais ele não tinha dito a ela? Que outras esperanças não poderiam ser aumentadas? Porque quando ela contou o quanto estava ansiosa para ver sua família no Naw Ruz, ele tinha um olhar de quem sabia de tudo — "Ah, Naw Ruz é o momento certo para que famílias estejam juntas". Na verdade, ele recém tinha ouvido falar de um grupo de prisioneiros extraditados que estavam sendo encaminhados para uma base das Nações Unidas na Turquia, nas próximas semanas — "Especialmente para o Naw Ruz!", ele se gabou. Os *retornados*, como os chamava, teriam a chance de voltar para casa no Irã ou serem reunidos com seus familiares no exterior — "Depois de um tratamento médico, é claro", ele olhou torto. Khanum teria gostado que ele fizesse algumas investigações? "Por uma pequena taxa, é claro", ele completou, ajeitando o saco de um jeito que fez Fathi corar.

Era possível? Poderia ser? Foi porque sua cor mudou e sua respiração ficou pesada por causa das palpitações que Mehdi sugeriu a cadeira de rodas — "Seria mais fácil pro coração de Khanum". Seria melhor viajar na classe executiva também, ele completou — "Lufthansa. Os aviões mais seguros. Esses alemães", olhou malicioso, "eles ganharam a guerra de verdade, sabe; olha como eles dominam a Europa. E você pode ficar no lounge especial. Chá grátis", ele encorajou Bibi. Mas a passagem era cara.

Ele a deixou muito agoniada quanto à decisão sobre o preço. Isso e as pulsantes esperanças a mantiveram acordada por várias noites. Então, como se num favor especial, ele de repente apareceu com uma solução. Ele tinha encontrado um voo mais barato, disse, que também resolveria o dilema da cadeira de rodas. Mas tinha só um probleminha, ele completou — "Só um pequeno inconveniente". Fora isso, era a solução perfeita.

Aquilo era típico do Mehdi. Ele tinha uma natureza vingativa. Às vezes, Bibi ficava pensando se ele não tinha um emprego de meio turno no bem-murado centro de detenção de Evin, torturando prisioneiros políticos que eram considerados uma ameaça ao regime. Ele criava todo tipo de situações de angústia para as quais parecia não haver remédio até que ele mesmo oferecesse uma solução irresistível, uma solução que durava o tempo suficiente para que as esperanças se animassem novamente e ele então a arrancava no último momento. Era o que ele vinha fazendo nos últimos dez anos a respeito de Ali. "Não há solução, Khanum: você tem que assinar a declaração para que possamos levar o assunto à corte para receber a pensão". Ela se recusava a assinar, claro. Ela nunca assinaria papel nenhum que presumisse a morte do filho. "Mas se Khanum puder prover os meios, este servo encontrou uma solução simples para seguir um novo caminho de buscas daqueles que desapareceram em serviço". E ela provia, naturalmente.

A solução para o voo parecia igualmente simples à primeira vista. A Alitalia era mais econômica que a Lufthansa. Bibi poderia voar do aeroporto de Imam Khomeini para Roma e pegar um voo direto para Los Angeles no dia seguinte. "Sem precisar trocar de aeroporto. Sem precisar de cadeira de rodas". E "oito milhões de riais seriam economizados", ronronou. O único problema era de tempo, continuou, um pequeno nó, um leve inconveniente com os horários dos voos. Elas chegariam a Roma tarde da noite e teriam que esperar até a manhã seguinte pelo outro voo.

"Khanum tem uma escolha", ele assegurou. Ele poderia reservar um hotel perto do aeroporto por algumas horas por mais seis milhões, a mesma quantia que custaria descobrir algo a mais sobre os desaparecidos em serviço — "A menos que", ele disse, com um olhar expressivo, "Khanum assine o pedido de liberação dos fundos de pensão?" — ou elas poderiam simplesmente ficar no lounge a noite toda. "Eu presumo que Khanum prefira ficar em trânsito? Seis milhões de riais é muito!".

Bibijan sentiu o peso daqueles riais apertando forte sua bexiga naquele momento, e os passos ficaram mais barulhentos na sua cabeça. Clique-claque, clique, claque. Sim, ela preferiria ficar em trânsito. Mas não, ela mais uma vez se recusou a assinar os papéis da corte que dariam a ela algum dinheiro de pensão, com base em que Ali estivesse presumidamente morto. Mehdi deu de ombros. "A escolha é de Khanum", ele tinha repetido numa lenga-lenga, revelando caninos amarelos. "Khanum está livre pra escolher. Neste grande país, somos livres pra escolher. Khanum deveria tirar um tempo pra pensar bem sobre isso". E então ele fez uma mesura e saiu, obsequioso, com a mão no coração, e bateu a porta. Clique-claque.

O coração dela latejou desconfortavelmente com a lembrança. Esse antigo motorista do marido, esse intermediário do qual ela dependia, tinha engordado nesses últimos anos. Ele tinha se tornado uma criatura bajuladora e barbuda, que sabia demais sobre prisioneiros. Não era a primeira vez que ele elevava as esperanças dela só para depois desapontá-la. E provavelmente não era a última vez que ele usaria a dor dela para saquear sua bolsa. Ela poderia medir suas perdas na medida dos furos do cinto ao redor da cintura dele, que se expandia.

Enquanto Bibi se mexia de um lado para o outro, procurando uma posição confortável, Fathiyyih rolou pesadamente para o lado dela. A guria estava deitada ao comprido numa poltrona, a cara enrolada no cobertor sob as luzes implacáveis. Era como eles tratavam prisioneiros em Evin, de acordo com Mehdi: luzes permanentes a noite inteira para que os guardas pudessem observar tudo o que faziam. Se Fathi rolasse de novo, ela cairia no chão e acordaria com o baque. Mas se ela não acordasse, quem cuidaria da bagagem quando Bibi fosse ao banheiro? Ela precisava mesmo se aliviar. Espiou seu relógio de novo, pouco à vontade. Ele piscou 03:21.

As escolhas que Mehdi tinha oferecido entre o hotel e a espera em trânsito não importavam muito para Bibi. Fazia tempo que ela tinha viajado de avião para algum lugar, décadas desde que o marido a tinha levado à Europa, uma eternidade desde que ela pisara num avião na trilha de Soraya e do Xá, usando óculos escuros à la Grace Kelly, de saia rodada de bolinhas pretas. Se lembrou vagamente de suas visitas de inverno às pistas de esqui da Europa, suas estadias de verão em praias e cassinos, suas absurdas expedições de compras em Londres, Paris e Milão. O General era viciado em fazer compras. Com certeza eles haviam ficado em trânsito durante todas essas viagens. O país inteiro estava em trânsito, pensando bem. Isso não a incomodava nem um pouco na época.

A escolha também não significou nada para Fathiyyih. Sua companheira de viagem e secretária pessoal vinha de um vilarejo em Mazandaran e nunca tinha sequer pisado em um avião, muito menos ficado em trânsito. Bibi esperava que a América não virasse a cabeça de Fathi. Ela também esperava que suas filhas fossem gentis com a coitada da guria. Suspirou. Fathi era uma responsabilidade, mas também uma necessidade, não importava o que Goli e Lili dissessem. Ela também era inconveniente, Bibi pensou, assim como era leal. Sua saia tinha subido para os joelhos quando ela se virou, revelando um par de meias pretas amarfanhadas sobre suas panturrilhas peludas. Tudo bem, elas estavam em um voo bem barato mesmo.

Embora tivesse claramente desaprovado sua decisão de não levar adiante o caso no tribunal, Mehdi a cumprimentou por escolher a opção do trânsito, quando passou para ver o que ela tinha decidido sobre a viagem. "Qualquer negócio pra economizar algum dinheiro nesses tempos", ele disse, com um sorrisinho desagradável. Fathi faria de tudo para deixar Khanum confortável, ele disse; ela encontraria um lugar conveniente para acomodar Khanum — "um cantinho bom e aconchegante perto dos banheiros com algumas almofadas e cobertores". Fathi daria um jeito.

Mas não teve cantinho aconchegante e foi Fathi quem ficou com o cobertor. Mehdi estava certo sobre a cadeira de rodas, mas errado sobre o trânsito. Porque acabou que elas tiveram que passar pela imigração e pela alfândega na chegada, no aeroporto de

Fiumicino; elas tiveram que arrastar a bagagem para fora da esteira por razões de segurança e ir até a sala de embarque cafona do aeroporto e esperar lá pelo voo seguinte. Quando ela se deu conta disso, Bibijan pensou, brevemente, se a opção do hotel não teria sido mais sensata, mas só de pensar no esforço que seria ter que sair do prédio com toda a bagagem, encontrar um taxista italiano que não quisesse passá-las para trás no meio da noite e dirigir por quilômetros para encontrar uma cama, só para depois virar as costas e voltar quatro horas depois, não fazia o menor sentido. Era tarde demais para um hotel e cedo demais para o embarque. Então, elas tinham que ficar lá sentadas no limbo até de manhã e depois passar por todo o processo de alfândega, imigração e segurança, tudo de novo.

A velha suspirou e espiou o pulso. 03:52. Talvez o som de passos estivesse vindo do relógio? Ela o ergueu até a orelha. O clique-claque parecia estar se aproximando, mas talvez ela só estivesse imaginando suas funções corporais. A bexiga estava latejando também. Ela se maravilhou com a capacidade que Fathi tinha para dormir. Era bom, pensou Bibi, pois ela não aguentaria lidar com os medos da guria num momento daqueles, suas preocupações exageradas com relação a furtos, roubos e assassinatos. Havia poucas provas para tais teorias da conspiração aqui, a menos que suspeitasse da pessoa que de repente apareceu em seu campo de visão. Clique-claque, clique-claque. Bibi piscou e encarou a fonte de onde vinham os passos. Daquele borrão no longínquo fim do corredor, uma jovem mulher pálida numa malha com estampa de oncinha e botas de couro cano alto se aproximava e se aproximava, falando ferozmente num telefone celular.

Fathi esperaria que ela estivesse carregando explosivos, provavelmente nas botas, mas não havia gente o bastante para explodir naquele lugar, além disso, a maior preocupação de Bibi, naquele momento, era ir ao banheiro. Mas agora como? Como poderia deixar Fathi sozinha, dormindo, com uma potencial bomba na área? A guria entraria em pânico se acordasse com a visão de uma terrorista marchando em sua direção com uma malha de oncinha e botas de couro cano alto, sem ver sua senhora em lugar algum.

Fathi ainda era chamada de "a guria" na família, depois de todos aqueles anos, mesmo que estivesse provavelmente nos trinta agora. O General tinha voltado de Mazandaran com ela no verão que Ali nasceu. Uma criança do vilarejo, com uma verruga perto dos lábios e lêndeas no cabelo. "Uma amiguinha para Lili", ele disse, distante, "para que ela não fique com ciúmes do menino". Embora sua mulher tivesse adivinhado as razões pelas quais ele tivesse não oficialmente adotado essa criança que engatinhava e cujo queixo se projetava como o dele, Bibi não disse nada, é claro. O Xá Reza tinha abolido o véu há três décadas, mas não fazia diferença alguma para a poligamia; um homem, de acordo com a cultura iraniana, sempre tinha suas necessidades, fossem elas sancionadas pela religião ou não. Ela entregou a criaturinha assustada ao jardineiro, com as instruções de raspar sua cabeça, lavar com sabão carbólico e vesti-la com as roupas velhas de Lili. Fathiyyih, como a chamaram, foi criada na mesma casa com suas filhas desde então. Brincava com elas, cuidava do irmão mais novo com obstinada devoção, aprendeu a carregar e buscar coisas para a mãe deles e finalmente se tornou uma espécie de empregada pessoal, apesar de ninguém admitir. Embora ela tivesse se mostrado meio lerda, sempre fora leal e disposta a ajudar. Na verdade, ela provou ser a mais confiável das filhas de Bibi.

A velha foi ficando inquieta ao pensar em seus filhos. A primogênita tinha se casado e ido para Los Angeles quando mal tinha completado vinte anos e agora era uma loira de seios enormes, ao que diziam as últimas fotografias. A segunda tinha virado uma marxista em Paris e aparentemente fotografava mulheres nuas agora, com quase nada de seios, por dinheiro. E seu filho —? Bibi sentiu um calafrio quase imperceptível atravessá-la. Eles estariam mesmo todos juntos novamente para o Naw Ruz? Era possível que fossem se reunir na festa surpresa de Goli? Uma palpitação aguda tomou seu coração, enquanto aquela antiga e familiar nota de tristeza se mexeu em seu interior enferrujado.

Ela fez uma careta, apertou os lábios e olhou para baixo apreensiva, para o relógio de novo. 04:11. Não dava mais para adiar. A jovem cacarejando no celular com suas botas barulhentas tinha misericordiosamente voltado para o fim do corredor, levando seus saltos e sua ameaça de bomba para longe dela. Era hora de ir. Eles ficavam de fato repetindo nesses aeroportos internacionais que os passageiros não deveriam deixar suas malas abandonadas, mas Fathi não era uma mala, afinal de contas, embora ela às vezes parecesse uma. Bibi teria que abandoná-la. Mesmo que Fathi, pensou com uma ferroada de vergonha, nunca tivesse a abandonado todos esses anos. Fathi tinha ficado ao lado dela, do início da Revolução, por toda a guerra do Iraque, e os longos anos de espera desde então. A simples Fathi, imperturbável Fathi, roncando com sua boca bem aberta: ela era a única que tinha ficado ao lado de Bibi na saúde e na doença, nos tempos bons e nos ruins.

A velha agarrou sua bolsa e foi com dificuldades até a ponta do banco. Esperou um tempo, reunindo forças para se impulsionar para cima sobre as duas pernas inchadas que ela tolamente pensou serem capazes de carregá-la do Teerã até Los Angeles. Mas, quando ela estava prestes a se erguer e andar rigidamente até os banheiros, ouviu os passos de novo. Clique, claque, clique-claque. Eles se aproximaram e se aproximaram. A jovem de malha de oncinha de repente reapareceu atrás dela. Ela poderia não estar carregando explosivos, mas, para o desânimo de Bibi, foi direto para os banheiros. Sua cara estava pálida, seu cabelo era arrepiado e preto e seus sapatos faziam muito barulho conforme ela andava em direção à porta.

"*Andiamo, andiamo*", ela dizia, enquanto espichava a mão para empurrar a porta vaivém. A velha piscou pesadamente. As unhas eram mesmo verdes?

A garota desapareceu sem que nenhuma explosão acontecesse e Bibi escorregou de volta para sua cadeira, tendo seus objetivos imediatos derrotados, mas suas emoções bastante abaladas. Seu coração batia desconfortável. A jovem italiana parecia tanto com sua neta, Delli, só que mais alta, mais velha talvez, mas estranhamente similar. A filha mais velha de Goli gostava muito de esmaltes; usava sempre cores diferentes em todas as fotos. Mas essa jovem estava usando verde em todos os dedos. Esmalte verde! A cor da primavera. A cor do Naw Ruz e das esmeraldas e de Imam Ali. Aquele clarão verde na ponta dos dedos da moça pareceu algo milagroso para Bibi. Pareceu um sinal, um presságio, uma prova do futuro e dos sonhos realizados. Pareceu antecipar a iminência da juventude e da coragem e da esperança. Mas ah!, que dor! Seu coração sentiu a dor de toda aquela esperança.

Seria Ali a surpresa de Goli afinal? Seu filho iria se juntar a elas na América, tão verde quanto as unhas da garota, tão vivo quanto as suas esperanças no melhor da vida? Ela estava sendo sensata de acreditar em tal coisa ou de imaginar que ele pelo menos passaria pela imigração?

Imigração

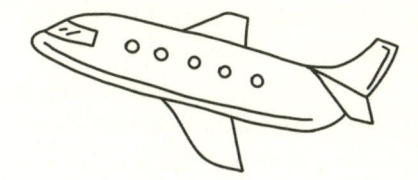

O negócio começa razoavelmente bem. A agente de imigração é jovem, ela é loira e ela tem um baita de um penteado chique. Seu cabelo foi puxado para o lado, cruzando a testa, do leste para o oeste, como uma asa, nos convidando a seguir. Mas cai direto sobre seus olhos, de modo que não podemos ver bem para onde ela está olhando. Ela masca devagar, metodicamente, um chiclete muito cor-de-rosa, mas pede para que olhemos diretamente para a câmera quando nos nota encarando sua boca. Ela nos mede, com cuidado, um olho depois o outro. Não há lufada de ar para medir a pressão, para testar a textura da córnea, para identificar nosso potencial de nos tornarmos pacientes de incipiente glaucoma, mas nós nos perguntamos se a câmera vê o quão cego fomos durante toda a vida.

"Qual é o propósito da sua visita?", ela arrasta a fala, em um inglês australiano.

Treinamos durante toda a fila. Repetimos as palavras para nós mesmos enquanto arrastávamos os pés para frente, lentamente, com todos os estrangeiros, enquanto a fila se virava e se desvirava em si mesma, desdobrando-se pouco a pouco, como uma jiboia, lenta e hesitante. Ensaiamos pela duração inteira da impassível fita de contenção entre nós e eles. E agora abrimos nossa boca para dizer:

"Para e-ver família", respondemos. Maldito sotaque. Desejamos falar um inglês melhor.

A jovem tem cara de vinte, mas o corpo de uma matrona de quarenta, ou de quem recentemente deu à luz gêmeos. Seus seios mal conseguem ficar dentro da frente engomada de seu terno apertado. Será que ela às vezes se preocupa de não pertencer a este país e para onde iria se ela não pertencesse? Pouco provável. O terno deve ajudar com todos esses botões de metal. E a cadeira giratória também. Ela está tão apertada lá dentro que não conseguimos imaginar ela saindo.

"Onde você vai se hospedar aqui em Sydney?".

A jovem não nos olha quando fala. Ela começa a folhear o passaporte de um jeito aleatório. Estará demorando na foto, conferindo com outras fotos de fichamento de criminosos escondidas debaixo do balcão? Está calculando nossa idade? Tentamos imaginar o que ela lê antes de dormir. Difícil. Tentamos imaginá-la antes de dormir sem ler. Ou só ela na hora de dormir. Mas leva muito tempo para abrir o terno.

"Seu endereço em Sydney?", a jovem repete.

Tínhamos escrito o endereço no formulário de imigração que ela está segurando com os dedos, mas de repente, em pânico, não podemos lembrar o que escrevemos nele. Nós nos balançamos para a esquerda e para a direita para ver, mas as mãos dela estão escondidas sob a prateleira do balcão; o formulário fora do campo de visão. Seguramos a prateleira com as juntas dos dedos esbranquiçadas, sentindo o suor aumentar. Por que essas pessoas sempre pedem para que você reitere o que você escreveu claramente? Pensamos que talvez nossa aparência não fosse tão boa, cara de sono, barba por fazer, depois de um voo de quatorze horas. Nós começamos a remexer em nossas malas, bolsos, dentro dos nossos casacos, nossas jaquetas, procurando o pedaço de papel onde tínhamos anotado o endereço para mostrar ao taxista depois da alfândega. Nesse momento, não parece que chegaremos na alfândega ou que veremos nossas malas de novo. E, de repente, nos sentimos completamente desabrigados, abandonados. Estamos a quilômetros de distância do Teerã.

Mas este não é o melhor lugar para se sentir abandonado. Tentamos nos ajeitar enquanto recuperamos o endereço e desamassamos o papel. Fomos avisados, por um primo nosso que caiu sordidamente na imigração dos Estados Unidos uma vez, que as pessoas que trabalham nessas posições eram treinadas, provavelmente pelo Mossad, para detectar feromônios da ansiedade a léguas de distância. Precisamos parecer confiantes aqui; precisamos parecer à vontade. Precisamos deixar a jovem loira, que está explodindo seus botões, ciente de que nós não estamos abandonados, não mesmo. Temos uma família, temos parentes, temos inúmeros amigos em lugares importantes, inclusive em Sydney, em Perth, Brisbane, para não dizer em Paris, Londres e Los Angeles. Temos todas as conexões corretas e o visto correto também. Somos legítimos e não há nenhuma maneira dela ou qualquer pessoa neste país nos mandar de volta ou nos passar adiante para a ilha de Papua Nova Guiné com um bando de estrangeiros. E nós tropeçamos na pronúncia do nome da rua, soando desesperadamente iranianos. Estrangeiros.

A jovem agente de imigração vai virando as páginas do passaporte, mascando seu chiclete de um lado e do outro. "Quanto tempo você vai ficar no país?", ela diz, nos olhando por um momento através do cabelo.

Nos disseram para mentir. "Três meses", respondemos, um pouco alto demais, animados demais. "Só pra ver a família", nós completamos desnecessariamente. Por que tínhamos feito aquilo? Estupidez. Se ela tivesse nos perguntado se visitaríamos outras cidades na Austrália, nós teríamos provavelmente ecoado Sydney, Perth, Brisbane. Mas fomos avisados, pelo mesmo primo que foi expulso da América, para falar o mínimo possível com essas pessoas. Tentamos compensar o erro sorrindo. Mas ela tinha puxado o passaporte para perto dela e estava dando uma boa olhada na foto agora. Ela provavelmente acha que nós somos uma farsa porque não se deve mais sorrir na foto do passaporte, e nós envelhecemos desde que aquela foto foi tirada. Nós tentamos parecer relaxados então, mas isso acaba produzindo uma expressão de angústia. E estar com a barba por fazer não ajuda muito. A agente de imigração provavelmente acha que nós estamos metidos com algum tipo de grupo extremista. Ela já mediu a opacidade de nosso estroma, das fibras das nossas células epiteliais, mas nós esperamos que ela não registre as batidas do nosso coração, nem a intensidade do nosso medo.

A jovem masca frouxamente, em silêncio. Por fim, ela vira as páginas do passaporte até uma em branco. Ela pega o carimbo com a mão direita e segura o passaporte com a esquerda. Nos pegamos rezando. Obrigado, Senhor. Obrigado aos céus. Uma vez que o carimbo descer, o visto estará lá, em vermelho, real. Obrigado, Deus. Estamos prontos para nos tornarmos crentes, para nos sacrificarmos, nos prostrarmos aos seus pés e clamarmos, "*Allah-u-Akbar*—!". Morreríamos pelo carimbo.

Mas, naquele momento, ela faz uma pausa, a palma da mão acariciando o cabo do carimbo. É um daqueles mecanismos verticais metálicos com um cabo de madeira e uma guilhotina interior que corta na página duma vez só, num golpe veloz. Execução. Imortalidade ou aniquilação. Não tem meio-termo. A imigração não é favorável aos propósitos agnósticos. Nós olhamos fixamente para o carimbo, magnetizados. Nós pensamos se está trancado ou aberto, se está pronto para ser usado ou em ponto-morto.

"De onde você embarcou?", ela pergunta.

O carimbo está pronto. Nós estamos desnorteados. Embarque. Desembarque. Será que ela está falando de quando subimos no caminhão para o longo percurso noturno até Zahedan? Ou de quando cruzamos a pé a fronteira do Paquistão? Ou do voo de Quetta? Ou de como nós finalmente partimos para Lahore depois de esperar na pequena e apertada cabana na fronteira durante três semanas pelos nossos passaportes? Será que ela percebe que está perguntando quando foi que embarcamos no nosso desespero?

"De onde você vem?", ela especifica. "De que país?".

Por um ofuscante segundo não temos a menor ideia. O desespero toma conta.

"Irã", gaguejamos.

"Você apenas viajou do Irã?", pergunta a moça, baixando o carimbo. Não na página. É uma afirmação transformada numa pergunta pela inflexão da voz dela.

Entramos em pânico. Claro que nós não tínhamos vindo direto do Irã! O que eu tinha dito? Por quê? Nem tinha um voo direto do Irã para cá, seja lá onde isso for.

"Não", nos apressamos em dizer. "Nós viemos de Frankfurt. Via Singapura", qualificamos desnecessariamente. "Viemos no voo da Lufthansa".

Primeiro erro. Nunca admitir a verdade, não importa o quão banal. Ela já tinha recolocado o carimbo sobre sua deliciosa e pequena, remota e pequena, inacessível e pequena almofadinha vermelha.

"Mas você é do Irã?", ela nos diz severamente. Outra afirmação com fim ascendente. Mas não é uma pergunta. "Você é iraniano", ela acusa.

Como se estivéssemos escondendo o fato. Como se não estivesse escrito em todo o passaporte que ela está segurando nas mãos. Como se aquele documento miserável não afirmasse com clareza que nós tínhamos nascido no Irã e, portanto, éramos do Irã, como todos os nossos irmãos e irmãs e tias e tios e primos que também tiveram esse privilégio duvidoso na última metade deste século, incluindo aqueles presos e que cometeram suicídio na ilha de Papua Nova Guiné e aqueles que morreram ou não no Iraque e os outros que foram chutados da América e os parentes velhos de um bom amigo nosso que está preso em um aeroporto em Roma por causa de uma greve nos últimos três dias. Como se pudéssemos ser outra coisa que não iranianos quando somos tão burros assim, tão estúpidos, tão língua-presa.

"Bem, sim", explicamos, "viemos do Irã, mas não hoje". Pronto.

A jovem nos lança um olhar brusco. "Um momento, por favor", ela diz, e nos orienta a dar um passo para o lado e esperar.

Espera

Primeiro, esperamos para voltar. Era a única coisa a se fazer naquelas circunstâncias. Quando você se levanta pela manhã, toma banho e então vem o exílio ao invés do café da manhã, seu único pensamento é voltar para casa, mesmo que seja só para terminar a xícara de chá abandonada na mesa. Foi assim que nos sentimos quando fomos forçados a sair do nosso país. Era isso que queríamos fazer quando aqueles golpistas tomaram o poder e começaram a minar tudo o que nós identificávamos como sendo nosso de verdade. Nós queríamos voltar, restaurar nosso mundo, retomar nossas vidas e continuar de onde havíamos parado.

Mas ao invés de irmos ao trabalho naquele dia, como de costume, nós nos encontramos sendo apressados para entrar em táxis, pegar ônibus, pedir caronas em caminhões quebrados, e então, depois de semanas de espera, estarmos em uma cabana ao deus-dará, em Lugarnenhunstão, pagando preços exorbitantes para embarcar num avião pós-soviético ou num bote inflável que finalmente nos traria até aqui ou ali ou outro país, ilha, selva, acampamento. E como insultos invariavelmente atraem mais injúrias, nós tivemos que pagar por nossas digitais, vender nossas marcas distintivas, providenciar os nomes dos nossos avôs e avós em triplicatas para que pudéssemos ficar onde não queríamos estar. Quando finalmente chegamos onde quer que viveríamos agora, meses depois de termos escovado nossos dentes, nos arrancavam nossas identidades mesmo que ainda estivéssemos vestidos com as camisas, os sapatos e as roupas de baixo que vestimos naquela manhã longínqua. De modo que não conseguíamos mais esperar para voltar para os nossos banheiros mesmo que só para lavar a tinta preta dos nossos dedos e lembrar de quem éramos.

Foi assim durante a primeira década. Sentávamos em capitais do mundo ocidental, esperando acordar do pesadelo, esperando pelo dia ordinário que nunca amanhecia, pelo café moído diário ao qual não demos valor, para mais uma vez recomeçar. Chocados por nos encontrarmos abandonados neste outro tempo e espaço, dependendo de alguma conexão familiar arbitrária, alguma ligação aleatória com velhos amigos. Como alguém poderia esperar viver nessas salas tediosas, sob essas fileiras de luz neon, esperando o número do papel que estávamos segurando aparecer na tela? Como poderíamos aguentar ficar sentados por tanto tempo nesses corredores cinzentos esperando por uma entrevista com um agente de imigração que decidiria se nós seríamos americanos, canadenses, suecos ou da Nova Zelândia, ao invés de sermos do Irã? Ou ficar nessas filas até que o famigerado visto de um mês fosse finalmente carimbado, o que atrasaria nossa partida de um lugar nada receptivo a outro? É claro que novas cuecas e novas escovas de dente foram compradas enquanto nós esperávamos, mas novas línguas eram mais difíceis de adquirir. Mesmo depois de termos aprendido a gramática e o vocabulário, nós não conseguíamos ler as entrelinhas. Nem nos sentíamos inclinados a ler. Nós nos magoávamos com as diferenças, as ausências, a falta de certas vogais antes de consoantes específicas. Onde estavam os chinelinhos quentes que davam boas-vindas aos nossos pés quando saíamos da cama pela manhã, aquele frasco de perfume no armário do banheiro esperando para ser usado, a coçada familiar do pincel de barbear, com uma espessa espuma na bochecha áspera da barba? Ficamos emotivos. Esperávamos que lágrimas rolassem. E elas rolaram. Rolaram.

Na segunda década, sentimos pena de nós mesmos. Choramos um luto, nos lamentamos. Mesmo quando nos estabelecemos em nossos países anfitriões, alugamos apartamentos, conseguimos trabalhos, nós nos comparávamos com parentes bem estabelecidos e nos víamos como vítimas, como mártires. Ganhamos peso, perdemos a esperança, ficamos morosos, prolixos. Deixamos nosso cabelo crescer, embranquecer, e adquirimos óculos de aro metálico e barbas. Ou ficávamos loiras e fazíamos plástica no nariz, escondíamos nossos machucados sob sorrisos cordiais em festas de casamento. Mas se nos encontrássemos em bares ou cafeterias, shoppings muito frequentados ou se somente podíamos bancar as compras em mercadinhos locais persas, cujos produtos tinham a data de validade vencida, nosso objetivo principal era fofocar melancolicamente, conversar lamuriosamente, trocar informações tristes sobre o que estava acontecendo no nosso país. Nós esperávamos notícias.

E é claro, tinham que ser más e tristes. Más notícias eram boas: nos davam esperança; provavam como estávamos certos sobre como o regime estava errado no Irã. Significava que as coisas não poderiam continuar como estavam por muito tempo. Compartilhávamos histórias de horror — de espancamentos, de prisioneiros, de tortura. Trocávamos relatos sobre prisões arbitrárias de espectadores inocentes, a negação de audiências justas, o confisco de propriedades, a censura dos jornais, o fechamento de escolas, a restrição e o assédio às mulheres, a profanação de túmulos. Nós saboreávamos cada rumor, cada relatório não confirmado, cada alegada estatística sobre o aumento da corrupção e dos mercenários, a diminuição da humanidade no nosso país. Nós queríamos que as notícias piorassem, que as atrocidades se tornassem mais intoleráveis, para que nosso povo desiludido ficasse tão de saco cheio quanto nós estávamos. Nós queríamos que eles desprezassem o sistema que nos mantinha de fora.

Na terceira década, estávamos ficando impacientes com o ritmo da mudança. Quanto tempo isso duraria? Quando a maré iria virar? Nós nos ressentíamos com as restrições imigratórias e os controles de fronteira que limitavam nossa liberdade de movimento para dentro e para fora dos nossos países-anfitriões. Só porque estávamos começando a ir bem economicamente; por que o pessoal da segurança nacional tinha que presumir que nós portávamos explosivos na nossa bagagem? Nós provocávamos esses imigrantes ignorantes que não conseguiam nos distinguir dos árabes ou dos afegãos, como se nós fôssemos a fonte potencial de todos os atos de terrorismo. Pedimos conferências e seminários para discutir nossas frustrações, analisar nossas síndromes. Alguns de nós passaram dos limites e fizeram blogues. Era hora de dar um basta naquilo! Estávamos igualmente impacientes com nossos compatriotas por aceitarem essa opressão. Analisávamos todo e qualquer discurso político, resenhávamos toda e qualquer reportagem sobre nosso país à luz da imediata ruína do regime. A mudança era iminente. A crise era inevitável e estava fadada a acontecer logo. Nos tornamos pomposos, agourentos em nossos pronunciamentos. Nós esperávamos que nossas profecias se cumprissem.

E quando nada aconteceu nós ficamos desiludidos, apesar de nossos crescentes confortos em nossos novos lares; nos tornamos amargos pensando sobre quem tinha mesmo começado a promover esse regime iraniano. Alguns de nós começaram a considerar teorias da conspiração. A imprensa ocidental estava perdendo o foco como sempre. Os poderes ocidentais eram impotentes, ou pior. Afinal, os ocidentais carregavam alguma responsabilidade por este lamentável estado de coisas. Eles brincaram irresponsavelmente com nossos recursos naturais, exploraram nossa posição estratégica, interferiram na independência do nosso país no passado. Então, afinal de contas, eram culpados pela situação presente. Por que não faziam alguma coisa? Por que só assistiram enquanto a situação piorava? Sanções não foram suficientes. Pressão econômica não foi suficiente. Algo radical tinha de ser feito. Por que não apareciam para ajudar? Esperamos com crescente irritação para que o ocidente finalmente intervisse.

Quando não o fez, quando a culpa não nos levou de volta para casa e a autocomiseração e a vitimização também não deram em nada, e netos e netas nasciam sem uma língua mãe, e velhos amigos morriam em cemitérios estrangeiros, tinha sobrado só uma possibilidade. No começo da quarta década, percebemos que tínhamos que nos tornar políticos se quiséssemos dar um fim ao nosso exílio. Tínhamos que estabelecer um novo governo e forçar o velho a sair do Irã. Não havia nada a não ser fazer o que tinha sido feito conosco: tínhamos que tomar o poder de qualquer jeito, tomar a liderança do país com alguma barganha ou suborno. A política era a chave, a política era a única solução, e quem pensasse de outro jeito era ingênuo na melhor das hipóteses, ou só egoísta.

O único problema era: que tipo de política? Que tipo de governo? Como poderíamos nos certificar de que novos vigaristas não substituiriam velhos canalhas, que essa revolução não acabaria sendo tão corrupta quanto a primeira? Nós tínhamos que encontrar o sistema certo para substituir o errado. Em última análise, poderíamos confiar em quem? Era uma questão perigosamente moral, quase, na verdade, uma questão religiosa.

Depois da quinta década, nós percebemos que talvez estivéssemos esperando para confiar em nós mesmos.

Mentir

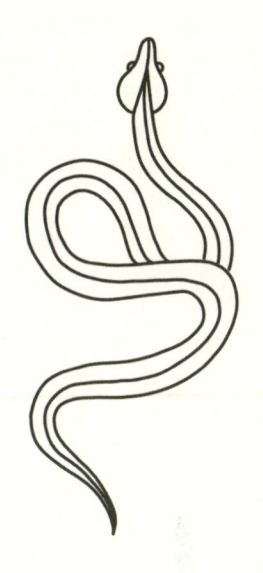

Nós sabemos que as meninas estão mentindo, porque estão sendo muito educadas no telefone. Goli, de um lado, pingando doçura e leveza, se desculpando, exagerando, repetindo o quanto, mas o quanto; e Lili, do outro lado, expressando arrependimentos, vazando respeito, dizendo tanto, mas tanto, ambas se derramando em *taarof* e hipocrisia, Atlântico afora, enquanto cortávamos menta e pepinos na cozinha.

"Fathi, nós esquecemos o *mahst-o-khiar*! Tire o iogurte agora, rápido, e corte a menta e o pepino. Está todo mundo esperando o banquete começar!".

Faz três dias que chegamos na casa de Goli, na América, dois dias desde que era para a Lili ter vindo de Paris, um dia desde que Bibi enterrou suas lágrimas na transbordante gaveta de vegetais na parte de baixo da geladeira, fingindo procurar a para sempre desaparecida salsinha, e umas poucas horas desde que Goli arrumou a mesa com toalhinhas de crochê cheias de babado e talheres manchados, balançando o cabelo loiro sobre os pratos de aro dourado. E agora, depois da meia-noite no Irã, com o ano novo verdadeiro terminado e acabado, aqui estamos, com nossos pés em Los Angeles e nossos corações no Teerã, cortando o último pepino dentro do último prato de menta e iogurte nesta cozinha estrangeira, enquanto todos estão sentados na sala de jantar ao lado, esperando o banquete de Naw Ruz começar depois de ter tecnicamente terminado, na nossa opinião, ao menos.

Tudo o que queremos, a esta altura, é deitar no chão e dormir até o dia do Juízo Final. Mas, de repente, há um telefone tocando. Tocando e tocando como a trombeta da morte. Aquilo nos acorda bem ligeirinho, dá para dizer. Aquilo limpa o borrão dos nossos olhos bem rápido. O apocalipse é melhor do que qualquer despertador e Goli é Gabriel, estalando pelo corredor com aqueles sapatos de salto impossíveis, para atender o telefone que toca no hall de entrada. Então as mentiras começam, quicando de um lado do mundo ao outro —

"Ah, Lilijoon, seu lugar está tão vazio! Estamos sentindo a sua falta, muito, muito!".

"Ah, Golijoon, eu queria ter ido, queria muito, muito!".

E, enquanto mentiam, nós tentávamos com muito empenho não deitar e dormir, a ponto de cortar fora uma tampa do nosso dedão. Sangue. Dia do Juízo. Tudo pelo chão.

Creio que fizemos algum barulho ou foi o tilintar da faca caindo no chão porque, embora Goli continue falando, há um silêncio repentino na sala de jantar e até o Sr. Bahman cala a boca. Ele não tinha parado de falar desde o aeroporto.

Há um arrastar de pés e uma tosse e a porta se abre. Bibi espia ao redor, olhos enormes flutuando atrás de grandes lentes. "Você está bem, guria?", ela pergunta.

É uma desculpa, claro, ela quer escapar daquela mesa plastificada onde Ali não está sentado, onde Delli não quer sentar, onde o Sr. Bahman não deveria estar sentado, porque ele não para de mentir. Bibi prefere prestar atenção em Goli, caso ela esteja dizendo a verdade para Lili, ao menos. A pobre morcega velha não consegue ver o sangue no chão, mas consegue distinguir mentiras de verdades há quilômetros de distância.

"Não é nada", mentimos, chupando o dedão. E imploramos para que ela volte à divertida festa, para que por favor não espere e comece a servir a comida: o arroz fumegante no grande prato oval, reluzindo com endro e coentro, e as favas brilhosas, a coroa de ervas e o *kookoo* de espinafre cheirando a feno-grego e endro e o peixe defumado com açafrão que está preenchendo a casa toda com sua fragrância. "Goli já tá vindo", mentimos, "e você devia servir o arroz enquanto ele tá quente".

Goli não está vindo; ela está andando de um lado para o outro, no corredor entre a cozinha e a sala de jantar, com seu buffet de nogueira envernizado e o samovar de latão, que seus amigos americanos acham que é de ouro. E ninguém está interessado em comer, especialmente Delli, que está brincando com seu garfo, ou seu irmão que está esguichando ketchup por todo o dourado do açafrão, temos certeza, mas não é nosso lugar o de julgar. Nós não sentamos à mesa chique na companhia da família e comemos a tradicional refeição de Naw Ruz. E também não é o nosso lugar ficar perto da mesa, com os símbolos tradicionais de Naw Ruz dispostos e estampados em blocos na toalha de mesa, todos começando com a letra "S" em persa: espelho para céu e vela para fogo, maçã para terra e peixe dourado para suas criaturas, vinagre para paciência e alho para cura, sumagre para sol nascente e, ao lado dos brotos de lentilha, botões de jacinto num pequeno vaso, que fazem Delli enrugar o nariz e reclamar de dor de cabeça. Nosso lugar é na cozinha: é aqui que sempre comemos, assim que era na época do General, e assim que era no Teerã com Bibijan, e assim que é mesmo aqui na América, uma vez que acabamos de cortar tudo. Agora o iogurte está nas cores da bandeira do Irã: verde como a menta e o pepino, branco como o arroz que Bibi está servindo, com uma mão trêmula, e vermelho como o sangue dos mártires.

"Você deveria estar aqui", Goli está dizendo à irmã. "Bibi tava te esperando".

Isso é uma meia-verdade, como um peixe que tem metade podre. Conhecemos bem essa conversa. Goli diz "Eu acho que Bibijan precisa da família agora", mas quer dizer "Bem, ela é responsabilidade sua também, você sabe disso", e o toque de "Bom, eu dou um jeito" é seu modo de dizer "Não aguento mais!". Lili diz "Eu sei que você precisa de ajuda agora", querendo dizer "Foi você que trouxe ela do Irã, agora aguente!", e depois "Que maravilha pensar que todos vocês estão juntos!", querendo dizer "Graças a Deus que não tô aí!". Nós ouvimos o que elas não dizem também. Nós ouvimos o bater e o tilintar disso tudo nitidamente. Nós podemos decifrar Goli dizendo "Melhor você fazer a sua parte ou não vai nem ver a cor do dinheiro" e Lili "Pode se sufocar com o maldito dinheiro, não quero nada disso!" em seus silêncios, porque elas nunca pronunciam uma palavra sequer sobre dinheiro quando estamos por perto, pronunciam? Claro que não, elas têm que mentir sobre o dinheiro quando estamos ouvindo.

Especialmente o dinheiro da mãe delas. Elas querem provar quem ama mais a Bibi, quem sente mais saudade, quem está mais pronta para se sacrificar pela pobre Bibi, a mãe que elas abandonaram no Irã, para ver então quem merece mais do dinheiro dela.

"Ai, ela é tão querida", diz Goli no telefone. "Não consigo expressar o quão feliz estou de tê-la aqui; você não imagina, Lili, o quanto eu quero fazer por ela".

Mas no fim do dia, quem fez tudo, quem vai no mercado para Bibi e pechincha com o açougueiro pela Bibi e suborna o farmacêutico para conseguir as receitas para o coração e para os olhos da Bibi e quem fica na fila para pegar ovos e óleo, mesmo durante a guerra, com todas as sanções e violações, quem corre de escritório em escritório, com papéis para serem assinados e carimbados e mais um formulário para ser completado e mais um último para ser reconhecido em cartório por algum jurista ensebado com dedos desajeitados e bigodinho irritante e hálito de gordura de carneiro — tudo para que Bibi consiga sua pensão antes que Mehdi a roube, tudo para que ela não tenha que assinar uma ordem judicial pelo dinheiro de mártir que ele quer? Claro que nós não podemos dizer e elas não dizem, e elas continuam mentindo e nós continuamos picando as coisas e a diferença entre nós reside na largura de um dedão, não mais do que isso.

Essas ditas irmãs podem sangrar em outros lugares, mas nunca nos dedões. Está tudo muito bem para elas, essas agora nem tão jovens madames, vivendo, aproveitando, com ares de grandes senhoras em Paris e em Los Angeles; está tudo muito bem para as filhas do General, uma com um nariz americano escrevendo "Para Mãe XX" em inglês, pelo amor de Deus, nas costas de uma foto loira, e a outra ganhando prêmios, com pessoas aplaudindo, ovulações em pé para fotos que trazem desgraça para a família; tudo bem para elas estarem tirando sarro da memória do pai e envergonhando a mãe e ignorando o que aconteceu de verdade com o irmão delas. Mas ao menos nós cumprimos o nosso dever junto a elas. Graças a Deus, não se pode dizer que Fathiyyih não cumpriu seu dever para com a família do General.

Então nós fingimos que tudo está bem, enrolamos um papel-toalha no dedão e continuamos picando a menta com sangue derramado. Nós seguimos as regras, mentimos e não falamos nada do dinheiro, porque nunca se fala sobre dinheiro na frente da "guria". É o suficiente para se derramar umas lágrimas sem nenhuma cebola por perto para usar como desculpa.

As regras para mentir são simples. Primeira: você sempre deve concordar com o que as pessoas dizem, sem restrições; segunda: você nunca deve dizer não, nunca contradiga o que as pessoas disseram, aconteça o que acontecer; terceira: você nunca deve apresentar fatos quando as pessoas lhe fazem perguntas, nunca dê uma resposta direta, aconteça o que acontecer. E finalmente, você tem que encontrar jeitos para evitar responder qualquer coisa; você precisa se esquivar e se abaixar e adiar o quanto puder; você tem que transformar a pergunta numa piada. Ali? Ora, pensávamos que ele tinha se juntado ao Iman escondido no fundo do poço. Nos avise quando for o dia do Juízo Final e nós vamos gritar para ele subir e contar a verdade ao mundo.

"Irã?", berra o Sr. Bahman da sala de jantar. "Cê tá brincando, Bibijan!", e ele solta uma gargalhada falsa "Quenhéque qué voltá pra lá?".

Rir é o melhor remédio para alguns. Se lhe perguntarem algo embaraçoso, você só tem que rir e virar as costas, e se a pessoa perguntar de novo, você só pode dar uma risadinha e sacudir os ombros e, se eles forem rudes o suficiente para repetir a pergunta uma terceira vez, como Mehdi, como o Sr. Bahman, você pode rir alto, como se *aquela* fosse *a piada*, dizendo "Aaaah! Você não é o mais esperto de todos? Quem é que pode confiar um segredo a você?". O Sr. Bahman ri muito com seus amigos bajuladores de Los Angeles que sabem todas as regras do Irã, muito embora estejam fora de lá. Ele ri pra caramba, especialmente quando está falando sobre seu cunhado, Ali.

"É uma ou outra: não dá pra ficar vivo e morto. Exceto no Irã!". E ele ri tanto da sua própria esperteza que Bibi derruba um copo d'água.

Consternação entre todos. Operações de limpeza da bagunça, eles chamavam durante os anos da guerra. "Temos lugares esssspeciais onde mantemos as pessoas mortas e vivas no Irã", ele segue. "Chamamos de prisão!". Sr. Bahman é um piadista, um gaiato de verdade é o que ele é.

Mas as meninas não são do tipo piadista: o humor de Lili é azedo como uma tigela de coalhada de três dias e Goli tem espírito de arroz doce. Então, ao invés disso, elas usam a polidez, elas se esquivam e se encolhem com uma civilidade escorregadia, besuntando cortesias uma na outra como pedaços de sebo de galinha, se desviando de perguntas, evadindo respostas e salpicando tanto óleo nas palavras que elas escorregam e deslizam para todos os lados e finalmente querem dizer o contrário do que dizem.

"Lili querida", Goli está dizendo ao telefone, "eu disse a ela que era tudo pra você, uma festa surpresa pra te dar boas-vindas à América".

Há uma bateção de talheres e pratos da sala de jantar e Delli choraminga que não consegue mais comer. A colher de Bibi deve estar sobre o prato dela cheia de arroz.

"Bem, isso era o que eu esperava, mas ela não entendeu, como de costume", continua Goli. "Pobre coitada. Sabe que ela vem fazendo isso cada vez mais", complementa.

Sim, nós certamente sabemos, e Lili sabe, e Mehdi e o Sr. Bahman sabem também. Todos, até as crianças, sabem por que Bibi deixou o Irã e por que ela passou o dia de ontem chorando, com jet lag, dentro da geladeira que é provavelmente o porquê de Delli estar brincando com o garfo e não suportar a ideia de engolir uma só bocada daquele arroz agora, nem um grãozinho, nada, porque seu prato está transbordando de mentiras.

"E você nem tá aqui pra ajudar ela a superar isso", arrulha Goli ao telefone.

Superar o quê? Ser passada para trás? Lograda? Trapaceada e ordenhada de todo o dinheiro para que seu genro possa salvá-la com um card que não é nem green?

"Tem certeza?", Goli insiste. "Mesmo que você venha um pouco atrasada?"

O silêncio prova que Lili tem certeza, que ela tem cem por cento de certeza. E Delli também. Ela tem cem por cento de certeza de que ela não quer mais arroz, muito obrigada.

"É que dói meu coração", Goli continua. "Ela tá muito chateada com isso".

Há uma boa causa para Bibi estar chateada, mas, em meio a toda a sangria desatada, Goli ainda não tinha mencionado o dinheiro. Ela provavelmente espera que Bibi não saiba, e teme mesmo que Mehdi possa ficar sabendo, e se preocupa que Lili vá dizer algo sobre, mas ela provavelmente não imaginou que o Sr. Bahman já falou para nós sobre o assunto no caminho do aeroporto. Então nós continuamos picando para sempre. Pepinos vermelhos.

"Francamente, a culpa é do Mehdi", diz Goli. "Ele lhe deu falsas esperanças".

Nenhuma das meninas consegue lidar com as expectativas colossais de Mehdi. O homem é um mentiroso descarado com uma insuperável crença nos seus direitos de privilégios; ele é um daqueles Basijis *ahleh-bond-baazi* bem enturmado. Isso vem acontecendo há anos, Mehdi, o verme no tutano do General, sugando sua carcaça podre, ele não vai ficar contente com esse último pequeno arranjo, garantimos a você, ah, não, ele não vai gostar nada disso, e é por isso que o Sr. Bahman não quer que ele saiba, é claro, e é por isso que o Sr. Bahman diz que somos tão importantes, "Você é tão importante, Fathi", sentada no banco da frente do caro com Bibi dormindo no banco de trás, muito cansada da longa jornada, e nós bem acordadas e olhando para a América pela primeira vez, tão verde, tão gramada, com tantos dentes brancos na boca do Sr. Bahman dizendo, "Você é muito importante, Fathi; isso não seria possível sem você". Isso foi muito mais do que as meninas jamais disseram para nós. Elas não sabem o quão importante somos, e Mehdi também não deve saber, o que não é um problema, porque ele pensa que nós somos burras, mas o Sr. Bahman sabe, "Eu confio em você, Fathi", porque nós sabemos ficar quietas, o que já é bem mais do que podemos dizer dele, falando sem parar durante todo o caminho do aeroporto, nos contando o que ele vai nos contar, mas que nós não podemos contar para ninguém, muito menos para Mehdi, sobre o dinheiro de Bibi.

"Eu tenho amigos, Fathi, que sabem dessas coisas, bem aqui em Los Angeles".

Ele tem, é? É bom que não sejamos do tipo falante, do tipo que conta, porque nem tudo que se sabe se conta, nem tudo que é dito pode ser entendido, mesmo que seja um blá-blá-blá interminável bem ao nosso lado, não há barreiras no lenço na minha cabeça, e os assuntos interessam e desinteressam o meu cérebro. Mas obrigada, Deus, pelo véu. Nós o mantemos apertado no queixo, amarrado com *ruband*, coberto com o *chador*, mesmo na América; nós usamos do jeito que usamos quando saímos pelas ruas do Teerã, mesmo que as palavras quisessem sair no caminho, cuspidas bem na cara do General toda vez que passávamos por sua fotografia na estante de nogueira na sala de Bibi. Ou o que costumava ser sua sala até Bibi começar a dormir nela depois que o andar de cima da casa no Teerã foi alugada a *sigheh* de Mehdi, sua dita esposa temporária, e não exatamente alugada também porque ele meio que se apossou, não foi, só veio e se apossou de tudo num dia de primavera no ano passado, surpresa, surpresa de Naw Ruz, ele e aquela bendita mulher, com seu guri feio, só se apossou como ele tinha se apossado de todo o resto, pedacinho por pedacinho. Mas quem somos nós para julgar, sabendo o que sabemos, sabendo pelo que tínhamos que passar nas mãos do velho. Mehdi, sem dúvida, tem suas razões também, ele teve sua parte justa dos tormentos do General. Ainda assim, quem tem que lidar com ele e seu lixo acumulado na frente da porta, e sua cama barulhenta, e a televisão ensurdecedora, e seu fedelho gritão, com um sibilar e um soco e uma ameaça nas orelhas e a nem tão engraçada piada rá-rá de "Quem vai pra rua se não se der bem com Mehdi, hein?". Porque somos nós, não somos? A primeira pessoa do plural. Fathiyyih, a multiplicidade da modéstia.

Mehdi é um mestre da técnica das piadas; ele é como o Sr. Bahman quando o assunto é intimidar e barganhar para se livrar de alguma situação. Piadas são seu forte. Cruas, grosseiras, golpes baixos, mas elas dão conta, enquanto ele sorri seu sorriso besta e muda de assunto, e você percebe depois da sugestão vulgar e das pistas provocantes, que ele, na verdade, não deu nenhuma informação.

Ele ama esse tipo de poder.

Mas ele não consegue nos enrolar, ah, não. Nós gerenciamos Mehdi, nós somos as gerentes gerais naquela família, e nós fazemos isso bancando a burra. Nós nunca nos chateamos ou ficamos irritadas; nós nunca fazemos piadas, mas nós fazemos burrice muito bem. Damos uma de desentendidas: "Quem vai à América?", escondidas sob o lenço. "Os franceses se beijam na rua, Aga Mehdi?", encolhidas de timidez. Ele gosta de ser chamado de senhor. "Por favor, Aga Mehdi, eu vou ficar suja se eu sentar em um assento que ainda estiver quente no avião?". Deus, ela é tão estúpida essa Fathiyyih, tão B-U-R-R-A. Mantivemos todos no escuro por anos, fingindo burrice, porque há tanto que não podemos escutar, apesar de ouvirmos, tanto que não devemos entender, apesar de estarmos atentas, apesar de estarmos disponíveis, tantas instruções temos que seguir, mas tão pouco devemos testemunhar, tão pouco devemos ver e, é claro, não devemos nos lembrar de nada, nada das gritarias chiliques acessos vergonhosos as discussões sobre fazer reclamações e forjar certificados e exigir compensação financeira, e o único jeito de fazer isso é parecendo idiotas, completamente estúpidas. Foi assim que mantivemos nossos segredos por todo esse tempo.

Mehdi não sabe dos nossos segredos, as meninas não têm nem ideia, mas nós suspeitamos que a velha saiba. Bibi não é idiota. É por isso que sua mão começou a tremer quando o telefone tocou e Goli se levantou da mesa há alguns minutos, e foi por isso que o copo d'água caiu por cima do arroz e se derramou sobre duas gerações, enquanto Goli estalava os sapatos pelo corredor. Querida, a pobre estava tentando com muito empenho ser corajosa, tentando com muito empenho não chorar, segurando as esperanças como se fossem peidos, desesperadamente tentando não pensar que o telefonema pudesse, que talvez pudesse ser sobre Ali, que quando Goli gritou "Oi, Lilijoon! Feliz Naw Ruz, meu bem!", ela deu as costas para o Sr. Bahman, que falava sobre como seria besta voltar ao Irã e abriu a porta da cozinha no dia do Juízo Final para perguntar "Você está bem, garota?".

E nós sabíamos que era só para fugir do Sr. Bahman que falava sobre o quão sortuda ela era de ser uma estrangeira na América, porque isso tinha sido demais, uma mentira grande demais. Goli tinha prometido a Bibijan uma surpresa, mas acabou que a surpresa não era Lili, não era nem Ali, mas era o grande presente de um green card que o Sr. Bahman estava oferecendo à sua sogra, surpresa!, na festa de Naw Ruz, o deslumbrante presente de uma residência permanente nos Estados Unidos, que Bibi não queria. E nós suspeitávamos que ela tivesse feito uma alusão direta ao dinheiro por trás disso também, sobre o qual nós nunca devemos contar a Mehdi, mesmo que as mentiras do Sr. Bahman sejam bem óbvias.

"Sua companhia teria feito toda a diferença pra ela", diz Goli.

Mas talvez Lili esteja ficando cansada de mentiras. Ela se deu bem, ao que parece, em interromper o Atlântico. Ao menos até o momento.

"Honestamente, Lili", interrompe Goli, agora na defensiva, "estou falando sério, ela preferiria muito mais estar com você do que comigo. Foi por isso que ela saiu do Irã, só pra ver você de novo".

A maior mentira de todas. Um longo silêncio depois dessa, no corredor e na sala de jantar e atravessando os oceanos do ocidente. A grande surpresa do Sr. Bahman, uma baita duma surpresa, não teve o efeito que ele desejava, e nós suspeitamos que Lili queira saber a verdade, a horrível verdade que nenhum de nós pode admitir. Você vai ter que dar a ela: Lili mente para os outros quando precisa, mas ela diz a si mesma a verdade.

"Bem, era o único jeito que eu poderia ter agido", sua irmã retruca. "Você sabe da situação. Se você consegue pensar em uma solução melhor, me diga, por que não me diz? Eu não consigo fazer milagre!". Era o mais perto da verdade que Goli tinha chegado.

Mas Bibi mente também. Até a Bibi. Ela mente como um soldado, só para se manter acreditando que Ali não está morto, porque não há confirmação, nem certificado, nem evidência para provar que ele se foi, há? Ainda não. E não sabemos disso? Não estivemos agindo como surdas em escritórios empoeirados, fingindo burrice com juristas sujos para garantir isso por anos, não nos certificamos muito bem de que Bibijan não fosse às audiências que Mehdi arranjou para ela e que não assinasse os documentos que estabeleceriam um defunto na família? Podemos dizer para você quem é o defunto nesta família, morto, finado, passado da data de validade, oferecendo preces devotadas de uma fé crente para garantir, e mostrar com olhos desacorçoados de uma modéstia virginal para confirmar. Somos as maiores mentirosas de todas, enviando uma soma a um sujeito de turbante sujo, e mais uma soma a outro com uma barba de três dias por fazer, e um suborno final ao que está procurando por sabe Deus o que, debaixo de suas malditas túnicas, enquanto o velhaco está fingindo que reza por Ali — por tudo isso mentimos, por anos, para ter certeza de que o nome do menino nunca vai estar em uma lista de mortos.

A única que não mente nesta família é a menina, Delli. Não é de se espantar que ela não queira comer as comidas dessa mesa horrorosa. Não é de se espantar que ela fique enjoada ao olhar para a montanha de arroz demolida e para o *kookoo* em ruínas no prato redondo de aro dourado e para o peixe defumado eviscerado e as rendas bordadas manchadas de graxa e açafrão amarelo. Quebramos a verdade em pedacinhos nesta mesa como os fragmentos do coração de Bibi; nós derramamos tudo por cima da toalha como as lágrimas que ela derramou; nós comemos e bebemos mentiras por anos, tentando enganar um ao outro e a nós mesmos com relação a Ali e esse dinheiro. Mas já que tudo que é sabido não pode ser dito, e já que tudo que é dito não pode ser entendido, e já que tudo que é entendido nunca será tudo o que pode ser dito e depende de onde e quando e para quem dizemos, nós não dissemos nada, ainda, para Delli. Nós apenas limpamos a linha vermelha da borda da tigela branca e trazemos o iogurte com pepino e menta para a sala de jantar.

"*Eid-e-shoma mobarrak*", dizemos, alegremente, segurando alto a tigela.

E todos aplaudem e cantam rimas bobas que Bibi costumava repicar quando éramos pequenas, enquanto Goli volta à sala de jantar com uma cara estranha e dá uma resposta sem sentido. "*Chesm-e-shoma secharak*", ela diz. E nós ficamos pensando se Lili perguntou, ou se ela disse, ou se elas adivinharam a verdade sobre Ali afinal.

Sim, se pelo bem dele, nós tiraremos o dinheiro de Bibi do Irã sem que Mehdi descubra e daremos metade para o Sr. Bahman nos Estados Unidos sem que as meninas descubram, e vamos e voltamos com pratos vazios entre a cozinha e a sala de jantar, entre Paris e Los Angeles, sem que ninguém saiba que esse dinheiro depende de uma terrível mentira, uma grande e gorda mentira sobre Ali, uma mentira suculenta cozida por dentro por Mehdi e feita no espeto de kebab por fora pelo Sr. Bahman, cada um querendo chupar o mesmo sangue.

E nós continuaremos, querido Deus, por quando tempo Você queira; nós mentiremos por quanto Você pedir. Nós continuaremos atuando até que Você se revele no dia do Juízo Final e o mundo inteiro veja Sua face. Porque nós suspeitamos que Você esteja mentindo a nós durante todo esse tempo também, Deus. Você está brincando conosco por trás do véu, não está? E nós acreditamos. O bendito país inteiro acreditou. Nós até pensamos que Ali fosse crente, aquele pobre e doce menino. Nós pensamos que ele acreditava na guerra que o levou ao Iraque. Só que ele viu além das Suas mentiras desde o começo.

Ele e Delli são como os hereges de Evin que preferem morrer de fome com o pão preto da Sua verdade do que engordar com mentiras.

Chá

Eles esperavam que não fosse cedo demais para ligar.
 Nossa, que surpresa!
 Esperavam que não fosse cedo demais depois do —?
 Café da manhã? Nós rimos. Ou da guerra no Iraque? Fazendo uma piadinha para amenizar o choque de ouvir vozes familiares e esquecidas, para evitar assuntos angustiantes.
 Eles não tinham a intenção de se impor. Só estavam pela região, então pensaram se poderiam dar uma passada. Apenas para prestar condolências. Depois de tanto tempo.
 Que maravilha, depois de tanto tempo, ecoamos, tentando lembrar da última vez. Tentando esquecer da última vez. Sinto muito termos perdido o contato, dizemos. Sabe como é.
 Há quanto tempo, eles respondem. Sim, eles sabem. Como era. O silêncio estava pavoroso. E quebrado ao mesmo tempo.

Seria ótimo ver vocês, dissemos, mas só se for conveniente mesmo, eles dizem. Eles tossem. Nós tossimos.

Outra pausa pavorosa. Um abismo de traições. Túmulos.

Fazemos um esforço para voltar à tona. É claro, respondemos. Seria mais do que conveniente. Maravilhoso de verdade. De que jeito eles acharam nosso número?

Eles tinham acabado de visitar o Irã, na verdade. Velhos amigos. Eles davam um jeito de voltar de tempos em tempos para ver a família no Teerã. Sogros, se nos lembramos bem.

Certamente nos lembramos. Como poderíamos nos esquecer dos sogros. Se pudéssemos nos esquecer deles. Desejávamos esquecer — saber notícias do Irã, dizemos.

Só pra dizer oi, eles repetem, como se para especificar os limites. Nenhuma notícia do Irã é uma notícia boa. Eles adorariam prestar condolências. Se não fosse algo presunçoso demais.

Como seria algo presunçoso?, dissemos, alegremente, pegando a indireta. Estamos ansiosos para vê-los.

Seria um grande privilégio, eles ecoam, embarcando no mesmo velho trem da alegria, depois de tanto tempo.

O privilégio seria nosso, respondemos, automaticamente. Será que eles viriam para comer? Que dia seria melhor?

Ah, não, eles não queriam atrapalhar nem comer, disseram. Só uma xícara de chá.

Certamente mais do que chá, insistimos. Quando eles poderiam vir?

Eles disseram que estavam pensando em vir desde que deixaram o Irã. Queriam tanto nos ver depois da fuga do país.

Eles disseram mesmo "fuga"? Queriam dizer nós ou eles? Parece que nós estamos fugindo agora.

Eles entendiam de verdade agora o que tínhamos passado, eles continuam; teriam amado vir antes.

Vocês deviam ter vindo antes, dizemos, pensando se tinham entendido alguma coisa. Teríamos ficado muito felizes. Vocês teriam sido muito bem recebidos! Que honra.

A honra é toda nossa, eles dizem, é toda nossa. Que honra.

Então quando — perguntamos? Quando teremos o prazer —?

Eles dizem que foi uma ideia de última hora. Que aconteceu de estarem por perto. Acampando com a família. No feriado.

Acampando, não "fugindo". Que péssimo. Sem chuveiros. Sem banheiros limpos. Ah, que divertido, mentimos. Pensar em vê-los hoje. Onde eles estavam?

Amigos disseram que nós morávamos perto do camping — Bem, nós nos lembrávamos da família do General, certo?

Nossa! Tão perto, dizemos, com pressa. Não estávamos particularmente ansiosos para falar sobre o General ou sua família. Por favor, nada de Generais, nada de famílias, nada de política, nada de religião. Nada sobre prisões pelo amor de Deus. Se eles estavam acampando, completamos, brilhantemente, então por que não vêm para um chá hoje à tarde e ficam para o jantar?

Ah, não, eles dizem. Eles não queriam nos obrigar a fazer um jantar. Estavam em muitas pessoas, dizem.

Vocês nunca seriam demais, nós rimos, meio assustados. Quantos —?

Bem, todas as crianças, é claro, eles dizem. Numa van grande. Nós nos lembrávamos das crianças, não é mesmo? Elas eram tão pequenas quando fomos embora, é claro —

É claro que nós nos lembramos das crianças! Respiramos fundo. Criaturinhas encantadoras. Vai ser como nos velhos tempos com as crianças! Ah, aqueles piqueniques de família no alto da colina, no norte do Teerã: os riachos sinuosos, os kebabs na brasa, as crianças brincando sob os galhos das bétulas, correndo atrás de borboletas — Mas, nesse caso, completamos, vocês precisam comer conosco, absolutamente. Chá não é o bastante para crianças em fase de crescimento.

Está ótimo, dizemos. As crianças já tinham crescido. Apenas chá.

Mas faz tanto tempo, nós insistimos. Que idade? Quantos —? Esperávamos que não mencionassem os outros, os primos, sobrinhos, o filho do General.

Três, dizem. Engatinhavam antes, agora são adolescentes, e é por isso que nem pensariam em nos obrigar.

Jamais seria uma obrigação, dizemos. Então, esperamos vocês para o jantar.

Eles pedem mil desculpas. Eles não poderiam ficar tanto tempo. Seus sogros precisavam que eles voltassem para casa, dizem. Senão seria outra noite fora e eles estavam bem cansados depois dessa viagem.

Ah, dizemos, os sogros estão com vocês também?

Sim, seus sogros do Irã, eles dizem. Tinham ido até lá especialmente para buscá-los. Estavam todos juntos. Com as crianças. Na van.

Bem, é mais um motivo para fazerem uma boa refeição conosco, dizemos, em pânico. Celebrar um encontro de família. Fortificar-se antes de pegarem a estrada. Que grande ideia estarem mostrando este bonito país para seus sogros! Esperamos vocês para o almoço, então, ao invés de jantar, para que vocês peguem a estrada depois do chá.

Mas os sogros ficariam muito envergonhados, dizem, de causar incômodo. Eles não gostariam de ser um fardo. Especialmente depois de tudo o que aconteceu — Bem, é melhor não lembrar. Eles nunca esqueceram os bons e velhos tempos.

Não é trabalho nenhum, dizemos, meio rígidos, lembrando dos tempos ruins. Não mesmo.

De verdade, não poderiam aceitar, dizem. Eles não poderiam mesmo. Nós ficaríamos muito ofendidos, dizemos, se eles não aceitassem.

Eles nem sonhariam em nos ofender, dizem. Comer conosco seria das maiores honras. Mas então que nós permitíssemos que eles nos convidassem para comer.

O quê?, gritamos ofendidos. Vir até aqui depois de todo esse tempo e nos convidar para comer fora? E levar os sogros também, nossos amigos queridos de tanto tempo? Eles devem ser nossos convidados, na nossa casa. Seria nosso privilégio.

Mas, por favor, eles dizem, não havia restaurantes por perto, nem hotel onde pudessem nos levar para comer? Estavam na verdade procurando um hotel —

Um hotel?, interrogamos.

Por uma noite, eles respondem.

Nós achávamos que vocês estivessem indo para casa —?, começamos. Seus sogros, eles estão ficando com vocês, não? Era isso o que eles tinham dito?

Bem, isso é o que eles tinham planejado originalmente, nos dizem. Mas se eles fossem ter a alegria de nos ver, se eles fossem ter o privilégio de aparecer para uma visita depois de todo esse tempo, então eles ficariam mais uma noite, definitivamente. Num hotel nas redondezas, eles repetem. As crianças ficariam na van, mas os sogros quase sempre ficavam em hotéis. Ajuda ter um banheiro quando se acampa, eles completam espertamente.

Nós respiramos fundo e insistimos que eles passem a noite conosco. Vocês devem, nós dizemos. Sem dúvida. Nós temos um banheiro, completamos. E um chuveiro.

Estão honrados com tamanha bondade, dizem. Teriam que sacrificar suas vidas por nós. Mas eles realmente não poderiam sonhar em causar qualquer incômodo.

Não é incômodo, asseguramos.

Estávamos certos de que não era uma obrigação —?

Não é uma obrigação, dizemos.

Prometeríamos não nos cansarmos por conta deles —? Não é cansaço, dizemos.

Eles poderiam arranjar tudo quando chegassem — Só nos digam quando vocês planejam chegar, nós dizemos.

Eles imploram que lembremos que suas necessidades são simples. Eles nunca fazem *taarof*.

Nós somos simples também, dizemos. Odiamos fazer *taarof*. Então quando —?

Se eles pudessem ter certeza de que não seria mesmo um incômodo —

Mal podemos esperar para ver vocês e seus sogros, dizemos, soturnamente. E as crianças também. Para o almoço e o jantar e também para passar a noite. Mas quando —?

Seria o maior privilégio do mundo, eles dizem. Se nossa hospitalidade não fosse uma obrigação muito imposta. Pão e queijo era o bastante.

Nós prometemos. Pão e queijo. E nada mais, eles dizem. Nada mais, nós ecoamos.

Eles ficariam contentes em dormir no chão. Não precisa de mais nada, eles insistem.

Exceto pelos banheiros, completamos. Como piada.

Eles não entendem. Isso seria imensamente generoso, eles dizem agradecidamente. E muito precisados.

Então onde vocês estão agora?, perguntamos, pensando em o quão precisados estavam. Eles dizem que acabam de entrar na nossa rua. Ah, falamos. Na nossa rua, falamos. Que maravilha, falamos.

Na esquina, a bem da verdade, eles nos contam. Ele estavam muito ansiosos para tomar um chá conosco, para conversar sobre os velhos tempos, sobre o Irã —

Então vocês chegaram a tempo para nos acompanhar num pequeno café da manhã também, suspiramos. Por favor, eles dizem, isso seria presunçoso por demais demais! De modo algum, nós dizemos. Venham para o café da manhã, nós dizemos. Apenas pão, queijo e frutas. E geleia, nós completamos. E ah sim, é claro, — Chá.

Anedotas

Nós temos uma combinação regular de tomar chá nas sextas-feiras. Depois da soneca obrigatória da tarde, a qual todos negamos precisar, mas não conseguimos passar sem ela, nos encontramos no Starbucks e compartilhamos chás e anedotas. Nunca perderíamos isso por nada.

 Nossas filhas nos deixam lá: uma no caminho para o psiquiatra e a outra no caminho para a pedicure. Ou pegamos um táxi com a ajuda dos nossos genros: um do apartamento, o outro do escritório de advocacia. Ou nós simplesmente andamos, muito devagar, das nossas respectivas residências até chegarmos onde queremos ir, que não é bem onde nós queremos estar, mas perto o bastante para aceitarmos. Perto o bastante para agradecermos ao nosso afortunado Starbucks, como dizemos umas às outras e uns aos outros, que nós ainda respiramos ao chegar. Perto o bastante, mas não ideal para uma conversinha, uma vez por semana.

Era um hábito que nós estabelecemos no Teerã nos bons tempos, e é sacrossanto.

É claro, costumava haver mais de nós nos velhos tempos. Havia nossos amigos militares, o coronel, o general, os camaradas da força aérea. Então tinha o pessoal do petróleo, que trabalhava em Ahvaz Dezful, na região do Golfo, e um que foi enviado como representante para a Argélia por um tempo, até que a guerra lá o trouxe de volta. E finalmente, havia aqueles de nós que eram do comércio: o joalheiro, o vendedor de tapetes, o motorista de táxi que se tornou um magnata de refrigerantes. Mas era sempre chá que tomávamos juntos no Teerã, nas tradicionais cafeterias, na velha *ghavheh khaneh*: com doces caramelados e grudentos e chá e, às vezes, sorvete e raspadinha ou *faloodeh* no verão, até que um de nós ficou diabético. E costumávamos fumar *ghalyun* lá também, o velho narguilé, e uns dois Lucky Strikes até que um de nós começou a tossir. Toda sexta-feira à tarde, até nos aposentarmos, todas as semanas até deixarmos o país, nós passávamos as horas compartilhando anedotas, discutindo as coisas do mundo antes que tomássemos o rumo de nossas respectivas casas.

Era uma boa amostra de arquitetura do século 19, aquele velho café, construído numa esquina que ficava de costas para os Bagheh Ferdows, com salas por todo lado e o riachinho correndo pelo pátio. Agradável, o som descendo das geleiras de Damavand, antes de se dissipar nos esgotos da cidade baixa. No verão, nós costumávamos ir lá para relaxar em uns sofás embaixo da figueira no pátio atrás do prédio. No inverno, tínhamos nossa alcova especial perto do fogão à frente, suas paredes pesadas com estruturas inclinadas, cheias de fotografias apagadas e manchadas de reis e rainhas ornados de ouro. Nós nos desassociamos dos fumadores de ópio decrépitos, é claro, amontoados sob seus cachimbos fedorentos no fundo, mas nós gostávamos de bebericar em nossos copos de chá quente e discutir política e religião lá na frente. Era o vendedor de tapetes que gostava das coisas filosóficas.

Agora tínhamos que fazer valer com café melado do Starbucks, correndo o risco de hemodiálise. Ou ainda nos submetermos à indignidade de saquinhos de chá de hortelã, em nome da virtude. Agora, tínhamos que nos empoleirar um ao lado do outro nos banquinhos plásticos de cores berrantes, cavoucando cotovelos na fórmica, a menos que tivéssemos a sorte de conseguir uma mesa longe da música alta. E agora nós só compartilhamos anedotas e contamos uns aos outros e umas às outras histórias triviais, enquanto esperamos pelo cappuccino ou pelo chá, fazendo conchinha com as mãos na base do ouvido. O café fica grosso e enjoativo com o leite. O chá de hortelã nunca está quente o bastante, nunca doce o bastante e tem gosto de papel. E não se pode fumar. Mas ainda assim é algo que esperamos fazer, esse encontro de sexta-feira com velhos amigos no Starbucks, mesmo que seja um pouco decepcionante. Verdade seja dita, geralmente ficamos antecipando essa companhia a semana inteira para cair em silêncio quando ficamos juntos.

Há tanto para não dizer agora, é claro, tanto para não se falar. A crise dos reféns deu um fim na política, porque acabou que estávamos apoiando o lado errado. A guerra deu um fim à metafísica, porque não dá para ficar falando de abstrações, enquanto químicos estão sendo jogados sobre seus compatriotas, os fazendo virar borracha nas encostas. E a religião deu um fim à poesia. Enquanto esperávamos em fila por nossos vistos e subornávamos nossa entrada nos últimos aviões, enquanto tentávamos nos adaptar com nossas filhas e filhos, nossos cunhados e primos por parte de mãe, nessas estranhas e pequenas casas americanas sem muros, nós nos tornamos cada vez mais calados. Nós perdemos a morada da língua e o green card não ajudou. Nossos poucos pedaços de inglês foram o suficiente para nos virarmos, mas não é uma língua em que se pode confiar, é? Não é uma língua que podemos usar para conversar sobre aqueles que ficaram para trás.

Há certos assuntos dos quais precisamos desviar em qualquer língua, na verdade. É uma regra tácita. Nós contornamos prisões, por exemplo, e tortura, dependendo do quão forte estejamos nos sentindo no momento. Religião é naturalmente um tabu também e, se nos aventuramos pela política, a tendência é que sejamos cínicos. O vendedor de tapetes costumava falar com entusiasmo sobre o futuro do nosso país e pagou um alto preço por seu otimismo. Então nunca pronunciávamos o nome dele. Idealismo de qualquer tipo deveria ser estritamente evitado naqueles dias.

Para mantermos as coisas leves e superficiais, portanto, nós compartilhamos fofocas requentadas, repetimos anedotas que fazem aniversário. Nossas discussões são circunstanciais, nunca analíticas; nossas notícias são mais incidentais do que políticas. E nós cedemos a uma grande parcela de nostalgia, é claro. Ah, tantos suspiros sentimentais, tanta umidade nos olhos quando nos lembramos do chá doce e vermelho e o *ghalyun* na cafeteria. E velhas fotos, vocês se lembram das fotos, perguntamos: um jovem Xá se casando com a princesa do Egito em uma alcova; a bela rainha de lábios carnudos ao lado do samovar manchado; a moldura dourada, contendo um retrato bichado do rei anterior em seu exército, que costumava se inclinar para fora da parede. O que foi que aconteceu com aquelas fotos?, nos perguntamos. Onde estão agora? Não mencionamos os ausentes que costumavam sentar conosco na alcova, os desaparecidos ao lado do samovar, aqueles que sumiram da moldura para fora da parede. Nós nunca falamos uma palavra sobre os que foram presos e levados para sempre numa manhã azul.

Ao invés disso, falamos sobre arquitetura. Comparamos prédios, velhos e novos. Ah, que bonita cafeteria! Ainda está em uso, vocês acham? Ouvimos dizer que estão demolindo muitos prédios patrimoniais. Lembram daquele adorável palácio Qajar na cidade velha?, murmuramos, secando nossos olhos viscosos. E a casinha tão belamente reformada em Shiraz com vidros coloridos nas janelas superiores? Nós suspiramos, nosso olhar encontrando o chá cor de urina, desejando que tivéssemos optado pelo cappuccino. É um choque saber que eles estão até escavando cemitérios hoje. Bem, bem, nós murmuramos, nos sentindo meio mal enquanto cutucamos a triste ilha de polpa de hortelã nos nossos pires.

Você tem que ser cuidadoso quanto às anedotas, entretanto. Muito cuidadoso. Você não pode sair por aí repetindo cada coisa que você ouve. Há algumas coisas que você simplesmente não quer confirmar. Uma história estava circulando logo que saímos do Irã, que nós naturalmente nunca mencionamos um para o outro, nunca. Ninguém nos disse nada concreto, é claro, quase nenhum detalhe, e não havia aparentemente nenhuma prova de incêndio criminoso, mas um incêndio começou no mercado logo que partimos. A velha seção do mercado foi consumida pelas chamas, os arcos altos danificados pela fuligem, as paredes enegrecidas. Um dos velhos camaradas que conhecíamos virou carvão, disseram, todos os seus tapetes transformados em fumaça. Um acidente, eles disseram.

É o suficiente para que você perca a vontade de tomar chá para sempre, dizemos, fazendo caras amargas sobre nossos pires. Mas que bom que estamos juntos. Que legal que tenham vindo. Até a semana que vem. Somos muito educados uns com os outros enquanto nos preparamos para ir embora. Estamos repletos das velhas formalidades e então, embora não sejamos muçulmanos praticantes, não mesmo, nós não podemos evitar de nos referirmos à vontade de Deus na despedida.

Até a semana que vem, *inshallah*.

Assimilição

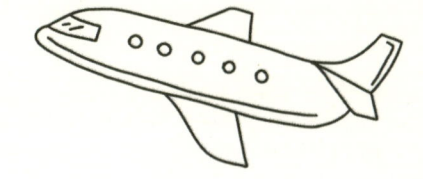

Nossa amiga não estava, como enfaticamente nos informou, praticando. Foi quase a primeira coisa que ela disse assim que sentamos à mesa no terraço do Café Lichtberg. Ficamos desconcertados; é meio incomum em Berlim anunciar suas crenças religiosas para pessoas relativamente estranhas antes mesmo de pedir café. Já que era para estarmos discutindo um filme, o anúncio inesperado pareceu singularmente abrupto. O tom da voz da nossa amiga foi definitivo também, quase desafiador.

Houve uma pausa estranha. Evitamos nos olhar nos olhos. Será que ela queria que soubéssemos que ela era uma muçulmana, praticante ou não? Deveríamos estar assegurando-a de que nós não éramos uma pessoa completamente sem deus também, apesar de sermos emigrantes de longa data? Por que ela sentiu a necessidade de levantar o assunto, sentada ao sol, há alguns minutos de distância da S-Bahn? Era um começo agourento para a nossa colaboração no projeto do filme. Nos concentramos em escolher cubos de açúcar e mexer o café por tempo demais. A colher fez um barulho descompromissado quando nós a largamos.

"Esses clérigos têm mesmo muito para responder", ela continuou, sentindo, talvez, a necessidade de preencher a brecha que ela mesma tinha criado. "Eles nos fizeram todos materialistas. Eu me tornei ateia desde que saí do Irã, sabe".

Ah, então era isso. Ela queria mostrar a nós que tinha se integrado desde que tinha vindo para a Alemanha. Talvez ela estivesse buscando nossa aprovação. Nós murmuramos alguma coisa anódina e encorajadora. Mas sua boca estava apertada numa linha fina. Ela provavelmente pensou que nós éramos filisteus porque estávamos aqui havia tanto tempo. Ou vai ver presumiu que nós tivéssemos preconceito contra todos os imigrantes recém-chegados do Irã, pela suposição de que fossem fanáticos religiosos?

Talvez por isso ela continuou por esse veio, ao invés de falar sobre o filme que nós supostamente faríamos, saindo do assunto para chegar à condenação geral da religião e à versão dela como praticada no Irã, em particular. Ela era claramente uma descrente comprometida, uma cínica com opiniões possivelmente fundamentalistas. "É uma desgraça o que a religião fez ao nosso país", ela concluiu, severa. Ela parecia determinada a se provar secular. Ao menos isso foi o que presumimos que ela queria provar.

Na verdade, o filme era sobre assimilação social, sobre secularização migrante, então pode ter sido este o motivo pelo qual ela parecia tão preocupada com o assunto. Como cineastas com reconhecimento no estrangeiro, nós tínhamos assinado contrato para fazer um documentário para a recém estabelecida organização de nossa amiga. O foco era nos imigrantes que viviam nas capitais da Europa, com destaque para os desafios enfrentados pelas mulheres, incluindo as iranianas, em culturas estrangeiras. Explorava como algumas delas tinham prosperado e outras estavam presas em suas casas, dependentes de seus maridos, ignorantes do idioma e sofrendo com problemas que não conseguiam entender. Questionava o quanto o país anfitrião era responsável pelo isolamento delas, sua ocidentalização, sua potencial radicalização. Mas quando finalmente ficou pronto, o final tinha uma cena surpresa de uma moça marroquina rezando suas preces em sua sala de estar. Não tínhamos discutido essa possibilidade com nossa amiga durante os encontros iniciais. Era uma imagem bonita, uma resolução serena. As palmas das mãos macias da jovem erguidas, brancas contra uma túnica escura, pareciam um par de pombinhas.

Logo depois que o documentário passou num festival no Arsenal, nossa amiga ligou para dizer que sua prima do Irã tinha acabado de chegar e queria nos conhecer. Ficamos nervosos. Será que a prima tinha visto o filme e gostado, ou estava indignada, porque iranianos que deixaram o país achavam que podiam presumir e descrever o que seus compatriotas estavam passando? Talvez ela só tivesse visto a parte com a jovem esposa rezando em sua sala de estar e pensou que era uma blasfêmia? Ou talvez ela estivesse tão ofendida de ser comparada com árabes e turcas que perdeu o final? Não sabíamos se tínhamos ofendido alguém ou como responder sem ofender alguém.

O maior problema era seguir o protocolo apropriado nessas circunstâncias. Normalmente, já que tínhamos feito o primeiro convite, era para nossa amiga nos receber dessa vez. Mas ela parecia esperar que nós organizássemos o evento. Nós sabíamos que ela morava na parte menos chique da cidade, em Kreutzberg leste, e talvez se sentisse desconfortável de nos convidar para ir até lá já que estávamos na burguesa Steglitz-Zehlendorf. Mas ela também não fez sugestão alguma de nos encontrar em algum lugar neutro no centro. Isso teria sido falta de cortesia com sua prima recém-chegada do Irã? Nós nos perdemos. Finalmente, numa tentativa de fazer o impossível, nós convidamos nossa amiga, seu marido e a prima para ir à nossa casa para uma festa especial e privada algumas semanas depois da comemoração pública do sucesso do filme.

No último minuto, no entanto, o marido subitamente declinou o convite. Mudança de planos. Das mais infelizes. Por favor, aceitem suas desculpas. E nós adivinhamos o porquê, assim que vimos a prima.

Ela estava coberta, da cabeça aos pés, com um véu de cinza rigoroso. Seu rosto estava amarelado, sem maquiagem, suas feições sem riso, severas. Nenhuma pomba flutuava de suas palmas. Estava claro, a partir de tudo que ela não disse, que ela suspeitava muito da gente e tinha odiado o filme. Se é que tinha concordado em assistir. Ainda bem que não tínhamos ido ao Café Lichtberg: Deus sabe o que os garçons teriam pensado dela, ou o que ela teria pensado dos garçons. Ela olhava carrancuda para nós do outro lado da mesa e quase não abriu a boca durante toda a refeição. Nem para comer.

Nós ficamos pensando por que ela tinha vindo. Ela queria mesmo nos encontrar? Talvez nossa amiga tivesse imposto esse convite, como um tipo de teste. Para ela ou para nós? Por que ela não preparou a gente para isso? E para que, se para algo mesmo, sua prima tinha sido preparada? O que ela tinha contado para a prima sobre nós? Que tínhamos passado pela assimilação cultural? Que éramos do grupo dos ateus, apóstatas, membros de um secto perverso? Que éramos monarquistas seculares e apoiávamos o antigo regime, e era por isso que vivíamos naquela parte da cidade, cercada por lagos agradáveis e canais? Ela estava claramente tomando a dimensão das coisas. Durante toda a refeição, ela sentou como uma nuvem preta de um lado da mesa enquanto a conversa mancava de uma língua a outra. Enfim, quando a conversa se esvaiu, ela se ergueu para sair com um olhar visivelmente aliviado. Talvez ela tenha achado que tínhamos impurezas e corrupções, de algum jeito. Talvez ela quisesse pular fora antes de ser assimilada também. Ela estava claramente sofrendo tanto quanto nós com a tensão.

♦

Não nos encontramos com nossa amiga por muitos meses depois daquilo. Qualquer que tivesse sido o propósito do último encontro, ele levou a uma retirada, um refúgio de silêncio; imperceptivelmente ela saiu do nosso círculo. Tínhamos dito algo errado, feito algo ofensivo? Ou a prima a tinha alertado contra nós por causa do problema da assimilação? Certamente não poderia ter sido por causa do filme, que superou todas as expectativas e até ganhou um prêmio. Mas, fora isso, ou talvez por causa disso, a confiança tinha se quebrado. Não tínhamos certeza de como, porque, verdade seja dita, consideramos agora que foi meio que uma ofensa também, isso nos machucou até. Ela era quem tinha empurrado a prima para cima de nós, afinal de contas; ela tinha recebido nossa hospitalidade. E nunca disse uma palavra em agradecimento!

Mas talvez a vida tenha simplesmente feito uma intervenção. Nós estávamos todos ocupados naquela altura com filhos adolescentes crescendo, passando ou não em exames. E nossa amiga estava sem dúvida enfrentando preocupações similares, tormentos similares sobre o sucesso e o fracasso de suas filhas. Nós tínhamos filhas da mesma idade, mas uma das filhas dela frequentava bares na Simon-Dach-Strasse, assim soubemos, e tinha começado a "sair" com um guri da Bavária. Nós podíamos imaginar seus sentimentos. Não teríamos gostado se nossa filha fizesse isso, ainda era cedo. Poderíamos nos considerar cabeça aberta, mas na hora em que nossas filhas começassem a fraternizar com estrangeiros, nós, iranianos, voltávamos ao nosso normal. Poderíamos pensar que fomos ocidentalizados, mas, na verdade, preferimos que nossas filhas pulem diretamente da infância para a maturidade e se casem com persas de renda substancial. É nessas horas que reafirmamos nossos valores. E não tem nada a ver com praticar algo.

Quando nos encontramos de novo, por acaso, num evento cultural no bairro de Tempelhof algum tempo depois, notamos com surpresa que nossa amiga estava usando uma cruz prateada no pescoço. Uma que até era grande. E tão próxima ao Centro Islâmico Iraniano ainda por cima. Uma afirmação ideológica?, perguntamos, de modo jocoso.

É só uma joia, ela corou. "E eu não me importo em mostrar às pessoas que não sou fanática, mesmo sendo iraniana", completou na defensiva.

Claramente, a integração a uma fé secular não a tinha protegido o suficiente dessa possibilidade. Mas, enquanto a conversa continuava, acabou revelando que o namorado de sua filha também vinha de uma família religiosa. Católicos da Bavária, muito burgueses. Talvez a cruz ajudasse um pouco? A integração se dava por várias formas. Mas isso não causaria tensão em sua própria família?, pensamos, lembrando da prima.

Ah, ela não tinha nos dito? A prima dela tinha ido embora para a América logo depois que nos conhecemos, disse; ela não usava mais o véu. Aquilo fazia com que ela fosse mais fundamentalista ou menos?

◆

Não tínhamos certeza, mas suspeitávamos de que sua prima não teria se derretido tão facilmente no caldeirão da cultura americana; seu interior era indissolúvel. Nós, persas, somos como os chineses quando se trata de questões de assimilação. Nós mantemos as aparências, mas temos certo orgulho das nossas próprias panelas, se é que você sabe do que estou falando. Fazemos mais a absorção do que somos absorvidos. Mas o que seus parentes muçulmanos no Irã diriam se sua filha casasse com um católico romano?, perguntamos.

Ah, não havia nada de casamento, ela nos assegurou, suas feições se cobrindo de ansiedade. Além disso, muitos iranianos estavam virando cristãos agora. Não estávamos sabendo? Não. Não poderíamos adivinhar o porquê? Não ousamos presumir nada, dado o espanto implicado em suas sobrancelhas. Bem, ela concluiu, com aquele ar familiar de conhecimento superior, eles estavam tão cheios do regime que se convertiam a todo tipo de religião agora; tinha virado um problema até.

Um problema? Nossas sobrancelhas devem ter subido um pouco também, porque ficamos na defensiva. "Bem, não são só os judeus que querem minar o regime, sabe!".

Houve uma pausa, durante a qual o chão se mexeu debaixo dos nossos pés, definições vacilavam sobre nossas cabeças e palavras escorregavam descuidadamente nos tobogãs do significado. Ouvimos certo? Reestabelecemos nosso equilíbrio com dificuldade. Nós não podíamos concordar com ela mais do que já concordávamos, dissemos, com pressa; éramos da mesma opinião integralmente. Não achávamos que cristãos eram antimuçulmanos, independente do que a administração atual pudesse sugerir; nós também não achávamos que todos os muçulmanos eram fundamentalistas, independente do que o regime atual no Irã pudesse inferir; e alguns dos nossos melhores amigos eram judeus. Além disso, lá estava ela, usando uma cruz e defendendo o islã! Quão grandioso era aquilo!

Não era, pelo jeito, tão grandioso quanto a crescente fissura da compreensão entre nós. Nós estávamos irrevogavelmente separadas por uma cultura em comum, uma língua compartilhada e nossa tentativa de humor não fez a travessia. Nossos tchaus foram de algum modo forçados enquanto nos separávamos à beira do parque Tempelhofer. Ficamos à deriva, pensando em como pudemos ter sido tão idiotas e em quando ela tinha se tornado tão enganadora. No que ela realmente acreditava, em última análise? E por que ela sentiu a necessidade de se justificar, entre todas as pessoas, para nós? Com certeza ela estava no país por tempo o suficiente agora para não ser tão insegura. Mas talvez fosse apenas porque sua religião era reativa. Talvez ela confiasse o bastante na gente, dissemos, para testar suas teorias contra nossa amizade. Às vezes você precisa que os outros provem a você quem você é realmente.

♦

Depois daquilo, nossos caminhos não se cruzaram mais por muito tempo. Nossas crianças cresceram e saíram de casa; as dela também, presumivelmente. Nós estávamos experimentando os problemas matrimoniais comuns; e talvez ela também estivesse. Como muitos iranianos, o marido dela finalmente entrou para o ramo imobiliário, num ramo mais barato do mercado, tendo fracassado no mais caro. E foi enquanto estávamos no processo de compra de um apartamento no leste de Berlim que soubemos dela de novo, por acaso, através de um encanador. Ele era amigo de outro conhecido iraniano: alguém que tinha sido casado com alguém que nós conhecíamos, que era a filha de alguém que tinha fugido do país depois da queda do Xá e aconteceu de ser um parente distante de alguém — aquela mesma prima vestida de sarja cinza — que já conhecíamos. A videira de conexões iranianas de sempre.

Mas as notícias que ele nos deu não eram boas. Nossa amiga tinha sido diagnosticada com câncer. Ela tinha sofrido as misérias da quimioterapia. Tinha passado por momentos difíceis desde a última vez que a vimos. Tudo isso e nada dito, nada sabido.

Fomos tomadas pela culpa. Como podíamos ter permitido que tantos anos se passassem sem nenhuma comunicação? Que tipo de amizade tínhamos? Se alguém quebrou a confiança, fomos nós. Ficamos tão fora de alcance que nem aparecemos para dar algum apoio. Do que adiantava fazer filmes sobre a solidão da mulher imigrante se nós não fazíamos nada para nos ajudarmos quando precisávamos? Estávamos com vergonha. Telefonamos imediatamente, conversamos loquazmente, fizemos planos de visitar e chegamos carregando presentes, flores, chocolates, e alguma coisa como o amor.

Nos desculpamos. Ela também. Dissemos que não havia razão para tal; nós estávamos em falta. Ah, mas ela também. Como ela estava? Mais magra. Como ela se sentia? Melhor. Onde estavam suas meninas e o que tinha acontecido com elas? Uma das filhas estava fazendo carreira na França e a outra estava agora noiva, perto de se casar com o jovem da Baviera. Mas nossa amiga não estava mais usando a cruz no pescoço.

"Você sabe sobre cristais?", ela perguntou, com um sorriso quebradiço.

E imediatamente embarcou numa animada apresentação sobre auras, cristais, acupuntura e sobre como limpar seu fígado com banhos e dietas e colonoscopias, por meio de ondas magnéticas e a cura pela imposição das mãos. Ela acreditava que suas mãos podiam curar. Sim, ela poderia diagnosticar pessoas e então libertá-las de doenças apenas as tocando. Se gostaríamos que ela nos tocasse? Ela poderia mostrar como funcionava.

Nos retraímos, desconcertadas. Havia um nítido brilho em seu olho que denunciava fragilidade e ardor proféticos. Havia uma ausência lamentável de ciência em suas opiniões, que não contavam com um cuidadoso escrutínio. Não tínhamos muita afeição pelo toque ou pela libertação, francamente. Nós não confiávamos em suas teorias. Nem sua filha mais nova, como descobrimos, a que era noiva do católico, aquela que estava estudando para ser médica. Infelizmente, nossa amiga tinha ficado distante das filhas; elas não se falavam mais, parecia. Ela havia claramente se convertido a uma religião diferente e não acreditava em medicina alopática.

"Eu sou budista agora", ela concluiu, afetadamente, tomando aquela expressão engomada que conhecíamos muito bem. "É o único Caminho".

Mas estava claro, no jeito que ela tinha a boca, que era o único caminho que ela poderia ter tomado para evitar as lágrimas. Ela sempre havia sido muito próxima das filhas e agora ela as tinha perdido. Elas foram assimiladas, e ela não; elas tinham se tornado europeias, e ela? Ela não tinha certeza se se importava mesmo com integração. Uma tinha se juntado com um homem casado em Paris, sem nenhuma projeção de vida familiar, e a outra ia criar seus filhos como católicos, longe, no sul da Alemanha. Nós, iranianos, já temos dificuldades o suficiente em lidar com a mudança da moral sexual de nossas filhas, mas ter que admitir seu distanciamento é o pior de tudo. Era difícil. Era pior que câncer.

Não precisava ter muita imaginação para entender que ela estava magoada.

◆

Só nos encontramos uma vez depois daquilo, antes de sair de Berlim. Queríamos ter convidado nossa amiga e seu marido para um jantar para dizer adeus, mas a única vez que eles estavam livres caía bem no nosso mês de jejum, que coincidia com o ramadã naquele ano. Dado o seu marcado histórico de saúde e crenças espirituais incertas, nós não tínhamos certeza se oferecíamos uma bebida ou não. Mas ela se antecipou.

Ela nos contou, com o mesmo ar cansado de superioridade, que não iria beber, já que o sol ainda não tinha se posto. Era a lei de sua religião, ela disse severamente. Não lembrávamos que ela estava praticando? Ela era uma iraniana, afinal de contas, e uma Siyyid, parente do Profeta.

Sua assimilação, percebemos, estava completa.

Verde

Bibi sempre teve orgulho de sua descendência Siyyid. Seu avô materno usava um turbante verde para provar sua linhagem profética e, quando criança, ela pensava que tinha olhos verdes por causa disso. Por isso ela amava esmeraldas.

As joias foram presente de casamento, um dote acumulado durante anos enquanto o General adquiria suas propriedades e suas filhas. Ele começou a dar as esmeraldas quando ela era uma jovem noiva: "Use-as sempre", ele murmurou na noite de casamento, unindo as pontas do fecho ao redor do pescoço dela. Para cada filha que nasceu, ele adicionou algo à caixa de joias: brincos e um broche cravejado de pequenas pérolas para a primeira, um conjunto de um bracelete e um colar com safiras para a segunda e incontáveis anéis. "Use-as e pense em mim", ele disse, prendendo os brincos pendentes em suas orelhas quando Goli nasceu. "Logo você vai ganhar mais peso", ele resmungou, enquanto o bracelete tilintava no pulso dela depois do nascimento de Lili. As pedras enormes pendiam frias e pesadas de sua clavícula; as joias verdes espichavam suas orelhas. Mas depois de Ali, o último dos anéis de esmeralda, por fim, ficou pequeno demais para caber em seus dedos e tudo acabou no cofre do banco. Seu filho era tão diferente das irmãs, em aparência e atitude, que o General parou de dar esmeraldas para sua mulher desde então. Ele costumava dizer, com sua risada curta que parecia um latido, que ele nem tinha certeza se o fracote era dele. Bibi sabia que seu marido tinha lá seus pontos cegos; eles eram óbvios. Mas doía nela que Ali fosse um deles. O homem tinha um hábito desagradável de rejeitar seus filhos e se reapropriar dos presentes. "Não doe as esmeraldas", ele tinha aconselhado Bibi, anos antes. "Não deixe que ninguém as tire de você". Mas, no fim, quando o velho regime entrou em colapso e ele já estava em aflição, foi o General mesmo quem as tomou. O broche e os brincos serviram de suborno para tirá-lo do país durante a crise dos reféns. O colar pagou suas primeiras contas hospitalares, uma vez em Los Angeles, e o bracelete contribuiu para cobrir os custos de seu funeral. As esmeraldas acabaram sendo um investimento astuto para ele mesmo, e os filhos foram esquecidos.

Bibi se perguntava, às vezes, se seu filho tinha desaparecido simplesmente porque seu marido não podia suportar olhar para ele. Mas talvez ela tivesse pontos cegos também. Ela esteve tão ansiosa para manter Ali vivo e tão contrária a receber o dinheiro de mártir admitindo sua morte, que vendeu a maior parte das esmeraldas para a vantagem de Mehdi. Mas as joias não foram suficientes para trazer o filho de volta ou para proteger suas filhas, e ser uma Siyyid não tinha preservado sua visão tampouco mantido seus olhos verdes. Chorar encheu-os de nuvens muito antes que a catarata o fizesse. Quase não havia noites, desde que Ali desaparecera, que Bibi não tivesse soluçado até dormir.

E a noite de seu primeiro Naw Ruz na América não foi uma exceção.

♦

A sala de espera do lacrimologista estava cheia de pessoas sofrendo de diferentes transtornos de lágrimas. Apesar da iluminação defectiva, que ou piscava continuamente ou diminuía para um embotamento enuviado, Bibi conseguia ver ao menos meia dúzia de pacientes já sentados por ali, na sala, esperando sua vez.

Uma mulher atarracada à sua direita se lançou em conversa assim que Bibi sentou ao seu lado. Ela tinha sobrancelhas meio baixas e pequenas, olhos opacos e uma sombra considerável no lábio superior; não fosse sua volubilidade, Bibi lembraria de Fathi, que tinha acabado de voltar dos Estados Unidos para o Irã. Mas Fathi nunca seria tão desconcertantemente direta sobre seus problemas quanto era essa pequena mulher bigoduda. Ela contou a Bibi de cara que tinha os dutos bloqueados. Permanentemente bloqueados, completou, sem vergonha, como se não fosse ruim o suficiente que eles estivessem temporariamente nesta condição. Era por causa da crescente desertificação do planeta, ela explicou, e dos parques de energia eólica instalados em Manjil e Rudbar. Seus olhos vermelhos estavam inflamados da areia que ficava pairando e se acumulando na comissura palpebral. Ela tinha tentado lavagem com alho a cada duas horas, mas descobriu que era inútil.

"Nada ajuda", concluiu triste, "nem mesmo cebolas".

A paciente à esquerda de Bibi tinha um problema parecido, mas seus dutos estavam entupidos com lã. Tinha começado logo depois da guerra no Afeganistão, ela murmurou, onde seu filho morreu. Sua voz cinzenta soou tão parecida com a de Lili que Bibi estava de início inclinada a duvidar da história; a mulher parecia jovem demais para o luto. Mas o xale cinzento no qual ela estava embrulhada e as grevas cinzentas enroladas em suas pernas pareciam provar sua sinceridade. Bibi pensou que todos aqueles artigos tinham sido tricotados à mão, o que foi confirmado com humildade e uma timidez que nada tinha a ver com Lili, mesmo que Bibi não tivesse dito uma palavra. Parecia que a vista ruim e uma disfunção lacrimal aumentavam poderes telepáticos. Ou talvez fosse a coincidência de filhos mortos que o fizesse.

"Dez minutos pensando em lã todas as manhãs", a mulher suspirou triste. "É o único jeito de me concentrar no que estou fazendo".

Na parede oposta a elas estava um pôster ensebado de um enorme globo ocular. Bibi piscou para limpar as lágrimas e poder enxergá-lo. Estava cortado em duas metades perfeitas, verticalmente, e tinha sido aberto como um porta-retratos articulado, com a córnea fatiada de um lado e a retina exposta do outro. No meio da retina, atrás da órbita, havia uma massa nas cores do arco-íris de nervos terminando em um emaranhado de vasos sanguíneos. Parecia uma melancia partida com toda aquela gelatina rosa embaixo da fatia branca da córnea. Ou talvez uma moranga multicolorida cortada no meio com suas fibras sinuosas expostas atrás. Bibi se virou, mas, apesar de sua vista fraca, era difícil evitar ver o olho, uma vez que ela já sabia que ele estava lá. Talvez, pensou vagamente, saber que algo está lá seja outra definição de telepatia. Ou de visão.

Uma criança estava sentada logo abaixo do pôster, no colo da mãe. Ele era novo demais para estar num lugar daqueles e talvez velho demais para estar no colo, mas ele evidentemente sofria de algum distúrbio bem diferente dos que afligiam as mulheres que estavam ao seu lado na sala. Bibi notou que, ao invés de dutos bloqueados, as lágrimas do menininho corriam desimpedidas; tinham cor de ferrugem e manchavam suas bochechas. Sua mãe, que ficava tentando fazê-lo ficar quieto, secava o rosto dele continuamente com punhados de lencinhos. "É como hemofilia", ela contou a Bibi, num tom aflito. "Uma vez que ele começa, não consegue parar". O menino estava mudo e não reclamava enquanto as lágrimas corriam, mas a cada vez que sua mãe o puxava para perto a fim de passar o lenço em sua pele, ele choramingava e tentava se libertar. "Eu tentei de tudo", ela protestou exasperada. "Descolorante em pó. Detergente líquido". Nada servia para estancar as lágrimas, aparentemente, mas ela achava que o médico ao menos deveria fazer algo para remover as manchas.

"Como prescrever um clareador de pele", ela declarou.

Ela era como Goli, Bibi pensou, cujas lágrimas tipicamente descamavam sobre manchas. Não havia nenhuma semelhança física entre elas, e Bibi não podia dizer, na penumbra daquela sala, se aquela mulher tinha clareado o cabelo ou não. O garoto chorão também não tinha qualquer semelhança com seu neto obeso, exceto pelo fato de que ele estava sentado no colo da mãe. Goli tinha uma tendência a tratar o filho como um bebê. Também não havia nenhum sinal de Delli na sala, o que alimentava a esperança de que sua neta pudesse ter escapado da genética das lágrimas. Bibi tinha um fraco por Delli; não queria que a pobre garota se desgastasse por dentro por todas as lágrimas que não tinha chorado.

Olhando para longe da mãe e da criança e em direção à janela perto da porta, Bibi divisou um contorno escuro contra a luz. Havia um quarto paciente sentado lá, ela percebeu, com as costas para o brilho vindo do mundo externo. Quando ela piscou para se acostumar com a névoa cintilante atrás dele, viu que era um homem idoso, com um distinto e diminuto cabelo branco. Mas, depois de um minuto ou dois, seus olhos se fecharam involuntariamente, com uma punhalada de reconhecimento.

"Você tem os mais belos olhos verdes, senhora", disse o General, se inclinando à frente decorosamente em sua direção.

Bibi não respondeu ao marido. Ela estava apavorada que ele detectasse sua identidade e pudesse também ler seus pensamentos não ditos. Mas ele apenas ficou a encarando, vago, por um momento, e então se virou. Ela entendeu depois que ele estava totalmente cego.

Embora ele nunca tivesse sabido quem ela era durante a vida, Bibi estava desanimada em ver o que tinha acontecido ao General desde a morte dele. Ao contrário dos outros na sala, ele tinha evidentemente estragado seu nervo óptico por retrospecção: ele tinha encarado o passado tão intensamente que perdera a visão de consequências futuras e não podia mais ver a ligação entre causa e efeito. Na verdade, ele via até menos dela agora do que durante a vida. "Eu estava sempre presente demais para ele", ela percebeu, olhando para longe do marido apressada. E ele tinha sempre cultivado razões para suas ausências, ela lembrou, nas quais nenhum dos dois acreditava. "Agora nós dois não podemos ver", ela pensou triste. Talvez eles tivessem se cegado mutuamente, sem querer, com suas mentiras.

De repente, seu nome foi chamado. Ela se sentiu aliviada e aterrorizada ao mesmo tempo. Como podia ser ela a primeira a ser chamada, sendo a última a ter entrado na sala? Enquanto ficava em pé e dava um passo hesitante para frente, ela imaginou se aqueles que estiveram esperando mais do que ela ficariam ofendidos por causa do tratamento especial. Mas era um sinal de privilégio ou punição iminente? Ela teve prioridade porque seu caso era pior do que o dos outros? E o pior de tudo, o General tinha ouvido o nome dela? Agora tentaria segui-la? Mas não, ela pensou, enquanto o ar frio atingia seu rosto pela porta aberta do consultório médico: o arrepio emanava não do cadáver atrás dela, mas do homem à frente para o qual ela se dirigia.

Enquanto Bibi se arrastava para o consultório do lacrimologista, ela pensava em como deveria se comunicar com ele. Ela sabia, sem que ninguém lhe tivesse dito, que ele era um lituano, como o especialista com o qual sua filha tinha arranjado uma consulta no dia anterior. Goli tinha avisado que o grande homem não desperdiçaria palavras. Mas, enquanto ela andava na direção dele no sonho, ela estava agradecida. Parcimônia verbal, nessas circunstâncias, provariam se ele era um bom médico ou não.

O lacrimologista a conduziu para dentro da sala em total silêncio. Ele era um imigrante recente como ela, percebeu. Talvez aquilo justificasse ele ser taciturno; ele não tinha familiaridade alguma com a língua. Ou talvez ele tivesse esbanjado tantas palavras ao longo dos anos que não havia sobrado nenhuma para gastar agora, como ela com suas esmeraldas. Ele indicou, com uma balançada de punho, onde ela deveria se sentar na mesa de exames. E então ele se virou para lavar as mãos.

Bibi teve dificuldades para subir sozinha nas inclinações nevadas da mesa; era como trepar num paredão congelado numa montanha, como escalar uma geleira, e parecia durar para sempre e isso a deixou com dificuldades de respirar. Mas quando ela alcançou o cume, o doutor enfim falou algo.

"Deite-se e olhe direto para cima", ele a instruiu, friamente.

Foi aí que ela o reconheceu, pelo borrão ameno de leite em seu lábio superior: ele era só o filho de alguém, como qualquer outro. Tinha ficado ali aquela linha tênue quando a maré da infância passara?, ela imaginou. Ou se congelou quando ele ficou velho? Ela tinha esquecido o quão árticas eram as condições de envelhecimento e migração.

"Olhe diretamente para a luz, por favor", latiu o homem.

"Eu não consigo", Bibi murmurou, recuando de dor, tentando abrir os olhos.

O médico aparentemente entendia persa. "É o único jeito de eu ajudar você", ele disse. Ele falou em farsi com uma relutância irritante que a fez lembrar de suas netas. "É o único jeito para se remover essas pedras que impedem sua visão. Agora se me permite —"

E quando ele começou a desencravar as esmeraldas de seus olhos, Bibi acordou com um grito sem ar, e se descobriu na Califórnia.

◆

Seus olhos estavam secos. O colírio que Goli tinha dado a ela no dia anterior só fez arderem mais. Mas Bibi estava agradecida que ela não tinha sonhado com seu filho. Ao menos, ele não estava sofrendo de um distúrbio lacrimal. Ela se deitou atordoada por um momento, piscando para o borrado sair e tentando se ajustar ao seu entorno. Enquanto ela gradualmente separava as cortinas encardidas da penumbra do amanhecer sendo filtrada pela janela, lembrou. Aquele era o quarto cheio de frufru da Delli e aqueles eram os sons da América sendo filtrados para dentro das paredes. Havia o zumbido de um refrigerador grande como um tanque na cozinha, os latidos de um cachorro da vizinhança na distância e um rosnar inumano se desencaracolando como fumaça da tevê na sala de baixo, confirmando que sua neta tinha passado a noite assistindo filmes de terror de novo. Delli parecia não dormir à noite. Talvez ela também tivesse medo de seus sonhos. E enquanto Bibi estava lá deitada, secando seus olhos pegajosos, ela também se lembrou do Naw Ruz, se lembrou da surpresa de Bahman, e de Goli ter quebrado sua promessa, e de repente ela sabia que tinha mesmo, que finalmente tinha mesmo, que ela tinha irredimivelmente deixado o Irã. E suas lágrimas artificiais escorreram.

Quando Ali desapareceu no campo de batalha, marcado para chegar ao martírio e ao paraíso, Bibi jurou que nunca deixaria o Irã sem seu filho. Não até que ele fosse encontrado, ela disse às suas filhas. Goli e Lili tinham apressado a mãe para vender os bens do General e vir para o ocidente antes que fosse tarde demais, mas ela se recusava a sair do lugar. Ela ficou contente quando as riquezas do marido foram confiscadas, assim as filhas não poderiam brigar por isso; ela ficou contente que suas propriedades foram todas tomadas, então elas não discutiriam sobre isso. Então, quando mencionaram as esmeraldas, ela disse, sem emoção, que tinha vendido todinhas para procurar o filho. Todo o verde esperança, ela disse, se foi.

Isso causou algum distanciamento como também encerrou uma discussão. Goli ficou ofendida que a mãe tivesse pensado que ela estaria mais interessada nas joias do que no seu bem-estar. Ela protestou dizendo que não dava a mínima para as esmeraldas, mas, por favor, que a mãe parasse de deixar o Mehdi sugá-la até o osso? Lili visitou várias vezes, ostensivamente para brigar com Mehdi, mas Bibi sabia que havia também questões políticas nas suas vindas. Ali está morto, Lili continuou dizendo à sua mãe; pare de esperar por um fantasma. Mas Lili mesmo agora era um fantasma de quem ela fora um dia e tinha se metido em questões políticas perigosas. Bibi não fez perguntas; não quis saber o que ela fazia ou tinha feito; só queria que ela fosse embora. Tinha medo que as conexões de Mehdi com a Guarda Revolucionária, que poderia talvez achar seu filho, pudessem ser fatais para sua filha. Preferia pensar em Lili em Paris do que na prisão.

Mas, apesar do que disse à sua filha sobre as esmeraldas, ela ainda tinha algumas guardadas, o que mantinha Ali vivo. Ano a ano, ela vendia seus anéis para que ele crescesse em sua imaginação, de um garoto adolescente para um jovem e bonito homem, da criança que ele era quando partiu para a guerra ao brilho de sua vida, quando a guerra terminou. Ela nunca permitiu que ele sofresse de envenenamento químico naquelas encostas sombrias. Ela nunca deixou que ele andasse de bicicleta perto das fileiras de soldados iraquianos ou que jogasse uma última e fútil granada de mão em suas caras assombradas. E ela se recusava a encontrar seu corpo esmagado entre as montanhas de mortos. Contanto que ainda tivesse uma ou duas esmeraldas sobrando, ela não assinaria nenhum papel judicial que confirmasse a morte dele. Quando Goli prometeu a ela um encontro de família, Bibi decidiu vender sua última esmeralda para comprar as passagens. Ela acreditava que Ali estaria lá. Mas quando a surpresa de Bahman acabou se revelando não ter nada a ver com prisioneiros libertados de campos no Curdistão, ela ficou devastada. Foi difícil esconder o desânimo quando ela soube que tinha ido até a América só por um green card.

"Só?!".

Ela não sabia para onde olhar naquela noite, entre os goles secos de Goli e a bravata de Bahman, entre a recusa de sua neta em comer um grão de arroz que fosse e seu neto espirrando ketchup por cima de tudo. O resto da festa de Naw Ruz tinha sido desperdiçada em explicações de por que esse *card* que nem é *green* valia seu peso em ouro, a que custo e esforços ele tinha sido adquirido, e que coisa esplêndida era que ela poderia agora viver nos Estados Unidos da América como uma dependente.

"Os mexicanos matariam para estar no seu lugar", Bahman disse.

Mas Bibi não queria viver na América. Ela não queria ser uma dependente. Ela teria sido feliz em dar seu green card para quaisquer mexicanos, estivessem inclinados a matar ou se suicidar. Seu coração estava doendo e seus olhos estavam cheios de pedras. Mas, apesar de seus olhos ardentes, a velha mulher, deitada lá na luz leitosa da manhã, de repente viu tudo com muita clareza: as cortinas nas janelas, a sombra da luminária de papel recortado cobrindo a parede de beijos vermelhos, o ursinho de pelúcia em uma prateleira de livros para crianças, e os pôsteres de Delli com meninas pálidas desfalecendo no abraço de amantes vampiros. Era tudo muito óbvio e simples: ela viu que sua neta Delli não era, nem esticando muito a imaginação, inteiramente persa.

    Seu coração galopante diminuiu o ritmo e começou a bater de modo mais regular. Talvez aquela fosse a solução. Se Delli não era tão persa, então talvez ela não tivesse que ser completamente americana. Se sua neta podia evitar ficar presa em uma caixa, Bibi não precisava ficar presa em outra. Talvez nós possamos escapar de ser ou não isso ou aquilo, nós ou eles, ela pensou vagamente. Na verdade, talvez a sobrevivência de Ali dependesse também de como ele resolveu tais absolutos e encarou tais escolhas.

A associação

Parecia uma ótima ideia para começar, uma ótima escolha: *l'associazione culturale*, um lugar onde jovens e velhos se misturam, uma oportunidade para que amigos compartilhem a herança do Oriente com o Ocidente nesse bairro meio fora de moda em Roma. Nós precisávamos nos reunir como eles faziam em Florença, em Bologna e no Município III para falar de artes, para manter a poesia viva e a música de nossa terra, para nos lembrarmos do que significava ser persa. Deixe-nos evitar a palavra "iraniano", que adquiriu tantas interpretações suspeitas, tantas associações desagradáveis. Eles usam no Município III para evocar as antigas glórias, supomos, mas nós preferimos evitá-la no presente e, além do mais, nossos jovens estão mais interessados no futuro. Já não passamos por disputas políticas demais? Já não estávamos enjoados de brigas religiosas? Não desejávamos perder mais nenhum tempo em discussões estéreis ou nos engajarmos em querelas ideológicas. Quando nosso país se vê dominado por uma teocracia, a última coisa que queremos é sermos teológicos quanto a isso. Somente a arte poderia curar esses machucados, restaurar essas feridas.

Havia muitas razões para que nós estabelecêssemos algum tipo de encontro cultural nessa parte da cidade, longe do coração de Roma.

◆

Precisávamos de um lugar que pudesse nutrir o amor pela nossa própria língua entre os jovens, que preservasse o legado da história persa para a próxima geração. Estava tudo bem em tentar discutir arte de rua e grafite com as crianças, ouvi-las, ouvir as músicas que não podíamos ouvir, mas e nossa literatura, nossa filosofia? Nós queríamos compartilhar o Irã "real" com nossos vizinhos; queríamos dar aos italianos um vislumbre daquele "verdadeiro" país do coração, de onde nenhum exílio era possível, nenhuma separação era concebível! Nós adotamos isso como nosso lema e mandamos um apelo para inscrições.

Houve uma resposta entusiasmada. O aplauso foi praticamente audível pelos *quartieres*. Contribuições se seguiram — nós somos um povo generoso — e fundos foram garantidos, graças a um considerável autossacrifício, por pelo menos dois anos. Um comitê de organização foi apontado e, depois de alguns meses, um local para os encontros foi adquirido. Tudo bem que era meio escuro, meio deprimente, porque era só um galpão abandonado afinal de contas, nas ruas de fundo atrás da estação principal, mas o aluguel era justo e nós poderíamos sempre pensar em melhorias quando o programa crescesse. Esse, ao menos, era o argumento que apresentamos aos inscritos quando alguns expressaram decepção com o lugar, em comparação com as instalações em Município III, e outros mantiveram uma preferência teimosa por algum lugar mais próximo aos restaurantes de kebab na via Tagliamento ou Bartolomeo Bossi. Mas aquelas áreas eram exorbitantemente caras, é claro. E um tanto perto demais da Embaixada para serem confortáveis.

Apesar do debate acalorado que ocorreu sobre o local, o entusiasmo pela associação permaneceu alto e então nós avançamos. Algumas pessoas contribuíram com tapetes para deixar o lugar mais simpático. Outras providenciaram chá, açúcar, um samovar elétrico. As regulações de segurança foram levemente, digamos, adaptadas para instalarmos uma cozinha provisória nos fundos do lugar para que refeições pudessem ser servidas. Nós todos concordamos que isso era essencial. Um vizinho italiano entusiasmado, e já de certa idade, que visitara o Afeganistão em diferentes circunstâncias e agora estudava zen e usava brincos demais, ofereceu enfeites de parede para apoiar nossos esforços. Não eram lá muito corretos, culturalmente falando, mas era a intenção que contava e não os brincos, e como poderíamos recusar algo quando é contra nossa cultura causar ofensa? O que era mais problemático era o próprio programa. Que assuntos deveríamos discutir? Que tipo de arte? Que tipo de literatura? Onde estavam os poetas e escritores e musicistas que viriam para essa parte da cidade? Não conseguíamos concordar em nada.

O debate sobre as futuras atividades da nossa nova *associazione culturale* continuou por várias semanas. Depois meses. Passou o inverno e o festival de primavera de Naw Ruz foi celebrado com um sentimento um pouco mais caloroso naquele ano. Emoções se elevaram, junto com os ameaçadores cheiros do verão, vindos dos ralos, mas decisões ainda não tinham sido tomadas. Discursos, no entanto, foram feitos, lágrimas foram choradas, vozes ressoaram no galpão. E então, logo antes que todos morrêssemos no calor, foi finalmente decidido, pelo bem de mantermos um senso de humor e de continuar com a paz, que o primeiro tópico para o programa de outono seria a tradição da sátira na cultura iraniana. Embora fosse tarde demais para escolhermos um palestrante, nós pensamos que o tema era suficientemente animado para que nos engajássemos todos na discussão, suficientemente, nós pensávamos, não polêmico para fazer com que a bola rolasse na direção certa, e suficientemente literário para evitar política e religião. E tendia a atrair a geração mais jovem.

É claro que foi um desastre. Sátira não é nada senão polêmica e sobre o que mais os iranianos poderiam ser satíricos, no momento, a não ser política e religião? Críticas negativas foram expressadas. A discussão se desenrolou para uma briga, embaraçada em ofensas, e rasgou todos em pedacinhos. Alguns sentiram que sátira dava uma imagem negativa do Irã e pensavam que era politicamente incorreto de um ponto de vista diaspórico; outros disseram que não poderia ser negativo o suficiente se o impacto na política do Irã deveria ser um corretivo do ponto de vista nacional. Uns poucos se chatearam porque fez de assuntos sérios levianos e fazia fronteira com a blasfêmia; muitos estavam preparados para lançar uma crítica contra os perpetradores de críticas. E todos concordaram que era um convite para se afundar em estereótipos, o último recurso do impotente, nem mesmo uma forma de arte séria; eles acusaram o comitê organizador de ter violado a confiança da associação e posto em risco seus objetivos ao escolher tal tema. Pior ainda, nenhum dos nossos jovens veio ao evento. Era cedo demais, tarde demais, no início do período letivo ou no fim, eles disseram, como desculpa esfarrapada. Mas, na verdade, foi porque éramos os pais deles.

Talvez suas ausências fossem bem-vindas, dados os ferozes desacordos, as observações raivosas atiradas naquela noite, na casa malcheirosa no fora de moda distrito de Pigneto, ataviado com panos afegãos carcomidos por mariposas. Nossa indignação foi atiçada, nossas sensibilidades exacerbadas, nós quase chegamos às vias de fato. Alguns de nós até mesmo retiraram suas inscrições e ameaçaram se juntar ao grupo do Município III. Enquanto íamos para casa machucados e separados, desviando das prostitutas na via Giolitti e dos desanimados imigrantes paquistaneses no correr da Prenestina, nós resolvemos manter os temas estritamente estéticos depois disso, discutir o belo ao invés da verdade dali em diante.

Acabou que a ênfase foi posta no nostálgico mais do que no notável, no sentimento mais do que na arte significativa. A *eminenze grigia* na comunidade exilada explanada em questões gastas, repetidas, o que já tinha sido dito, em diversas ocasiões anteriores, em outros eventos, no Município III. E palestrantes foram convidados, dos quais nunca tínhamos ouvido falar e não tínhamos nenhum interesse especial em conhecer: poetas menores, cineastas fracassados, romancistas não publicados com nomes comprometedores que deixaram contas ultrajantes de aquecimento e de hotéis, e para os quais nós nos encontramos pagando trens e outras despesas. Cada vez menos de nós participávamos das noites na associação e, mesmo que nós pagássemos as inscrições deles, nossos jovens nunca apareciam. Eles disseram que era só para gente careta.

Por fim, quando só havia umas seis pessoas que apareciam com regularidade, incluindo o vizinho italiano obcecado por zen e Afeganistão e aqueles que tinham fielmente não se juntado ao grupo no Município III, nós decidimos desmembrar a associação inteiramente. Foi um fiasco, um ralo para nossas economias, uma escolha errada e uma ideia ruim. Não podíamos mais pagar o aluguel do depósito e tivemos que devolver os tapetes e os enfeites de parede. Era impossível reembolsar os custos de viagem dos palestrantes e as contas de luz eram astronômicas. Além disso, o chá tinha embolorado e um fusível estava permanentemente queimado.

Então enviamos uma nota sóbria aos nossos membros, afirmando que, devido à falta de interesse e apoio insuficiente às artes do "verdadeiro" país dos nossos corações — de onde não era possível exílio, nem separação concebível —, nós, de modo relutante, informávamos a eles que a nossa associação estava dissolvida. Ficaríamos gratos, nós dissemos, que, se pudéssemos fazer um último pedido aos nossos queridos compatriotas: alguém ofereceria uma última contribuição caridosa ou estaria disposto a abdicar da devolução do pagamento da inscrição do ano passado para pagar as contas e os encargos ainda pendentes?

E, de repente, houve uma comoção, um alvoroço. Uma inundação de mensagens chegou, expressando choque, ultraje. Transferências bancárias e cheques se seguiram. Cartas vieram contendo — surpreendentemente — apoio. Dissolver *l'associazione culturale*? Dispensar nossa herança cultural? É claro que deveria prosseguir! Como poderíamos pensar em fazer isso, negar aos nossos compatriotas e às nossas compatriotas esse direito essencial? Como ousávamos desistir desse espaço onde poderíamos nos expressar livremente? Já não era o bastante que estivéssemos exilados do nosso país? Já não era o bastante que nos encontrássemos nesta terra estrangeira, privados da família e dos amigos? Onde mais, exceto se fosse com aqueles esnobes do Município III, poderíamos discutir os livros de escritores iranianos emergentes sobre os quais ninguém mais tinha ouvido falar, ter discussões sobre cineastas iranianos emergentes cujos nomes ninguém mais saberia pronunciar, realizar exibições de artistas iranianos emergentes, mesmo se nós não achássemos suas obras aquilo tudo? Mas esse era o ponto! Onde mais poderíamos debater atitudes ideológicas, discordar quanto a interpretações religiosas, debater livremente sobre política e divergir em nossas opiniões sobre a verdade? Onde mais poderíamos fofocar, brigar, criticar, caluniar, se ofender, difamar uns aos outros na nossa língua-mãe — exceto em uma associação cultural dedicada ao Irã?

Talvez tivesse sido uma boa ideia, afinal de contas. Podíamos ouvir a animação ressonando abominavelmente, ecoando como um mau presságio, aplaudindo a grandeza da arte e da cultura iraniana mais uma vez pelos *quartieres* antiquados de Roma.

Arte

Aqui está a exposição de Beaubourg, da nossa grande artista iraniana. De primeira, como vocês dizem. Forçada a deixar o país por um bando de homens velhos com toalhas enroladas na cabeça, de acordo com a imprensa sensacionalista. Bem, nem sempre você pode confiar na imprensa, e essa é uma observação das mais racistas que poderia haver, muito politicamente incorreta, mas não estamos surpresos que você volte para dar uma segunda olhada. Quando homens velhos começam a fazer pronunciamentos sobre uma jovem mulher, ela obviamente merece alguma atenção, certo? É claro, uma artista do calibre dela merece atenção seja ela de onde for, como vocês diriam. Mas essa é uma mulher iraniana. O que deixa tudo mais especial.

É verdade, já a conhecíamos. Amigos da família. Sócios. Mas nós nos esbarramos em círculos culturais também, sabe. Fotógrafos. Cineastas. Ora, alguns dos nossos melhores amigos são artistas. Tem muita coisa negativa na imprensa sobre nós no ocidente e está na hora das pessoas perceberem o quão refinados nós, iranianos, somos. Há mais do que fundamentalismo e poderio nuclear, sabe. Há mais sobre a nossa cultura do que bombas e terrorismo. Somos poetas, filósofos, músicos; nós temos excelência em todo tipo de campo. Pessoas de sucesso. Como vocês dizem, a exposição prova. Bem, sim, essa mulher está fora do país há tempos, é verdade. Ela não estava lá durante o pior de tudo. Mas talvez quanto menos disserem sobre o período, melhor. Foi um tempo difícil. O colapso do regime, o Xá abandonando seu povo, a crise dos reféns e, então, a guerra. Sim, foi um episódio obscuro para todos. E o trabalho dela reflete isso, mesmo se ela não estava lá. Tem muito preto no trabalho dela, não? Planos de fundo pretos. Primeiros planos pretos. Subterrâneos pretos. Teerã *noir*, eles chamaram. Uma afirmação política? Bem, talvez. Um comentário religioso? Não temos muita certeza. Algumas pessoas dizem que é feminista. Isso é verdade sobre a cor preta: é certamente adaptável.

O anúncio naquele canal franco-alemão deu importância ao fato dela ter usado preto. Soubemos das resenhas. Obscuridade e o véu, etc. Sombras que revelam a luz e por aí vai. Ela foi entrevistada por aquele cara intelectual francês, não foi, o cabeludo? E você viu as manchetes "A filha escura da Pérsia" no Die Welt? Deus sabe o que a mãe dela pensou daquele artigo; soubemos que ela chegou à França um pouco antes que sua filha escura obscura lançasse a exposição. Ah, os rumores iranianos, sabe? As notícias voam. Mesmo do outro lado do Reno. Ela não é a única iraniana que fez um nome na Europa. Italianos amam iranianos. E os espanhóis também. E até a Suécia deu importância a nós recentemente. Mas, de acordo com um jornalista alemão, essa mulher ainda se considera, antes de mais nada e acima de tudo, iraniana, apesar de viver em Paris. Ela é uma porta-voz do seu país, aparentemente, uma honra à sua cultura. Antes de mais nada e acima de tudo. Assim eles dizem.

Estávamos orgulhosos dela, é claro que estávamos orgulhosos dela, por que não estaríamos orgulhosos dela, uma artista tão conhecida? Mas você tem que admitir, seu estilo é meio especial. Diferente. Nossas artistas modernas, aquelas que deixaram o país, gostam mesmo de chocar. Algumas das obras são, como podemos dizer isso, um pouco perturbadoras, não acha? Desconcertante. Nem tão iranianas, francamente. Definitivamente não são persas.

Preferimos um estilo mais clássico, sabe, uma expressão mais contida, seja lá qual for a cena alternativa do Teerã agora. Não há problema em se expressar, é claro, mas essa jovem sempre quis provocar mais do que se expressar. A irmã puxou para o lado da família do pai. E sempre foi a favorita da mãe até o menino nascer. Gatinha ciumenta. Trancou-o num armário uma vez, as empregadas disseram, cheio de naftalina e casacos de inverno. Quase sufocou a criança. Eles nos contaram que ela aterrorizava sua irmã mais velha também, com histórias de gênios debaixo da cama e da Savak só esperando para sequestrá-la depois da escola. Não me espanta que aquela oportunista nunca tenha aprendido a soletrar.

De todo modo, relacionamentos de infância têm um papel importante no desenvolvimento de um artista. Sim, sempre houve muita tensão naquela família. O véu rasgado diz tudo. Nós temos nossas próprias teorias, mas, naturalmente, não queremos fofocar sobre nossos velhos amigos. Ou falar mal dos mortos. O General fez o melhor pela família: um marido responsável, um pai generoso, mas não exatamente um homem fácil. Autoritário com sua mulher e muito cruel com o filho. Talvez seja daí que nossa artista tirou sua veia raivosa. Ela não dá a mínima para a mãe, sabe; deixa a pobre senhora se virar sozinha enquanto ela mesma perambula por aí com suas "amigas". É uma vergonha. Ela foi má com o irmão também, o guri que foi massacrado na guerra. Eles até dizem — bem, especulação pode ser algo difamatório e o General tinha muitos inimigos —, mas eles falam que o ciúme dela pode ter chegado até a um fratricídio. Ela era capaz de ultrapassar os limites. O que foi que a resenha belga disse? "La ligne farouche de sa lumière manquée"? Seu trabalho prova isso. Definitivamente algo "manquéé" e "farouche" na sua falta de luz.

Não sabemos alemão, mas o Die Welt chamou de "verpass ihr Licht" ou algo assim. Todas aquelas tomadas na perspectiva das mulheres. Sim. Muita raiva borrada, como você aponta. Raiva e meio que — borrado. Você acha que isso é um traço iraniano, é? Mas você não está insinuando que fratricídio é algo iraniano também, esperamos? Não desejamos discordar de você, é claro, mas notamos que raiva espalhada está na moda em todo lugar hoje, não só no Irã. Violência borrada ficou bem chique. Não é por isso que vocês americanos gostam de armas? As propagandas provam: todos aqueles olhares emburrados, ninguém mais sorri. E é particularmente estiloso mostrar sua raiva se você é um artista, eles dizem. Em particular contra mães. Sim, nossa artista iraniana sempre teve problemas com a mãe. E as resenhas têm sido uniformemente positivas em relação à sua negatividade.

O problema é: os artistas da diáspora iraniana ainda contam como artistas iranianos? Sua raiva é iraniana de verdade, se é que você entende nosso desvio, mesmo quando eles estiveram vivendo na Suécia ou na França ou na Alemanha ou nos Estados Unidos por todos esses anos? Ou a raiva é simplesmente inerente ao exílio? Pensamos mesmo sobre essas coisas. Sim. Nós ficamos com raiva dessas coisas também, às vezes, embora sejamos bem bons em mantê-las em segredo, escondidas, falseadas, no Irã ou fora. Talvez seja isso que você queira dizer: Teerã *blur*, um borrão do Teerã.

Mas, contanto que o trabalho dela não esteja colaborando para a cobertura negativa sobre o nosso país, não nos importamos. Achamos a imprensa negativa meio cansativa, especialmente à luz de todos esses ataques terroristas. É claro, nos disseram que a arte dela é terrivelmente brilhante, mesmo que seja baseada em negatividades. Muitos contrastes bruscos, como você diz: branco, preto. Agora isso é certamente um traço persa: ver o mundo em pretos e brancos. Muito absoluto. Muito iraniano. Racista? Bem, é verdade que as fotos antigas que ela combina com as novas são em preto e branco também. O borrão do passado, o brilho do presente. Talvez seja isso que você queira dizer sobre o conjunto da obra dela: é tudo brilho e borrão.

Dá um pouco de dor de cabeça, na verdade. Para sermos absolutamente francos com você, não fomos sempre, como podemos dizer isso, completamente atraídos pelo conjunto de seu trabalho. Não. O conjunto nunca foi a nossa praia, mesmo que ela fosse bonita quando jovem, atraente do seu jeito, e também esperta. Cintilante até. A outra irmã era o borrão, burra antes de ser loira, como dizem. Mas o maior charme dessa aí era a dita mente sofrida. E corpo, é claro, a exposição prova: véus rasgados, corpos lacerados, bebês mortos — ela certamente sofreu. E nós também. Sangramos por ela, de verdade, quando soubemos o quão mal aquele cara francês a tratou, e teve aquele outro episódio desagradável com o culto radical que a deixou fora de controle por alguns anos. Mas sofrer, como você sabe, é um traço nacional de nós, iranianos. A mãe dela também sofre; céus, como ela sofre com aquele filho dela. E como você pode ver, nossa artista sofre também. Ela pode até não ser iraniana em outros aspectos, como dissemos, mas ela nos representa completamente em relação ao sofrimento. Ela faz isso excepcionalmente bem.

É claro que você percebe que a história dela ser expulsa do país foi uma jogada de marketing, não sofrimento? Ela não foi expulsa; ela escolheu sair muito antes da queda do Xá. Mas o tom de sofrimento com certeza ajudou a promovê-la: o olho censurado, a artista perseguida. Ela sabe como se vender. Ah, por favor, não nos entenda mal, estamos falando metaforicamente, é claro. Não queremos insinuar prostituição real, embora Deus saiba o que a mãe dela pensa. É francamente escandaloso. A pobre mulher deve estar morta de vergonha. Mas aquela garota sempre foi ambiciosa. Uma vez que ela fixa o olhar num prêmio, não tem quem a demova. Aconteceu quando ela quis deixar o Teerã e terminar seus estudos na França também. Sua mãe implorou a ela que não partisse, literalmente chorou até os olhos secarem. Seu pai bateu o pé, mas isso sempre diminuía o homem. Ela não o deixaria em paz até conseguir o que queria. Uma boa oponente para a obstinação dele. Mas ele nunca deveria ter dado a ela o direito de usar o apartamento chique perto da Champs-Élysée. Lá estava ela, criticando o Xá, alegando ser uma marxista e extorquindo de seu velho pai tudo que ele valia.

É claro que o apartamento perto da Champs-Élysée foi vendido há décadas. E elas dizem que o velho morreu de câncer de próstata, mas, na nossa opinião — bem, não é da nossa cultura propagandear esse tipo de coisa —, mas não dá para evitar, dá? Está por todo o trabalho dela: corpos e bebês rasgados e lacerados e então, é claro, castração.

Difícil de ignorar. Aumentado a proporções vulcânicas. Por toda Potsdamer Platz. Exibido pelo Beaubourg. Inflado no Tate e sobreposto em todas as coisas. Não parecia tão bacana para a gente, bem honestamente. Uma mulher iraniana não deveria ter aquele tipo de atitude com o pai, mesmo se ela for uma artista. Já é ruim o bastante abandonar a mãe em Paris, mas é bem chocante ver tal falta de respeito para com o pai.

Mas a arte eleva, não é isso que vocês dizem? Castração está a um passo da sublimação? Ah. Bem. Não estaríamos qualificados a saber sobre tais coisas. É verdade que o trabalho dela é *avant-garde,* mas fomos mais atingidos por ele ser mais *avant* do que *garde,* se é que você me entende, e talvez um pouquinho demais de *derrière.* Não me espanta que você esteja voltando para ver de novo! Sim, ela certamente teve sucesso em todos os frontes e deixou sua marca, seja lá como você olha para ela. Um Damien Hirst mulher, alguns dizem. Uma Judy Dater iraniana. Se ela pode mesmo ser chamada de iraniana. Uma coisa é você fazer um nome como artista, mas outra coisa é trazer desgraça ao seu país. Por que ir tão longe para envergonhar a nossa nação? Por que violar os nossos valores culturais em nome da arte? Não nos importamos com a propaganda da nossa dor ou mesmo com dramatizar nossa condição de vítima, mas nunca lavamos roupa suja em público. Nunca. Ah, por favor, não pense que somos tão severos. Não pensaríamos em difamar os nossos. Mas, verdade seja dita, as fotografias dela tem causado algum escândalo na nossa comunidade. Ela tem seus críticos. Alguns de nós acham que ela foi longe demais. Bem longe, na verdade. Esses mulás sabem uma coisa ou outra; eles reconhecem desvios de conduta quando veem um. Eles expulsaram o Xá do país, e nós nunca os perdoaremos por isso, mas aquilo foi só antiamericanismo reacionário, e possivelmente justificável, se você nos perdoa por dizer desse modo. Essas mulheres é que são as verdadeiras inimigas do estado, e elas sabem disso. São essas mulheres que deveriam estar trancafiadas. Na verdade, nossas prisões hoje estão cheias de mulheres como essa, feministas, prostitutas, poetas, artistas, ditas pensadoras livres e elas têm que ser mantidas lá permanentemente, na nossa opinião. Ela quase caiu nas garras daqueles mulás uma vez, durante sua fase política, quando estava viajando ao Irã disfarçada. Na verdade, não nos importamos de contar a você, confidencialmente, é claro, que teria sido bem melhor se ela tivesse caído. Melhor para nós, quero dizer.

Não que nós os apoiemos, entende. Não somos religiosos, não mesmo. Podemos ser positivamente anticlericais quando solicitado. Mas você não tem que apoiar o regime para ser simpático à sua política. Ora, estaríamos dispostos a apostar que há milhares tanto no nosso país quanto no seu que concordariam.

Então não, não vamos acompanhar você dessa vez. Não dessa vez. É verdade, não vimos a exposição ainda, mas preferimos não ver no momento, se você não se importa.

Vizinhos

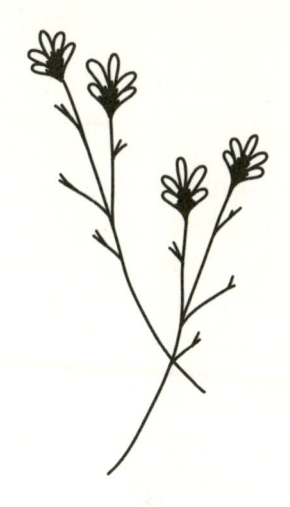

Alguns meses depois da festa de Naw Ruz na América, na qual Ali nunca se materializou e para a qual Lili nunca apareceu, Bibi foi à França para ficar com sua segunda filha, a artista. Finalmente, as irmãs tinham chegado a um acordo, depois de várias acaloradas ligações telefônicas, que incluíam muitas referências a Mehdi e a Bahman: Bibijan deveria permanecer em Paris por seis meses durante o verão e retornar a Los Angeles quando ficasse frio, e Fathi teria que trazer o dinheiro dela do Irã no início de cada visita, e ficaria por uma semana em cada lugar, com as irmãs.

Mas assim que Bibi pisou naquele apartamento, que parecia mais uma caixa de sapatos, no último andar daquele prédio antigo em que Lili vivia em Pais, com o chuveiro que parecia gotejar urina de rato e seu banheiro pintado de roxo que cheirava a queijo, ela já quis partir na mesma noite. Mesmo que tenha sido muito difícil para ela na casa de Goli, com um marido que claramente achava sua presença um fardo pesado o suficiente para que ele escolhesse passar os fins de semana longe de casa, e duas crianças que não gostavam de falar com ela em persa ou de sua comida, isso era pior. O ar quente do verão no apartamento de Lili cheirava a fumaça velha e a excremento de pombo e, quando ela abriu a porta da sacada para sair da cozinha minúscula naquela manhã, Bibijan se encontrou andando direto até a parte de fora só para respirar.

E a primeira coisa que ela notou, uma vez que estava do lado de fora, foi que não havia mais para onde ir. A sacada da cozinha dava para o nada: era tão estreita que só uma pessoa por vez poderia ficar ali em pé. O resto do apartamento era estreito também, consistindo em uma série de cômodos minúsculos, em que um levava ao outro: um quarto, uma sala de estar; uma área para comer junto com uma cozinha minúscula no canto, e um banheiro com vaso no final do corredor. A segunda coisa que ela viu, olhando para baixo no pátio, foi um homem nu, fumando. Bibi engoliu uma nuvem de nicotina pura e voltou imediatamente para dentro do apartamento. Ainda bem que Fathi não tinha chegado do Teerã ainda.

A filha tirou sarro. "Você não vai achar um jardim desabrochando no alto de um prédio no Marais, sabe", ela disse. Lili estava fumando, rodeada por uma nuvem azul de irritação. Bibi podia notar que ela estava incomodada com a vinda de Fathi nas próximas semanas. Ela estava ressentida com Fathi. Ela tinha brigado com Goli por causa de Fathi. Por que Fathi? Quando? Por quanto tempo? E só porque você é cagalhona demais pra ir você mesma?, ela disse a Goli. Depois disso houvera uma longa pausa e ela completou que, bem, Goli não poderia esperar que ela fosse, certo? "E que raios você esperava encontrar lá, de todo modo?", ela agora desafiava, enquanto Bibi tropeçava de volta para dentro do apartamento.

A velha meio que tinha esperado encontrar outro cômodo, talvez, saindo da dita *cuisine americaine;* onde diabos a Fathi vai dormir nesta ratoeira de apartamento? E além de respirar, ela queria ver a vista da sacada; ela queria conferir a vizinhança. Era seu jeito de se sentir em casa, ver a vizinhança. Mas o homem que morava três apartamentos abaixo do apartamento de Lili era um afiador de facas, bem como um nudista. Que tipo de vizinhança era aquela?

"Se ele é o jovem, poderia ser o filho do afiador de facas", a filha respondeu, como se aquilo o desculpasse. "Ou talvez seja aprendiz dele". E então ela contou a mãe, com alguma irritação, que Fathi teria que dormir no chão do quarto por ora. Ela perguntaria ao proprietário sobre alugar um *chambre de bonne* no andar acima, onde ficava o sótão, apenas pela semana em que Fathi estivesse aqui. Bibi achava a vista de Lili deprimente. O balcão da cozinha dava para o norte e era rodeado por um corrimão enferrujado. Havia um esfregão de aparência desagradável num canto e uma floreira no outro, junto com uma vassoura carcomida. A floreira tinha sido usada como cinzeiro, por isso a observação de sua filha sobre o jardim fora claramente na defensiva. Os restos da planta tinham desistido de crescer e se projetavam para fora da terra preta como o braço amputado de um homem morto, mas o homem vivo, que estava sem roupa da cintura para cima em seu terraço abaixo, sentava sob uma fileira vibrante de plantas de bambu na luz do sol, cintilante.

"Ah, aquele", Lili qualificou. "É provavelmente o amante do afiador de facas; ainda não sei bem qual deles fuma". Ela gostava de escandalizar sua mãe conservadora e com inclinações religiosas. A observação era para ser uma piada, um cutucão, uma provocação, só que a velha não achou engraçado. Talvez ela fosse velha demais. Talvez ela tivesse ficado no Irã tempo demais. E Lili claramente sentia que Fathi não deveria ter saído de lá nunca. O senso de humor da filha tinha mudado desde que tinha virado francesa, Bibi pensou com tristeza.

O prédio onde Lili vivia, construído no fim do século 17, era velho demais. Tudo nele estava rachado, tudo envergava. O teto se inclinava, as vigas eram uma ameaça constante, o chão afundava e se elevava, causando vertigem a Bibi. Lili disse a ela que eram aquelas coisas que faziam o lugar ser interessante; o Marais era um lugar da moda para morar. Mas sua mãe preferia conveniência a elegância. Os fundos do prédio davam para outros do mesmo feitio e ficava paralelamente a um aglomerado de prédios de apartamentos sem sacada. Então não, na verdade, não havia vista nenhuma a partir do terceiro andar, exceto pelas coberturas, varais e pátios internos abaixo. A única insinuação de vizinho era o afiador de facas no terraço ensolarado e uma grande van preta estacionada nos fundos. Pertencia a uma companhia que usava o pátio duplo lá embaixo como estacionamento: um táxi, uma ambulância e um carro funerário. "Para cobrir todas as eventualidades", Lili completou com sangue frio.

Bibi achou de mau gosto que a filha vivesse flanqueada por uma funerária de um lado e um afiador de facas do outro. Era vergonhoso e agourento. Para onde poderia olhar, ela se perguntou, dando uma olhada incômoda para a direita e para a esquerda, exceto para o vislumbre de verde abaixo. A fileira de bambus era alta e espessa; os brotos frescos se estiravam para cima como lanças ansiosas. Ela estava fascinada pelo jeito que as folhas balançavam e cintilavam, pegando a luz na cobertura. O fumante estava sentado na sombra xadrez, sob um toldo de facas verdes. "Talvez seja o próprio afiador", disse a filha, inalando ferozmente. "Trabalho bacana, limar facas". Mas, enquanto ela observava a velha se escorando sobre a grade da sacada, ela implicou de novo: "Cuidado! Ele pode ser perigoso!". Sua intenção era provocar de novo, engraçado, rá, rá, para esconder a ansiedade, e, quando Bibi entrou, ela riu de novo através da fumaça, dizendo que tinha sido uma piada, só uma piada. Mas era mesmo?

Bibi se virou, por respeito, não para registrar a falta dele, não para ver essa filha difícil apagar cigarros na pia da cozinha. Lili fumava demais, em sua opinião. Naquele país, era tão ruim quanto no Irã no que dizia respeito a cigarros, mas ao menos algumas pessoas fumavam fora de casa aqui. Quando ela perguntou quem eram os outros vizinhos, fora aquele que afiava facas e o que dirigia para os mortos e moribundos por aí, Lili não sabia. Ela não tinha ideia de quem vivia abaixo dela, ou acima do serviço de táxi e de funerária, ou quem estava alugando os apartamentos adjacentes à loja do afiador de facas ao lado. Espantava Bibi que

pudessem viver tão colados por anos e serem completamente ignorantes sobre as pessoas que lá viviam.
"Por que você desejaria saber?", rosnou a filha misantrópica.
A velha suspirou. Tudo o que ela sabia era que sentia falta de casa no momento, sentia falta de Fathi, sentia falta dos vizinhos. Lili tinha se tornado antissocial também, desde a vinda para a França, mas as duas irmãs eram idênticas a esse respeito, pois também não houve vizinhos em Los Angeles. Goli tinha algo chamado "Observatório da Vizinhança", mas aquilo não significava que fossem amigos das pessoas; só queria dizer que espionavam uns aos outros, eles vocês e vocês eles. Bahman parecia ter uma briga permanente com os vizinhos; quando ele não estava fora, surfando, no lugar que soava como um animal canadense, ele estava discutindo com os vizinhos sobre os uivos do gato de um lado, o cachorro invadindo do outro. Ele tinha ameaçado atirar no gato. Era normal fazer aquilo na América aparentemente. Havia armas especialmente vendidas para esse propósito. No Teerã, Bibi era amiga de todos os vizinhos e seus gatos; ela conversava com eles e não atirava neles. Alguns ela conhecia há décadas. Boas pessoas, pessoas gentis, mais próximas do que a família quase. A razão pela qual ela deixou o Irã é que não era mais sua casa sem o filho. Mas ela se sentia sem casa no Ocidente, sem seus vizinhos.

Não foi antes de faltarem três dias para que Fathi chegasse e um dia depois que Lili teve uma briga com o proprietário sobre dinheiro, que Bibijan, superando o jet lag, enfim notou os barulhos. Os vizinhos de baixo do apartamento da filha eram mais barulhentos do que qualquer um que ela teve no Teerã. O guincho das limas no estabelecimento do afiador de facas era como o de um dentista. Ecoava perfeitamente a remoagem do ressentimento que Lili nutria por Fathi. O dono do apartamento tinha dito a ela que estava meio em cima da hora para alugar o quarto de empregada no sótão, mas que poderia estar livre para o mês que vem, o que era tarde demais para Fathi. No entanto, custaria extra porque era um pouco mais quieto naquele lado, o que seria melhor para Bibi. Mas quem precisava afiar tantas facas?
"Assassinos", resmungou a filha.

O serviço de táxi e o de ambulância usavam aspiradores industriais que gemiam e sopravam como o temperamento de Lili. Embora o carro funerário não tivesse sido chamado ainda, o estrondo dos rádios e a rajada da sirene faziam o coração de Bibi ser tomado pelo pânico toda vez que ela os ouvia. Era como se alguém passasse as unhas pela parede, pela carne nua das mulheres brancas e negras olhando para ela das paredes. Quando ela viu pela primeira vez as memoráveis fotografias, a mãe ficou preocupada com Fathi: ela vai ficar imediatamente chocada; vai ficar horrorizada quando ver os mamilos. Embora as faces das mulheres nuas se mantivessem implacáveis, parecia que seus corpos se dobravam e se contraiam com os barulhos de fora. Para que um volume tão alto?

"Pra abafar os gritos", disse a filha meio carrancuda.

Ela tinha ficado cínica também na França, Bibi pensou. Mas por quê? Sob que argumento? Bibi virou as costas para as fotografias para evitar ver as cicatrizes da História, arranhadas pela carne nua. Era culpa dela que Lili tivesse saído de casa tão cedo, tão jovem? Ela tinha perdido radicalmente sua juventude também, e brutalmente. Alguma coisa nojenta, um evento sobre o qual não se podia pensar, tinha acontecido com ela na universidade, na França. Mas o que quer que fosse — e Bibi nunca tinha perguntado, nunca quis saber —, o que quer que Lili tivesse passado na juventude, ela não tinha sido subjugada a gritos. Sua filha tinha deixado o Irã muito antes da Revolução. Ela nunca tinha experimentado a Guerra, nunca tinha passado pelas privações de sanções. Ela nem estava lá quando Ali desapareceu. Embora seja verdade, ela visitou depois, muitas vezes, usando um véu que fedia a medo e fúria. Bibi mordeu o lábio. Ela não queria reviver o passado, as perdas não mencionáveis de sua filha, o destino de seu filho desaparecido. Ela não queria pensar nos tempos perturbadores no Teerã. Mas ela não podia evitar de se lembrar de alguns de seus vizinhos que também desapareceram e outros que gritaram. Agora, suas amarguras podem ter sido justificadas; eles podem ter base para cinismos. Havia o casal idoso que vivia bem ao lado, cuja casa tinha sido invadida no meio da noite e um jovem homem no fim da rua que foi ao trabalho um dia e nunca retornou. A mulher dele foi sequestrada também algumas semanas depois; eles disseram que foi porque ela tinha ensinado algumas crianças carentes a ler, na parte baixa da cidade.

Eram apóstatas, Fathi disse a Bibi, escondendo-se debaixo do lenço, como se a própria palavra fosse contaminá-la. Eles eram espiões, estrangeiros, minando o regime, disse. Bibi não podia acreditar. Espiões de quem? Para quê? Mas os fatos foram encobertos, a informação suprimida. Fathi pensou que eles certamente eram comunistas, terroristas, sionistas, curdos, cristãos, bahais, afegãos, sufis, homossexuais, ou todas as alternativas. Mehdi aconselhou que não fizesse perguntas se ela queria ver seu filho de novo. Foi tudo silenciado, sufocado. Mas quando, alguns meses depois, o casal idoso vizinho foi capturado no meio da noite também, eles tinham pedido ajuda. Eles tinham gritado. Para Bibi, foi impossível dormir depois daquilo.

Era intolerável ter que pensar nas coisas que aconteciam no Irã, ela pensou. Mas ela não conseguia evitar pensar nelas agora. Bibi infelizmente tinha tempo de sobra para pensar naquele apartamento minúsculo no Marais. Talvez o cinismo de Lili fosse culpa sua no fim das contas; talvez ela devesse ter se preocupado com as filhas e sido menos obcecada com o filho. Para acalmar a agitação daqueles pensamentos, ela foi até a sacada de novo e descansou os olhos no jardim de bambus abaixo. O afiador de facas, ou seu aprendiz ou talvez seu amante ou ainda seu filho, era bonito de se observar, pernas longas e agilidade nos movimentos. Como o jornalista de Bandar Abbas.

O jovem tinha vindo para procurar seus pais uns dias depois do casal de idosos ser preso; ele tinha viajado de ônibus, desde o sul. Os velhos estavam muito orgulhosos dele; ele escrevia para os jornais, disseram. Um jornalista. No ano anterior, no Naw Ruz, eles tinham mostrado a ela, a vizinha de confiança, a fotografia: um belo rapaz, com sua mulher ao lado e uma menininha segurando um prato de brotos de lentilha. E foi assim que ela o reconheceu, seis meses depois, parado e aflito no meio da rua, segurando um sapato. E foi por isso que ela se permitiu ser infectada pelas suspeitas de Fathi. Ela teve medo. Ela não fez nada para ajudá-lo.

Era perigoso no Irã, naqueles primeiros dias da Revolução, ser visto conversando com pessoas que estavam paradas e aflitas no meio da rua. Especialmente jornalistas. Não era sábio, tão logo depois do início da Guerra, ser visto consolando aqueles que estavam de luto. Se fossem verdadeiros muçulmanos, deveriam estar orgulhosos de seus mortos. Como ela deveria estar, de seu filho desaparecido, Mehdi alertou. Ela tinha muito a perder. Não se arrisque, ele tinha dito. Ali ainda era um caso em aberto e ela poderia comprometer a compensação pela morte dele. O General tinha morrido recentemente e ela precisava proteger sua pensão de viúva. Então ela ficou dentro de casa até concluir que o filho do vizinho tivesse ido embora. Ela não mandou Fathi ir até ele; ela não o convidou para entrar. E ninguém mais tampouco o fez porque quando ela por fim saiu de casa para ir ao mercado, ele ainda estava lá, no meio da rua, um homem feito, chorando.

Ela piscou com pressa mandando as memórias para longe e secou suas lágrimas. Houve boatos, alguns meses depois, de que aquele jovem tinha sido atacado em seu carro, assassinado em plena luz do dia em Bandar Abbas. Sem nenhum motivo. Ela não tinha a menor ideia do que tinha acontecido com a mulher e a filha dele. Não, não dava para ficar pensando. Ela deveria ter ficado na Califórnia, onde você nem mesmo vê seus vizinhos, porque misericórdia!, lá estava aquele homem de novo, tomando um ar como se estivesse completamente só! Ela espiou por cima do parapeito enferrujado para onde o aprendiz de afiador ou seu amante ou filho estava sentado com suas pernas bem abertas sob o telhado verde lá embaixo. O fato de que ela não sabia quem era o camarada fez da proximidade com o homem algo mais enervante. Vizinhos na Europa eram alheios demais para viverem tão próximos.

Bibi espiou o jovem, furtiva. Seu peito bronzeado estava coberto com uma espessa pelagem preta. Tatuagens azuis serpenteavam por sua barriga. Ele devia ter a mesma idade que Ali teria agora. Mas o que a surpreendeu mais foi o livro que ele tinha nas mãos. Ele tinha parado a limagem e a moagem e a afiação na sufocante loja e tinha saído para o terraço, não apenas para fumar e arejar, mas para ler. O que será que um afiador de faca leria? "Romance policial, provavelmente", respondeu Lili com impaciência.

Ela estava no telefone de novo, mas não era com Goli dessa vez. Ela tinha uma vida social agitada, essa filha francesa. Ela tinha coisas para fazer; ela tinha pessoas para encontrar. Ela era membro de uma associação cultural e tinha prometido levar Bibi às atividades, para que ela pudesse conhecer alguns iranianos do *quartier*, ela disse, para que ela pudesse ter amigos na vizinhança. Ela queria que sua mãe saísse do apartamento, que parasse de matutar, que tivesse uma vida, foi como ela colocou a questão. Ela mesma definitivamente tinha uma agora, apesar de tê-la perdido antes: ela estava totalmente ocupada com suas entrevistas e exposições de arte, suas conferências e eventos culturais. Bibi sentiu que era um fardo para Lili, a mãe que vinha feito intrusa do passado, para uma estadia inconvenientemente longa no presente. Como chamavam isso, quando você estrangula as esperanças de uma pessoa para o futuro?

Crime mesmo, mas não ficção, ela pensou com tristeza, seus pensamentos à deriva de volta aos vizinhos sumidos, e o filho desaparecido. Aqueles assassinatos e massacres não foram imaginados; aqueles sequestros, deserções e prisões arbitrárias aconteceram mesmo. O crime havia sido dela, não deles; ela tinha traído a confiança de seus vizinhos. Ela se fez de surda para os gritos deles assim como tinha se feito de surda para as vulnerabilidades de sua filha, quando Lili deixou o Irã. A última coisa que queria era agora ser apresentada aos seus compatriotas do *quartier*. Eles a lembrariam dolorosamente demais sobre tudo aquilo que ela não falou, tudo o que ela perdeu e deixou por fazer.

Naquela noite, ela sonhou com o aprendiz de afiador de facas. Ela sonhou que tinha trepado sorrateiramente na sacada do apartamento de Lili e o espionava quando ele de repente se virou e a viu lá em cima. E ela percebeu então que ele era Ali, seu menino, com as marcas azuis de um chicote atravessando seu coração.

E ela acordou com os gritos da sirene da ambulância.

Ameaçados

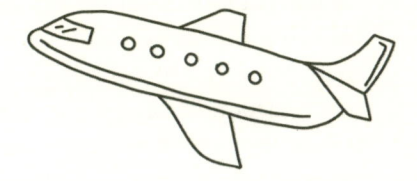

Era pra ele estar nos esperando na estação. Se perdeu? Ou nós nos perdemos? Pessoas chagavam e partiam — uma jovem vestindo um casaco vermelho cereja; um senhor idoso brigando com uma mala sem rodinha; dois adolescentes plugados em suas músicas, andando como cegos na nossa direção, até que desviaram no último minuto e trotaram escada do metrô abaixo — mas nenhum deles era persa. Havia também uma velha que se apressou aos toaletes com um ar de urgência desconcertante. Mas ninguém estava lá para nos dar as boas-vindas em nome da Associação Cultural Iraniana. Ficamos com os nossos instrumentos no meio do saguão de mármore, o mais perto possível da plataforma de chegada e o mais longe possível dos banheiros fedidos. E esperamos.

Estávamos mais incomodados com a logística do que com os banheiros. Nosso concerto tinha sido bem melhor organizado na Suécia. A combinação das definições de pontualidade de espanhóis e iranianos era desastrosa. Pensamos se deveríamos tomar um táxi direto ao hotel. Mas o trem tinha chegado mais cedo. Nosso anfitrião poderia aparecer bem na hora em que estaríamos saindo e seria muita falta de educação sair antes de dar a ele uma chance de aparecer. Além disso, os arranjos para a nossa breve estada em Barcelona dependiam dele: ele sabia todos os lugares dos concertos, as entrevistas de rádio. Nos disseram que ele estava encarregado da nossa programação. Ele tinha que vir. Nós pensamos em que tipo de persa ele era: velho, vendedor de tapetes, ou jovem, encarnação espanhola? Tendo caído nas armadilhas inoportunas do primeiro tipo durante nossas turnês culturais no passado, esperávamos que fosse o último nessa ocasião. Ainda que não estivéssemos ansiosos pelo carro esportivo e rebaixado que ele estaria dirigindo ou pelo tamanho de sua tela de tevê. Todavia, preferíamos um apartamento moderno e classudo para ostentar espelhos e tapetes e imitações de móveis Luís XV. Se nosso anfitrião fosse o tipo velho de persa, não gostaríamos de ficar na casa dele. Nos sentíamos ameaçados por aquela espécie.

Pareceu ter havido algum tipo de discordância sobre onde ficaríamos. Primeiro, a associação nos informou que seria em um lugar, mas depois mudou os planos no último minuto e propôs outro.

Nós temíamos a competição da comunidade persa e teríamos preferido muito mais um hotel, mas, quando sugerimos isso, nos disseram que artistas visitantes sempre ficavam com esse senhor específico porque a casa dele era tão grande. Todos os hóspedes mais importantes convidados para vir à cidade pela Associação Cultural Iraniana ficavam com ele, nos disseram. Aquilo soou até mais ameaçador.

Mas você não pode parecer desconfiado quando está esperando ser buscado numa estação; você não pode parecer suspeito, quando barbado e estrangeiro e rodeado de bagagens em formatos estranhos. Você tem que parecer inteligente, alegre e profissional. Então nós mandamos a preocupação embora de nossos rostos e sorrimos de um jeito despretensioso, mas significativo para as pessoas que passavam. Ninguém parou. Ninguém respondeu. Então começamos a olhar com mais atenção os passantes, com mais expectativa, prontos para sermos reconhecidos, esperando fazer contato visual. Mas as pessoas olhavam para longe. Definitivamente parecíamos suspeitos mesmo que estivéssemos tentando ao máximo não parecer suspeitos. Havia claramente alguma coisa errada com a nossa imagem. Éramos jovens demais, masculinos demais, barbudos demais?

Qual era a imagem do nosso anfitrião? Talvez ele fosse um daqueles tipos de jovens profissionais também, passando com um laptop pendurado no ombro, com tanta pressa para provar que é ocupado que ele não nos viu. Talvez fosse advogado, engenheiro, cientista da computação, criado e educado aqui, que teria esculpido uma identidade espanhola para si mesmo, para que fosse o mais diferente possível de seu pai iraniano. Talvez a Associação Cultural Iraniana tivesse pedido a ele para cumprir esse dever, mas ele não queria nos conhecer tanto quanto não queríamos conhecê-lo. Pode ser que ele de fato não tivesse nenhum interesse em música clássica persa do tipo que fazíamos e temesse que nós fôssemos da espécie velha. Olhávamos nervosos para a esquerda e para a direita. O atraso ficava cada vez mais inquietante, os cheiros vindos dos banheiros públicos crescentemente ofensivos. Nós estávamos ansiosos para mover nossos *santours* e *tars* para mais longe. Mas nosso anfitrião viria até a plataforma onde o trem deveria chegar. Se saíssemos dali, correríamos o risco de perdê-lo. Estávamos presos e ficava cada vez mais tarde a cada minuto. O horário de chegada do trem havia passado. Provavelmente nem estava mais no painel. Será que esse persa estúpido sabia da hora da entrevista? Será que ele estava ciente que um jornalista ia ao hotel para falar conosco no centro em menos de meia hora? A única informação que nos deram sobre essa parte da nossa turnê promocional era o nome do anfitrião, o nome do jornalista e o nome do hotel. Decidimos que se o persa não aparecesse nos próximos minutos, pegaríamos um táxi e iríamos para o hotel por nossa conta. Nós não poderíamos arriscar um atraso com o jornalista só por causa de um comitê incompetente. Por que iranianos eram tão ruins em administrar coisas? Por que eram tão pouco confiáveis, tão incapazes de uma organização apropriada? O cara foi demais em ter nos deixado esperando desse jeito! Além do mais, nós não queríamos acabar escondidos no carpete roxo do apartamento de um moleque alpinista social de ponto-com ou presos na mansão de algum empresário novo-rico. Nós definitivamente faríamos check-in no hotel por nossa conta. E quando nos viramos para sair, nós o vimos se aproximar.

Um homenzinho robusto, acenando freneticamente para nós do outro lado da estação. Um indivíduo baixo, gordo e sem fôlego, suando profusamente, enfiando os pés no chão mais do que caminhando na nossa direção. Seu casaco não fechava ao redor do barril de sua pança, e seus braços de remos trabalhavam furiosamente conforme ele se remava pela vastidão brilhosa do chão de mármore. Ele não parecia advogado, nem engenheiro, nem cientista da computação; nem mesmo parecia um empresário. E ele com certeza não era jovem nem remotamente espanhol. Pelo seu progresso incerto e sua desalentadora maneira de se locomover, parecia estar sofrendo de alguma dor no lado esquerdo do quadril, reumatismo nos joelhos e uma rigidez generalizada nas juntas. Mas seu cabelo grisalho escuro era ainda espesso e lambido para trás com vaselina como o de um gigolô, e seu sorriso radiante de boas-vindas era insuportavelmente familiar.

Ele grasnou nossos nomes em saudação. Seus dentes da frente eram alarmantemente protuberantes; suas hipérboles eram todas pavorosas. "Eu estava no outro lado da estação!", ele gritou. "Desde as dez da manhã! Bem-vindo! Bem-vindo!", ele completou. Foi uma reprimenda, expressa nos termos mais exagerados do respeito. Ele esteve esperando por nós mais do que nós tivemos que esperar por ele. Ele estendeu os braços para nos abraçar.

Estávamos arrasados. Você poderia sentir o cheiro de *ghormesabzi* nele a quilômetros de distância; por que tantos persas de certa idade fediam a alho e feno-grego? Ele tinha um ar de caixeiro-viajante desarrumado ou de vendedor de carros de segunda mão. Seus sapatos rangiam enquanto ele caminhava, ou se locomovia ao nosso lado, e as abotoaduras em suas mangas tinham evidentemente tido dias melhores e passado por muitos clareadores. Suspeitávamos que ele tinha ancorado em muitos outros portos antes de acabar nesta costa do mar, porque seu espanhol era quase inexistente e seu inglês ainda pior. Ele falava conosco em farsi de negociantes. Ele tinha saído do Irã há décadas, mas ainda exalava persianidade, estava ensopado dela, afundado nela, feito picles, fermentado. Ele fedia como o Grande Mercado, o Bazzaar-i-Bozorg no Teerã. Não fosse o fato de estar muito bem barbeado, poderia se dizer que tinha deixado o velho país no dia anterior.

E ele transbordava cordialidade, vazava jovialidade, nos deu um banho de hospitalidade, liberalidade, afabilidade. Nos sufocou com gentileza e boa vontade. Embora nós fôssemos mais jovens que ele, pegou nossas malas com uma das mãos e, como insistimos em carregar nossos instrumentos nós mesmos, ele balançou o celular com a outra mão. "Minha mulher me ligou três vezes para perguntar quando chegaríamos para o almoço!", ele disse enquanto saímos. "Ela mal pode esperar pra te dar as boas-vindas na nossa humilde casa!".

Nós tentamos encobrir nosso desânimo mastigando alguma cortesia. Que maravilhosamente bondoso da parte dele, que extremamente gentil da parte dele, mas ele deveria certamente saber que nós estávamos sendo esperados no saguão do hotel em meia-hora? Infelizmente não haveria tempo de passar para cumprimentar sua querida esposa antes da primeira entrevista. Talvez ele pudesse ter a bondade de nos deixar no hotel assim que possível; ele sabia onde era?

É claro que ele sabia. Sem problemas. Ele sabia de tudo. Sem problemas. Ele conhecia o hotel, o jornalista, o nome do programa de rádio, absolutamente sem problemas. Ele provavelmente conhecia a recepcionista bem como cada uma das camareiras; estava tudo sob controle. Ele também conhecia, como estava se mordendo para revelar cinco minutos depois de nos conhecermos, nossos pais, nossas mães, múltiplos conjuntos de nossos antepassados três gerações atrás, diversos primos, uma tia em Toronto, uma cunhada em Perth, e não tínhamos parentes em Paris e Los Angeles? A filha daquele senhor militar cuja esposa era parente distante do primo de segundo grau de sua mãe? E não tinha um filho que morreu na guerra? Um menino tão querido; ele o tinha conhecido quando pequeno, no grande casamento da família no Teerã anos atrás, antes — sabe — Sim, nós sabíamos que ele conhecia todos eles. Mas ele não sabia onde esperar por nós quando saímos do trem. Ele tinha ficado parado do outro lado da estação porque, veja, havia outra saída da mesma plataforma naquela ponta, ele disse. Sentia muito que nós tivéssemos ficado esperando. Enquanto isso, onde ele tinha estacionado o carro?

Parecia ter esquecido.

Quando ele lembrou e nós carregamos nossos instrumentos e malas até o Fiat vermelho batido, muitas quadras de distância da estação para "economizar", como ele colocou, na taxa do estacionamento, nós estávamos absolutamente determinados a pagar pelo nosso quarto de hotel. Podíamos imaginar, depois de enfiar toda a bagagem no carrinho — "é da minha mulher", ele se desculpou, porque seu filho tinha "levado a Benz" para Madri naquele fim de semana — e pela terrível imprevisibilidade de sua direção, como seriam sua casa e mobília. Podíamos imaginar as cortinas de renda em camadas, os tilintantes lustres baixos demais acima da toalha plástica que cobriria a toalha de mesa rendada na sala de jantar, a mobília folheada com laminado de imbuia, as obscenas pilhas de tapetes por todos os lugares, incluindo a cozinha. Nós podíamos sentir o cheiro de cebola frita no banheiro e ouvir a tagarelice da tevê que ficava ligada na sala o tempo todo. Não, essa espécie de persa era insuportável. Nós não sobreviveríamos à sua hospitalidade. Nós reservaríamos um hotel nós mesmos. Era o único jeito.

Levou um tempo para ele encontrar o hotel. Ele perguntou o endereço a três pessoas, incluindo um taxista, antes de ficar manobrando para frente e para trás nas faixas de trânsito, cruzar uma intersecção movimentada no sinal vermelho e por fim dar um tranco e parar, com nossos instrumentos musicais sacudindo no porta-malas, na área de não estacione na frente da porta do hotel. Naquele ponto faltavam só dez minutos para a entrevista. Nós imploramos a ele que se sentisse à vontade para ir em casa almoçar com a esposa. Não precisava esperar por nós, insistimos.

Ele se recusou. Nada o faria nem mesmo considerar isso. Nem por um momento ele pensaria em nos abandonar. "É claro que eu vou esperar por você!", ele insistiu. "É um privilégio; é uma honra. Esperar por você. Ter você aqui pra trazer a arte clássica do Irã pra nossa cidade. Ouvir você falar na nossa Associação Cultural. Escutar você tocar música iraniana no rádio! Eu vou estacionar o carro e esperar até que você esteja pronto".

Mais uma decepção quando o jornalista se aproximou. Não havia tempo nem para fazer o check-in no hotel, nem tempo para reservar o quarto nós mesmos e a entrevista começou. E além disso, nosso anfitrião ainda estava com nossas malas no porta-malas do seu carro. Ele não abriria mão do *santour* e da percussão e do *tar* e flauta nem por um momento. Então tudo o que podíamos fazer, enquanto o jornalista pediu um café e começou a fazer as perguntas, era esperar que resolveríamos aquele problema mais tarde. E tudo o que conseguíamos pensar na hora seguinte, enquanto o jornalista nos pedia para falar sobre tudo menos música iraniana, sobre a situação política no Irã e sobre o papel do clero no Irã e sobre a situação das mulheres no Irã e sobre a precariedade dos presos políticos no Irã, era na nossa bagagem, presa no porta-malas do pequeno Fiat vermelho, que não estava no Irã, mas dando voltas e voltas ao redor da quadra à procura de um lugar para estacionar em Barcelona.

Uma vez que a entrevista terminou e o jornalista foi embora, nós fomos procurar nosso anfitrião. Ele não estava em nenhum lugar à vista. Não fosse pelo fato de que ele ainda estava em posse de nossas malas, estaríamos aliviados; teríamos tentado dar um perdido nele. Mas, no final, não havia escolha. Tínhamos que encontrá-lo, porque tínhamos que ficar com ele. E não só por causa das malas. Não havia vagas no hotel. Na verdade, não tinha vaga em nenhum hotel em Barcelona naquele fim de semana. Por circunstâncias curiosas, cinquenta e cinco mil viajantes tinham coincidido com a nossa visita de dois dias. Eles tinham chegado dos quatro cantos da Europa e dos Estados Unidos para participar de uma feira mundial dedicada à compra, venda, ao mercado e a melhoramentos tecnológicos de telefones celulares. A cidade estava lotada de agentes e desenvolvedores e representantes de telefones celulares. E eles tinham ocupado todos os quartos e banheiros de hotel em Barcelona. Na verdade, se tivéssemos mesmo sido atentos à nossa carreira, poderíamos ter nos informado disso e, ao invés de vir para esta cidade tocar para um bando de iranianos saudosos de casa, nós poderíamos ter arranjado de vender nossa música como um toque de celular para uma das empresas.

Nós enfim encontramos nosso anfitrião sentado num canto da vazia sala de jantar do restaurante, abraçando o próprio celular. Não, ele não tinha ido para casa nesse ínterim. Nem tinha almoçado ainda. Quatro horas tinham se passado desde que ele começara sua longa espera por nós no lado errado da estação e mesmo com o costume espanhol de comer tarde, ele deveria estar faminto. Sua mulher tinha provavelmente ligado várias vezes para descobrir quando ele chegaria. O arroz estava sem dúvida empapado ou queimado agora, o *khoresh* com certeza tinha passado do ponto. Ela deve ter perguntado onde diabos ele estava e o que diabos estava fazendo, por que pelo amor dos céus estariam demorando tanto. E ele deve ter tido que pacificá-la, consolá-la e aconselhá-la a ser paciente. Ela devia estar histérica.

Quando ele por fim trouxe seu carrinho alegremente para o pavimento na frente do hotel para nos pegar de novo, ele resfolegava pelo esforço. Entramos no carro, sentindo uma mistura miserável de frustração e vergonha. Tínhamos mesmo importunado esse camarada. Nós tínhamos importunado sua mulher também. Com essa espécie de persa, você nunca vence: ou você se enfurece com eles ou você se sente horrível em relação ao reumatismo e aos sacrifícios pessoais deles. Deus sabe o quão longe esse pobre homem teve que ir para estacionar o carro numa cidade congestionada transbordando de representantes de telefones celulares ou o quanto ele foi obrigado a pagar por esse privilégio, só para que nós pudéssemos desviar de perguntas impertinentes de um jornalista que, como esperado, estava mais interessado na nossa política do que na nossa música. Nos sentimos envergonhados.

Não perguntamos onde ele morava. Já que tocaríamos num concerto no centro de Barcelona naquela noite, imediatamente depois do encontro na associação que era para acontecer em duas horas, nós presumimos que sua casa fosse dentro dos limites da cidade e que nós seriamos colocados lá para facilitar nosso retorno. Mas, enquanto nosso anfitrião seguia pelo distrito industrial na periferia de Barcelona e se dirigia para a via expressa, nós percebemos que sua casa era em outra cidade. Não era de se espantar que ele não tivesse voltado para o almoço enquanto nos esperava! Onde diabos ele estava nos levando? Quem sabe a que horas ele saiu de casa de manhã e por quanto tempo tinha esperado no trânsito para nos encontrar na estação. Como as coisas iam, tendo gasto já meia hora para chegar à via expressa, dirigimos por mais meia hora, na chuva, antes de chegarmos à casa dele. E ele falou sem parar todo o caminho, repetindo tudo o que ele tinha dito antes: sobre o privilégio de ter nossa companhia, sobre a honra de ficarmos na sua humilde casa, sobre o quão ansiosa sua mulher estava para nos dar boas-vindas. Ela esteve cozinhando por três dias, ele contou. E seu netinho estava tão animado para nos conhecer, embora seu pai, o filho deles, estivesse ocupado, infelizmente. Ele viajava sempre, o filho, vendendo sistemas de computadores; ele literalmente vivia na "Benz", na estrada, desde o divórcio. Sim. Uma coisa triste. Sua esposa o deixou. Sumiu. E então os avós cuidavam da criança agora, levavam para a escola e o pegavam de novo, porque o menino não andava muito bom da cabeça desde que aquela mulher miserável o tinha deixado. Os médicos prescreveram medicação, mas ele só dirigia por aí. Só dirigia por aí.

Nos retraímos quando ele derrapou para fora da via expressa naquele ponto, com um barulho de protesto das marchas. A chuva caía forte. Ele se desculpou porque a mulher não veio junto com ele nos buscar. Ela queria, é claro; teria sido uma honra para ela. Uma honra. Mas por causa da criança, sabe, não foi possível. E ele também se desculpou pela casa, disse. Ele começou a explicar sobre a casa, enquanto rasgava caminho pelo terreno baldio de construções desertas. Ele nos disse que tinha construído uma casa muito grande alguns anos atrás, bom arquiteto, última moda, melhores decoradores. Sua mulher tinha gasto uma fortuna em mobília. Passou por todas as lojas das capitais da Europa, comprando os melhores tecidos de Londres, as mais finas peças de antiquário em Paris, todo o azulejo e instalações de banheiro em Bruxelas. Os belgas são bons de encanamento. Mas, com a recente crise financeira — bem —, não era a primeira vez também. Ele já tinha perdido sua fortuna no Irã durante os últimos anos do Xá. Ele teve que começar do zero em Dubai e de novo em Hong Kong; por um tempo, ele até administrou um restaurante persa em Phnom Penh. E por fim, tendo guardado o que pôde para estabelecer sua empreiteira na Espanha, ele tinha agora perdido tudo de novo com a crise recente. Sua casa grandiosa acabara de ser requerida pelo banco.

É claro que ele não quis dizer nada quando a Associação perguntou se ele poderia nos hospedar. Ele e sua esposa estavam ansiosos pela oportunidade. Era uma honra, o maior privilégio para eles. Mas eles esperavam que eu não me importasse que essa não era a casa deles? Era uma propriedade alugada, ele disse, pertencente ao filho. Mas ele esperava que nós nos sentíssemos confortáveis aqui. Era um pouco distante. Mas ele nos levaria de volta, é claro, para a livraria e para o encontro da Associação. Era um pouco pequena. Mas ele nunca esqueceria, nunca, como nós tínhamos vindo até aqui para ficar em sua humilde casa.

Nós dissemos a ele que era nossa alegria. Nós agradecemos do fundo do coração. Nós lhe asseguramos de que nunca esqueceríamos esta visita e dissemos o quanto estávamos ansiosos para conhecer sua querida esposa. E enquanto ele se arrastou até parar e então deixou o carro morrer abruptamente diante de uma varanda cheia de goteiras de um enlameado bangalô suburbano, do qual os odores de *ghormehsabzi* flutuavam, nós nos demos conta do quão poucos do tipo dele restavam.

Ele era um tesouro nacional. Ele era uma espécie ameaçada. E não havia nem uma nota de música tradicional persa que nós pudéssemos tocar, nem um acorde no *tar*, nem um sopro na flauta, que pudesse se comparar com as canções lamentosas que ele simbolizava.

Perdendo a trama

O velho filme acabava, como esses filmes acabam, com um rufar de tambores e um pôr do sol — ou era um nascer do sol? — que se dissipava em um cântico lamentoso sobre uma rosa desabrochando. Era um clímax esplêndido. Nós gostamos de um *grand finale* com um nascer do sol ou pôr do sol. Nós amamos um filme que acaba numa rosa. Todos os nossos medos desaparecem com aquela agradável imagem, todas as nossas esperanças florescem com aquele empolgante som. Há algo caracteristicamente iraniano, classicamente persa sobre esses símbolos. Com eles, não tem erro, até onde sabemos.

É claro que há a flauta de bambu, essa é outra metáfora nossa. Sim, não dá para fazer nada sem a flauta. Mais angustiada que a rosa, mais visceral do que o pôr do sol, expressiva de sofrimento, de martírio, de dor existencial nos velhos poemas:

— *mãos rudes me agarram, me golpeiam ao peito,
dedos brutos me arrancam do suave rio leito —*

Tais imagens são apropriadas à nossa herança, nossa religião, nossa história. Elas recordam a angústia e o ardor do rouxinol, aquele último ícone de ouro da nossa cultura e da nossa arte. Eles nos lembram que o leão dourado, em cujas costas o sol do velho regime nasce e se põe, segurou no alto uma curvada e cruel cimitarra. Nós estamos nos referindo ao antigo regime, naturalmente, o regime de Qajar do século 19, aquele antes do qual a maioria das pessoas chama antigo. Ou melhor, aquele que costumávamos chamar de antigo, antes de nos tornarmos o antigo.

As pessoas acham que persas são bons de trama. Elas acham que nós somos os mestres da contação de história, o "e depois e depois e depois" da Scheherazade. Mas é a lógica metafórica que preferimos. Metáforas são o nosso forte. Nós amamos o jeito que as metáforas e símiles mudam e trocam, ignorando as consequências, revertendo a direção temporal. Com teorias da conspiração não temos problemas, mas não somos tão bons de trama, ao menos no sentido narrativo. O que queremos num filme são as rosas e o pôr do sol. E a flauta de bambu:

— *minha pele até que carne viva ficasse, debulharam
meus lábios eles abriram, minha garganta eles cruelmente rasgaram—*

E nós com certeza tínhamos metáforas naquele filme sobre o verdadeiro "regime antigo", aquele filme que terminou com o sol nascente. Sobre o que era? Ah, aí está você, veja. Esquecemos a trama, infelizmente. Tramas são francamente o que nós perdemos nos anos recentes; não conseguimos acompanhar causa e efeito. Mas imagens sim: elas ficam conosco. O que nos lembramos é do quão elegantemente as metáforas foram refletidas e revertidas, como lindamente elas foram ecoadas e espelhadas, do início ao fim.

Aqueles velhos filmes não eram tanto sobre quem, o que e onde, mas sobre o quão longe a metáfora poderia ser estendida. E elas eram certamente empurradas tão longe quanto fosse possível num filme sobre Qajars — as túnicas, os chapéus altos ou *taj*, as fileiras de bandejas metálicas bem polidas numa banquinha de mercado e as lamparinas de cobre cintilando no bazar, inúmeras pessoas vesgas nos telhados para assistir a homens serem cuspidos das bocas de canhões ou marcados com ferros escaldantes ou ferrados como cavalos e obrigados a correr pelas ruas empoeiradas — aquele velho mundo era lindamente capturado pelo filme que estamos contando, o filme sobre a rosa morrente, o choro da flauta de bambu:

— *pois quando você me cortou e me pelou,*
me cuspiu e me queimou,
em tinta de cecídia me mergulhou;
e para ouvir meu lamento se curvou —

Era um bom filme, com atores à moda antiga, todos vestidos em bonitas túnicas, andando para cima e para baixo em jardins formais onde rosas eram bem representadas mesmo se elas fossem claramente artificiais, figurando ao lado de fontes reverberantes cujas águas afogavam o diálogo, mas quem se importa, porque a caxemira estampada nas roupas que importava, era a música inarticulada dos longos solilóquios, entoados em consecutivos dísticos sob o brilho ardente de lustres, que apreciamos, ou o jeito como os atores se posicionavam e ordenavam, em versos de rimas eloquentes e com gestos de mão com grande solenidade, o acender do pavio do canhão ou o lugar da marca a ser queimada nas palmas abertas do homem condenado, sentado imóvel ante eles com suas túnicas brancas como a neve. Eles enunciavam propriamente, aqueles atores, falavam em cadências cuidadosas e onduladas, quando se dirigiam ao soberano em particular ou ao jardim em geral, ou ao prisioneiro que estava prestes a ser arrastado pela cidade com os pés sangrando.

Nunca se mostravam os pés nesses filmes, naturalmente. Ou sangue. Só se ouvia o queixume da flauta lamentosa, as perguntas e respostas:

— E apesar de tudo o que você fez e de tudo o que eu passei, digo: que embora meu amor por você tenha me matado, as bênçãos me tirado somente com as lágrimas da separação em meu olhar eu posso ver finalmente o verdadeiro encontro e aceitar... —

O que tinha para ser aceito não importava. Por que havia sofrimento não fazia a menor diferença. Esses filmes eram memoráveis por causa da completa falta de consistência, a ausência de lógica. Não podemos suportar a violência justificada nos filmes de hoje.

Nossos velhos filmes de rosa e flauta eram como sonhos, reconfortantes de assistir até quando as pessoas eram executadas. Eles eram deliberadamente lentos, com aqueles ocasos demorados, aquelas tochas acesas e erguidas ao pavio do canhão à espera. A flauta tocada sem recurso ao resgate do último minuto. O sol sofrendo seu fim sem a pressa indevida. A rosa era um *non sequitur* perfeito conforme desabrochava e esvanecia sem razão. Prisioneiros caíam mortos de cara no chão e não causavam mais problemas à consciência. O que importava era a conexão estética entre a cimitarra ostentada no estandarte do soberano e as túnicas com intricados curvados e crescentes bordados do grão-vizir; o que contava era a ligação entre as rosas vermelho-sangue nos arbustos e as pessoas sedentas de sangue nos telhados. O homem amarrado à boca do canhão não tinha participação no diálogo.

Aqueles filmes eram canções mais do que histórias. Eles eram imagens mais do que trama. Eles não eram como os quebra-cabeças que assistimos no cinema hoje, nos quais você tem que fazer com que as peças de susto, batida de carro, corrida maluca encaixem na sua cabeça enquanto está sentado lá no escuro; nos quais questões são perguntadas ao correr da rua nos engarrafamentos, mas nunca são respondidas; nos quais a culpa de tentar matar e não ser morto nunca é completamente estabelecida; e nos quais a ação acontece em corredores lotados porque, em última análise, todos são culpados. Nós não conseguimos entender esses dramas domésticos cheios de diálogos inarticulados e monossílabos engasgados num apartamento atulhado que termina numa explosão de disfunção familiar e sons de cadeiras arrastando. Não conseguimos lidar com isso. Naqueles filmes antigos nós não precisávamos lembrar quem disse o que para quem, ou qual dos personagens foi responsável por fazer daquilo uma tragédia ou uma comédia, ou quando os significados contraditórios de amor e justiça de repente fariam sentido na história. Basicamente não havia história.

Causa e efeito não eram a questão principal naqueles filmes, sequência e consequência eram irrelevantes. Você não precisava ter entendido nada enquanto os créditos rolavam sob os rostos dos amantes separados como lágrimas. Naquele velho filme de Qajar, nós só precisávamos de um pôr do sol. Que esvanecia para uma rosa. Ou o cântico de uma rosa se abrindo que se derretia para um rufar de tambores do pôr do sol. E, é claro — embora os detalhes se desfocassem depois de um tempo —, algum ladrão ou criminoso herege ou apenas uma pessoa esperançosa teria que ser cuspida de um canhão enquanto o lamento de uma flauta de bambu nos lembrava:

— *quanto há para dizer, quão poucos podem ouvir,*
quão grande o amor que desejamos e quão pouco é entendido,
quem pode admitir —?

Os novos filmes iranianos nos mostram situações que são insustentáveis, condições inadmissíveis. As circunstâncias mostradas nesses filmes nos confrontam com escolhas impossíveis. As escolhas não apenas causam espanto e desânimo aos personagens na história, mas nos confundem também, assim como nos frustram. E os personagens retratados são tão familiares que exigem reconhecimento imediato. Eles são nós e nós somos eles. Sua precariedade é a nossa precariedade, sua trama, a nossa. E a cada desvio esperto na trama, a cada serpentear dela, a cada dilema que provoca e deixa sem resolução, ela nos convida, nos lembra, de novo e de novo, de que nós perdemos.

Nós perdemos mesmo a trama nestes tempos.

Sacolas de compra

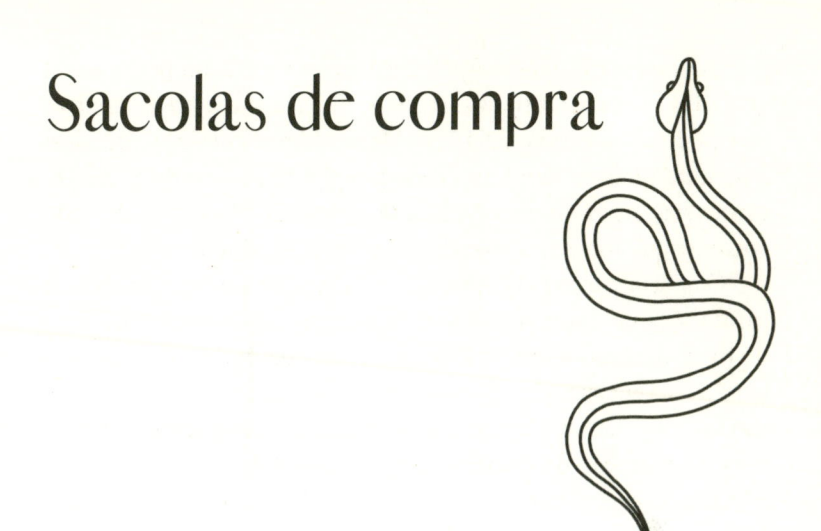

Não ia dar certo, Lili percebeu. Ela tinha sugerido aquilo, ela tinha insistido naquilo, ela tinha desafiado Bahman para assegurar que aquilo aconteceria, mas o plano era insustentável. Dentro das primeiras semanas, ela percebeu que Bibi não poderia passar a metade do ano em Paris. E era principalmente por causa de Fathi. Fathi estava toda errada, atrapalhada, sonsa e atrevida o tempo inteiro; Lili não conseguia suportar.

Havia outras razões além de Fathi, é claro. Mesmo que o proprietário tenha cedido no final sobre o uso da *chambre de bonne*, o apartamento dela era pequeno, o espaço muito restrito para Bibi. E embora ela fosse capaz de manter o quarto extra por um contrato de seis meses para guardar as malas da mãe ou outra coisa, Lili estava agudamente consciente de quão inadequada sua casa era para uma pessoa idosa, o quão impraticável e desconfortável era. Apesar da imponente entrada do prédio, apesar das portas grandiosas e da majestosa verga esculpida em pedra sob a qual elas passavam quando vinham da rua, um estreito apartamento de sótão do século 17 no Marais não era exatamente ideal para uma senhora idosa do Teerã. Lili mal tinha notado as inconveniências antes, mas, com Bibi lá, ela ficou consciente de cada coisinha que tornava a vida de sua mãe mais difícil.

O apartamento era rodeado de tráfego até a noite. Quando os caminhões de lixo não estavam passando e infestando, às cinco da manhã, então eram os limpadores de rua que estavam mastigando lixo encharcado da sarjeta à meia-noite. Já Lili se refugiava nessas idas e vindas; o tumulto parava seu pensamento. Ela gostava da distração do trabalho dos pombos sob o beiral, o repetido soluçar e gaguejar da geladeira, sob o contador da cozinha, a queixa e a moagem vindas dos pátios vizinhos. Mas os barulhos pareciam incomodar Bibi: ela podia ser cega, mas seus ouvidos eram afiados.

O apartamento estava também numa localização estranha. Bibi queria fazer compras quase todos os dias e o supermercado mais próximo ficava a uma dificultosa caminhada de vinte minutos de distância. Suas expedições às lojas envolviam uma longa escalada de volta até o apartamento de Lili, com sacolas pesadas, em calçadas estreitas cobertas com lixo e turistas japoneses. E uma vez dentro do interior pedregoso do pátio do prédio, ficava ainda mais desafiador, pois lá não havia elevador e os degraus até o terceiro andar eram de uma escadaria em espiral feita de madeira gasta que se inclinava imprudentemente.

"Eles serão a minha morte", suspirou Bibi, escorando a cabeça contra a parede da escadaria. E depois, ela agregou, mais uma vez, que esses degraus eram um exemplo muito pobre de planejamento arquitetônico se comparados às escadas no metrô do Teerã.

Lili mordeu a língua. O metrô do Teerã era a referência de Bibi para todas as coisas limpas e eficientes: o oposto de tudo que ela tinha visto em Paris. Que sistema de metrô maravilhoso! Tão fácil de usar e de entender! Pois até Fathi tinha entendido. As repetições da mãe irritavam Lili. Ela disse que os degraus seriam sua morte da primeira vez que subiu cambaleando até o apartamento e ela repetiu, ad nauseam, a cada vez que elas foram fazer compras. Lili rangia os dentes e continuava subindo.

◆

Quando Bibi tinha sugerido que elas fossem fazer compras de novo, assim que raiou o dia, na manhã seguinte à partida de Fathi ao Irã, Lili gemeu alto. "De novo não, Maadar Jan!", ela implorou. "Não com a geladeira ainda recheada de sobras, pelo amor de Deus!".

Fathi tinha passado a semana inteira cozinhando um monte de coisas; ela tinha carregado o minúsculo congelador de Lili com diferentes variedades de molho *khoresh* para os próximos meses, como se nenhuma comida da França fosse boa o suficiente para ela, como se ninguém mais fosse capaz de cuidar de Bibi a não ser ela. E embora Lili tenha tentado se certificar de que sua dispensa fosse abundante o bastante antes da visita — chá, açúcar, geleias de todos os tipos e até ovos —, acabou que a velha senhora gostava de certo tipo de cubos de açúcar que Lili não tinha comprado e certo tipo de chá que Lili não possuía. Ela não ficara nada impressionada com a aparência empoeirada dos saquinhos de chá. Então talvez Fathi estivesse certa afinal de contas. Lili era incapaz de ser uma boa filha; ela não providenciou nem cortesia nem carinho suficientes.

Bibijan caíra no sono muito tarde na noite anterior, porque ela havia insistido em acompanhar Fathi ao aeroporto Charles de Gaulle. Lili queria apenas desovar a guria no ônibus, bem francamente, e mandá-la ao aeroporto sozinha; ela tinha discutido com a mãe que não havia necessidade, mas Bibi disse que não tinha nada a ver com necessidade, era uma questão de cortesia e carinho. Elas deviam isso a Fathi, ela disse. Quando voltaram para casa, já era bem depois da meia-noite e Bibi havia sido acordada cedo pelos pombos arrulhando e estalando fora da janela. Ela tinha tropeçado para dentro da sala, despertando Lili, enquanto tateava cegamente a geladeira à procura de alguma fruta.

"Fathi me disse que estamos ficando sem fruta", ela disse, timidamente. Havia só uma maçã na geladeira. Bibijan não poderia começar o dia sem frutas e definitivamente precisava de mais do que uma maçã. Cerejas, uvas, ameixas, pêssegos e damascos, sim. Até peras e melões, talvez. Mas maçãs? Uma maçã era fruta sombria demais para as manhãs, *farangi* demais e estrangeira e francamente, desagradavelmente, europeia. "Nós teremos que comprar algumas básicas", ela disse, com doçura, à sua filha bocejante. "Fathi me disse antes de partir que precisávamos de um pouco mais de frutas".

A sonolência de Lili evaporou-se em mau humor. "Sem mais, Maadar Jan!", ela rosnou. Nunca havia frutas o bastante na geladeira para satisfazer a mãe. Mas o que a irritava mais do que fazer compras era a referência a Fathi. Ainda e de novo. Não foi ter que barganhar com o proprietário para conseguir a *chambre de bonne* ou morar num apartamento que fedeu a alho por uma semana inteira, foi o jeito como Fathi levantou a questão do dinheiro. No seu último dia em Paris, toda sigilosa enquanto Bibi estava no banheiro, Fathi de repente deu a Lili um envelope cheio de dinheiro. Do Irã, ela disse, para Khanum. Era o dinheiro de Khanum e deveria ser usado para as necessidades de Khanum.

"Você pode comprar as frutas pra ela com isso", disse Fathi.

O orgulho de Lili foi ferido. Como a Fathiyyih ousava dizer a ela o que fazer com o dinheiro da mãe! Já era ruim depender dela para recuperar seus fundos do Irã, mas aquilo não dava a ela o direito de dar instruções. Lili tomou as palavras de Fathi como uma reprimenda; ela as interpretou como uma repreensão por não ter cuidado das necessidades da mãe de modo mais adequado todos esses anos, como bronca velada por ter criado uma confusão por ter que pagar por um quarto extra no andar de cima. Ela estava tão ofendida que a princípio recusou o envelope. Mas quando a descarga prolongada da privada anunciou o retorno iminente de Bibi, Fathi forçou-o de volta para as mãos dela com pressa, murmurando que aquelas eram instruções de Jinab-i-Bahman, insistindo que ela tinha que obedecer. "Jinab-i-Bahman sabe de tudo", ela sibilou com urgência, "e é por isso que não se pode contar a Aga Mehdi, então, por favor, Lili Khanum, por favor, me prometa que Aga Mehdi não vai ficar sabendo desse dinheiro, por favor, ou Jinab-i-Bahman vai achar que a culpa é minha!".

Lili não tinha a intenção de prometer nada daquilo, mas ela ficou tão surpreendida pela força da insistência de Fathi que aceitou o envelope sem dizer mais nada. Melhor que Khanum Jan também não saiba, a guria completou, seu rosto escurecendo quando Bibi entrou na sala. Apesar de que, ela sussurrou de modo irritante, era para as despesas dela. Isto é, frutas pela manhã, pensou Lili, se virando dentro do saco de dormir e assistindo ansiosa enquanto a mãe caçava uma faca para cortar a maçã. Não só a fruta era inadequada como a faca era até mais preocupante nas mãos de uma mulher persa idosa que mal podia distinguir a lâmina do cabo. E falando de inadequação, desde quando Bahman tinha virado "Jinab"? Ou Mehdi um "Aga"? Essas marcas de respeito nunca haviam sido aplicadas a nenhum desses senhores antes. E como diabos tinha o "Senhor" Bahman encontrado um jeito de extrair dinheiro bem debaixo do nariz do "Mestre" Mehdi. Os dois eram velhacos, na opinião de Lili, e nenhum deles levaria na boa ter sido enganado. A única satisfação era que, se algo desse errado, Fathi seria punida. Fathi levaria a culpa. Lili rolou para o outro lado e tentou não olhar para Bibi cortando cega a maçã com a faca sem ponta. Era uma situação muito estranha ser paga por Fathi para comprar as frutas certas para a mãe na França, com notas sujas de tinta de algum câmbio iraniano num buraco de parede. O envelope deixou-a muito desconfortável. Ela teria que tocar no assunto com Goli de novo. A primeira vez que elas falaram sobre o dinheiro de Bibi não foram muito além de acusações mútuas: uma culpando a outra por não ir ao Teerã encarar esse problema da pensão, as duas condenando ou Bahman ou Mehdi por passar a mãe para trás. Goli denunciou Mehdi, mas se recusou a tomar qualquer responsabilidade ela mesma pelo dinheiro por causa das ligações de seu pai com o Xá; Lili questionou os motivos de Bahman, mas lavou as mãos por conta de seu passado político. Então, no final, Fathi se provou indispensável: insuportável, mas indispensável.

E é claro, ela sempre fora incomparável. Incomparável Fathi. Fathi ímpar, Fathi única. Embora Bibi não tenha feito nenhum comentário sobre o bule de chá engraxado que ela por fim recuperou naquela manhã, atrás de todos os pacotes de massa na despensa, sua filha podia sentir as comparações não ditas. Fathi não esteve lá na noite passada para lavar a louça; Lili o fez, e era por isso que o bule estava engraxado. Fathi teria se certificado de que ela teria frutas frescas para comer de manhã; Lili não o fez, e era por isso que não havia nada a não ser uma maçã disponível. E Fathi tinha ido embora, e agora Bibi havia sido deixada à mercê de Lili, que odiava fazer compras. Era a falsa doçura subentendida na desaprovação da mãe que doía mais.

"Não será muita coisa, eu prometo, Lilijoon. Só o básico". Lili suspirou para o "básico" da mãe e se virou para não ver Bibi alcançar a chaleira elétrica com mãos trêmulas e manchadas. As folhas de chá, que ela preferia ao invés dos saquinhos, entupiriam a pia; as frutas extras que ela queria pesariam no fundo das gavetas da pequena geladeira; as gavetas então escapariam dos suportes plásticos e bloqueariam o dreno no fundo; e, como resultado, o chão inundaria por baixo do balcão rústico falso da *cuisine americaine*, escorrendo para o tapete que Lili tinha na sala. Nada que ela tinha feito era bom o bastante, e tudo que ela tentasse fazer deixaria Bibi mais desconfortável. Lili se contorceu como um saca-rolhas até que o saco de dormir ficou todo enrolado em seu corpo. "O básico!", ela rosnou, presa ao sofá e de costas para a mãe.

Deus sabe, ela tinha feito seu melhor. Tinha dado a Bibi o único quarto e estava dormindo no sofá da sala para que sua mãe pudesse ficar perto do banheiro à noite. Ela tinha limpado o banheiro e jogado uma quantidade enorme de desinfetante pelos ralos para se livrar do cheiro. Ela tinha redecorado o banheiro e, embora o tivesse feito meio mal, e partículas de tinta roxa deixadas pelo rolinho já estivessem descascando das paredes, revelando o amarelo virulento por baixo, ela tinha tentado cobrir todas as manchas com suas fotos. Pode ter sido um exercício de autodestruição, mas ela tinha tentado preparar o apartamento para sua mãe. Quando Bibi protestou fragilmente que poderia ela mesma dormir na sala ou no quartinho quente e entulhado sob o beiral que Fathi havia ocupado, Lili se sentiu tão humilhada pela desaprovação da mãe que perdeu a paciência.

"Eu prefiro que você esvazie a bexiga sem nenhum acidente", ela disse, grosseira.

Aquilo deu fim ao *taarof.* Ela sabia que Bibi ficaria desnorteada com tal resposta. Sua mãe teria esperado uma resposta mais tradicional, um modo mais cordial de abordagem de sua filha, a qual ela não via há muitos anos. Ela gostaria de ter sido assegurada de que Lili gostava de dormir no sofá, que era uma honra ceder a ela o quarto, que não havia problema nenhum, desde que Bibi — que sua alma fosse sacrificada pelo conforto — estivesse confortável. Era isso que Fathi teria dito. Mas Lili não aguentava a hipocrisia verbal da língua persa, seus floreios hiperbólicos que escondiam a repreensão não dita e a crítica cortante sob as palavras. Sua mãe provavelmente presumiu que ela não tivesse se dado o trabalho de trocar os lençóis só porque eles eram cor de barro e estavam amassados da lavanderia. Ela provavelmente se perguntava, pensou Lili, observando por cima do ombro em desespero, enquanto Bibi tentava lidar com as cordinhas do saquinho de chá, o que ela tinha feito para merecer uma filha que dormia em lençóis marrons no último andar de um prédio com um banheiro roxo e que nem se oferecia para fazer um chá.

Quando sua mãe perguntou, numa voz de martírio, se ela queria chá também, Lili retorquiu zangada que só bebia café. Na verdade, café a fazia se sentir biliosa; ela só bebeu para desafiar a mãe. Ela observou em agonia, com pálpebras semicerradas, quando a velha ergueu a chaleira trêmula e derramou água fervente no ofensivo saquinho de chá. Fathi nunca a teria deixado fazer aquilo; Fathi teria preparado tudo para ela, teria cortado a maçã, aprontado o bule no samovar provisório da chaleira elétrica e preparado todo o café da manhã para ela. Mas Lili rolava pelada dentro do saco de dormir. Se ela tivesse tentado ajudar, sua tatuagem teria tornado tudo pior. Bibi teria ficado chocada ao vê-la no mesmo estado de nudez dos pôsteres na parede. Era inapropriado para uma mãe ver uma filha desfilar por aí com um coração mal desenhado indelevelmente martelado sob seu seio esquerdo.

"Você deve estar contando os dias pra ir embora, não é?", ela disse, miseravelmente, enquanto Bibi descansava a chaleira elétrica com um suspiro. E ela escondeu a cabeça sob o travesseiro para não ver a mãe tateando debaixo do balcão da cozinha para encontrar o tipo errado de passas ao invés do tipo certo de cubos de açúcar para pôr entre os dentes enquanto bebericava seu copo de chá turvo e péssimo.

Sim, Bibi partiria em breve. Por mais absurdo que tenha sido trazê-la aqui, por mais difícil que tenha sido cuidar dela, ela partiria bem em breve, pensou Lili, sentindo uma ridícula vontade de chorar. A presença de Bibijan a obrigava a lembrar de antigas separações. Ela era absurdamente jovem quando saiu de casa. Depois do casamento extravagante da irmã e sua partida escandalosa para os Estados Unidos, Lili, que mal tinha quinze anos, pedira repetidamente para ir também. Ela encheu o saco da mãe, discutiu com o pai e insistiu que a ela também fosse permitido ir para o Ocidente. Não era justo que Goli pudesse e ela não, que Goli fosse livre e ela ficasse para trás. Ela queria ler filosofia; ela queria escrever roteiros de filmes; ela queria estudar na Sorbonne. Ela exigiu ir a Paris.

Mas, na última hora, quando tudo estava organizado, quando os amigos do seu pai, na Champs-Élysée, tinham sido contatados e ela estava pronta para partir, ela de repente entrou em pânico. Liberdade era uma coisa muito boa, mas só se fosse negada. Era fácil resistir às restrições desde que fossem impostas. Mas quando seus pais de fato a deixaram ir, o vento de repente virou. Ela percebeu que não queria sair mesmo do Irã. Ela abominava a ideia de ter que encontrar estranhos, odiava a ideia de seus apartamentos grandiosos e dourados em Paris, detestava a projeção de ser apresentada ao filho fanho deles que provavelmente fingia não ser homossexual e sofria de hemorroida. Lili tinha uma imaginação fértil e de tendência trágica.

Na noite que antecedeu sua partida, ela fingiu cólicas menstruais para poder deitar perto da mãe na cama e segurar sua mão.

Bibi estava podre de cansada por ter cuidado do filho que estivera doente a semana inteira, estava exaurida dos dramalhões de Lili. Ela disse à filha, meio áspera, que ela deveria se recompor e se comportar conforme a idade que tinha. Mas, no fim, sucumbiu por pura exaustão. Lili dormiu numa caminha anexa ao lado da mãe e agarrou sua mão a noite toda. Toda vez que Bibi tentava puxar a mão para longe, ela chorava. Na manhã seguinte, ela chorou de novo, dizendo que não queria ir embora, que não queria morar sozinha. Naquele ponto, Bibi perdeu a paciência.

"Deixe de ser boba, Lili", ela disse, severa. "Já chega desse rebuliço! Você queria ir, então agora vá. Ou prefere contar à vizinhança inteira que filha covarde nós temos?".

Deitada amassada em seu sofá vinte anos depois, Lili se encolheu com a lembrança. A coragem era uma qualidade de que ela particularmente se orgulhava; ela tinha passado as últimas duas décadas tentando provar que não era covarde. Mas, apesar de Pascal, Voltaire e Jean-Paul Sartre, aquela garota brilhante, com sua cabeça de cabelos negros e olhos enormes e luminosos, perdera a fé em si mesma. Ela tentou adquirir certa dureza para deixar sua mãe, tudo para depois culpar sua mãe a fim de mostrar o quanto ela era durona. Agora, enquanto Bibi cambaleava de volta para o quarto com seu copo de chá, dizendo que se prepararia para ir às lojas em poucos minutos, Lili anunciou, em voz alta, que voltaria a dormir por mais uma hora até que estivessem abertas.

"Deixe de ser boba, Maadar Jan", ela rosnou. "É cedo demais para ir ao supermercado. Quer que toda a vizinhança saiba que você está constipada?".

E enterrou a cabeça nos travesseiros de novo para sufocar sua vulgaridade. Que rápido desistimos de nós mesmos, ela pensou; que rápido aprendemos a arte da deserção.

Lili fora excessivamente esperta quando criança e até bonita, se acreditarmos nas fotos: se exibindo na varanda de mármore branco, dançando no jardim da casa grande no Teerã, posando ao lado da piscina de águas preenchidas por carpas, segurando uma vara de pesca de faz de conta em sua mão. Nas beiradas dessas fotos, Ali era o bebê fantasma, e Goli, que tentava agir como adulta, raramente aparecia nelas. Então Lili roubava o show. O General podia idolatrar sua primogênita, mas Lili era a favorita da mãe. Até Ali nascer. Lili era o centro das suas atenções. Até que Bibi teve um filho. Depois disso, a filha do meio da família foi relegada à obscuridade. Mesmo Fathiyyih, que tinha sido adotada pelo General, obviamente para ser sua amiguinha quando o novo bebê chegou, tinha um lugar na casa mais definido do que ela.

Fathi, Fathi, Fathi, sempre Fathi! Aí estava ela, mesmo nos sonhos de Lili.

Ser lembrada de seus fracassos não era o pior. Ser arrancada dos braços da mãe não era o mais difícil. O fundo do poço para Lili era ter sido desbancada por Fathi. Pois quando ela por fim se recompôs pela repreensão de Bibi tantos anos atrás, quando ela foi até o carro para ir ao aeroporto para voar para a França para viver sozinha, Lili encontrou Fathiyyih esperando por ela, assim como Mehdi, o motorista. Fathi já estava pondo a mala no porta-malas, arrastando suas sacolas pesadas para dentro do carro, querida e gentil Fathi sempre presente quando precisavam, sempre disposta a ajudar. Mas, apesar das lamentações da partida, ela pensou ter visto um lampejo no olho de Fathi, um sorriso malicioso no canto da boca quando ela acenou um tchau. Assistindo pelo vidro da janela à guria que o pai tinha adotado das províncias, Lili sentiu que tinha perdido o lugar. Fora desbancada por Fathi. E ela ficou enjoada durante todo o caminho até o aeroporto.

♦

"Você acha que eles reciclam cadáveres nas *pompes funèbres?*", Lili bocejou, quando o som do caminhão que mói lixo encheu a sala um pouco depois.

A soneca estava acabada, as lágrimas secas, e o chá para lá de morno: Bibi estava mais ansiosa que nunca para comprar umas frutas para mexer seu intestino. Mas Lili ainda estava encostada no sofá, fumando um cigarro e bebendo café, sem escovar os dentes. O que uma mãe poderia dizer a uma filha que se recusava a pintar o cabelo e a raspar o sovaco?

"Eu suponho que as flores possam ser de plástico", Bibi disse, quase como desculpa.

"Bem", insistiu Lili, "isso não faria aquele tipo de som".

Ela se moveu até o banheiro e apagou o cigarro na pia. Lili se orgulhava de viver bem tanto quanto de falar com aspereza. Ela era pobre por princípios e insistia em vestir roupas baratas, usar decoração barata e viver em um apartamento barato, no que costumava ser uma zona industrial perto da Bastilha. Ela tinha advertido Bibi assim que chegou, que ali não era como a casa de Goli, em Westwood; poderia ser Marais da moda, mas não era a parte mais chique. Foi, ela disse, enfática, o que conseguia bancar. O que ela não disse a Bibi foi que o aluguel era controlado e não aumentava havia anos, então ela não pagava quase nada para morar ali.

Mas, apesar de suas inclinações marxistas, Lili amava a farsa de viver como uma princesa persa exilada. Quando elas saíram para as compras mais tarde naquela manhã, Bibi notou que sua filha dava gorjetas generosas. "É como fazíamos no Irã", ela contou ao vendedor de frutas, depois de pedir uma quantidade excessiva de uvas. "Minha mãe está acostumada a comprar para muitas pessoas", ela completou com um sorriso triste. "Costumávamos ser ricos antes da Revolução, veja". E o vendedor de frutas, que tinha uma quedinha por Mademoiselle Lili, amontoou no saco uvas suficientes para alimentar um exército de símios.

Mas, quando elas se arrastaram de volta, subindo as escadas do prédio uma hora depois, pareceu como se aquelas sacolas estivessem cheias com mais que uvas. Lili teve a impressão de que ela estava carregando vinte anos de mágoas e perdas nas curvas daquela escada em espiral, a cada andar. Na verdade, ele carregava Fathi, seu ressentimento e culpa em relação a Fathi. Então, quando Bibi anunciou no meio das escadarias que seria a sua morte, Lili, que já tinha chegado no topo, de repente pensou se aquilo era por que Fathi tinha ido embora.

"A morte absoluta", Bibijan suspirou, apoiando sua cabeça branca contra a parede.

"Eu te disse que era uma ideia ridícula", Lili disse, ríspida, olhando ansiosa para baixo. Os olhos da mãe fechados; havia olheiras ao redor deles. Seus óculos pesados tinham meio que escorregado do nariz e a nuvem de cabelos brancos ao redor de suas feições amareladas tinha acentuado a palidez de sua pele. Ela parecia doente.

Lili praguejou em voz baixa. Ela largou as sacolas de compras na frente da porta e jogou sua bolsa no chão. Bibi era propensa a ter ataques de angina, suas ateias, de acordo com Fathi, estavam entupidas. Se alguma coisa acontecesse com ela agora, seria tudo culpa de Lili. Seu próprio coração se contraiu ao pensar em ser responsável pela morte da mãe. Foi ela quem insistiu nesse arranjo insustentável. Foi ela quem exigiu que Bibi viesse à França a cada seis meses.

Se ela está saindo do Irã de vez, ela tinha dito à irmã no telefone, então deixe-a passar metade de seu tempo comigo, ao menos; por que ela tem que ficar isolada na América? Ela vai ficar melhor aqui, disse. E quando Goli respondeu que ela teria que "tocar no assunto" com seu marido, quando ele voltasse do surfe em Malibu, Lili protestara contra a América e seus políticos burros e seus discursos corporativos estúpidos e sua redução absurda de tudo que era humano ao fator econômico, como se Bibi fosse um item no orçamento de uma companhia na qual Bahman era o CEO. Porque, no "fim das contas", como Goli observou, com uma falta de elegância devastadora, tudo dependia de quanto dinheiro eles conseguiriam tirar do Irã.

Então tudo acabou em dinheiro mais uma vez, e quem traria o dinheiro do Irã. Tudo invariavelmente voltava a Fathi Fathi Fathi!

Pelo amor de Deus, não, resmungou Lili, em voz inaudível, enquanto corria de volta escada abaixo. Pelo amor de Deus, não, suspirou enquanto alcançava a velha. Pela compaixão de Deus, não me diga que você desejaria que Fathi estivesse aqui para ajudar.

"Me dá aqui, Bibijan! Deixe que eu carrego", ela engasgou, tomando as sacolas dos dedos torcidos da mãe, enquanto Bibijan fraquejava, arfando, contra a parede. "Aqui, se apoie em mim. Vamos te pôr em pé —"

Conferência

Os aplausos mal tinham terminado e ela já estava de pé. Antes mesmo que tivessem aberto à plateia para perguntas, lá estava ela, pulando para frente, tentando alcançar o microfone, pronta para falar. A conferencista principal, a palestrante que abriu a ocasião e uma autora de grande estatura tanto no sentido literal quanto literário, jogou seu grande volume para trás quando viu a mulher, como se para evitar um míssil. O presidente da mesa, um professor franzino da universidade local, tentou intervir e falhou. A plateia se encolheu. Não era a primeira vez que a mulher na primeira fila do auditório tentava sequestrar essa conferência de três dias para falar sobre direitos humanos.

Nossos corações ficavam receosos quando a víamos. Ela era uma de nós. Mas nós estávamos prontos para negar isso por causa de seu comportamento chocante, sua aparência. Ela tinha raspado o cabelo; ela parecia uma paciente de câncer. Ela nunca deveria dominar a plateia daquele jeito, mesmo se fosse uma paciente de câncer. Sempre respeitamos certas regras, fossem quais fossem os líderes no nosso país, fosse qual fosse o regime no poder. Sempre desaprovamos um certo tipo de visibilidade feminina, somos contra um certo tipo de volubilidade feminina em público. Como essa mulher podia violar esses tabus? Como ela podia chamar atenção para ela mesma daquele jeito? Quem a tinha convidado para assistir a tal evento?

Era uma conferência pan-europeia de cultura, o objetivo geral era promover o multiculturalismo na literatura. Todas as estrelas estavam lá, muitas com um alto perfil político e uma forte presença de celebridade: vencedores do Prêmio Nobel, escritores de renome internacional, gurus intelectuais, apresentadores de televisão, alguns até com sotaque americano, todos sem dúvida com transporte pago, custos de hotel cobertos, benefícios inclusos, e honorários de quatro dígitos. E agora essa mulher. Em pé novamente. Saltitando entre as línguas no microfone. Chamando atenção para sua agilidade linguística nessa condição de: nudez! Sabemos que se tornou chique raspar o cabelo hoje — um apagamento do gênero pelas mulheres, uma negação de ficar careca para os homens, um ato de solidariedade com pacientes de aids talvez — mas ela era uma iraniana! Nós baixamos nossos olhos, enquanto o presidente da mesa sussurrava para a conferencista. Nos sentimos agudamente envergonhados. "Sr. presidente da mesa, posso aproveitar esta oportunidade para enfatizar mais uma vez —"

A conferência era ostensivamente para promover apoio às artes literárias em uma escala europeia e não havia nenhum objetivo político óbvio nesse evento aparentemente inócuo. É claro, nos orgulhamos de nossas tradições literárias. Iranianos nascem poetas; metáforas brotam de nossos lábios com tanta naturalidade quanto beijos nas bocas dos franceses. Mas, apesar das interpretações simultâneas acontecendo em uma variedade de línguas europeias, até mesmo em luxemburguês, com todos falando um inglês igualmente ruim, ficou claro que a literatura era a última coisa na cabeça dessa mulher. Naquela cabeça estavam brotando mais do que metáforas. Ela estava politicamente motivada, não havia dúvida disso. Nós suspeitamos de suas afiliações; nós acreditamos que ela era perigosa. Nós olhamos para ela de soslaio, avançando, chacoalhando aquele microfone.

"— que a cultura precisa do ar da liberdade; ela não pode prosperar sob uma ditadura —"

Parte do impacto era devido ao escalpo de ovo liso. Brilharia daquele jeito se ela tivesse raspado seu cabelo, ou — e sentimos um nó apertado de ansiedade ao pensar — ou a careca era mesmo porque ela estava fazendo quimioterapia? E se ela estivesse mesmo doente? Mas propagandear o fato também não é uma coisa que uma iraniana respeitável devesse fazer. Cabelo é importante para nós. A razão pela qual o regime atual quer que nossas mulheres cubram a cabeça é precisamente porque ele é importante. Nós não gostamos quando nossas mulheres deixam o cabelo ficar branco; nós achamos que é indecoroso para uma mulher iraniana bem criada tornar pública sua idade ou doença. Se essa mulher fosse uma paciente de câncer, ela deveria estar usando peruca. Ou um lenço.

Mas nós suspeitamos que ela possa ter raspado a cabeça intencionalmente só para fazer uma declaração ideológica. Até mesmo uma declaração sobre moda. Ou ela estava copiando a modelo *intellectuelle engagée* para provar que ideias poderiam mudar o mundo, ou estava imitando o visual do designer pós-moderno para mostrar que a moda também poderia tomar posição. Em todo caso, ela era uma falsa, uma impostora, e estava tentando chamar atenção para si mesma. Imperdoável.

"Como outros têm nos lembrado recentemente, nós não deveríamos nunca esquecer, mesmo se perdoarmos —"

Uma outra razão pela qual ela dominou a atenção foi porque ela praticamente retumbava enquanto falava. O microfone guinchava e estalava em resposta. Uma mulher decente não gritaria daquele jeito; uma mulher iraniana bem criada não exporia sua voz de tal maneira. Foi o auge do mau gosto! Rezamos para que um problema técnico intervisse para impedi-la de trazer tal escândalo ao nosso país e ao nosso povo. Temos nosso orgulho.

Mas a voz dela era tão estridente que ela nem precisava de microfone nenhum; suas palavras ressoavam por todo o auditório.
"— e é por isso que fatores culturais são parte deste debate. E é por isso que eu gostaria de repetir —"
O problema era que ela também era fluente. O fluxo sem esforço de seu discurso simplesmente obrigava as pessoas a ouvir. E posto que ela sabia falar diversas línguas com uma facilidade ofensiva, ela traduzia simultaneamente tudo o que dizia. Seu alemão parecia ser excelente, seu francês impecável. Livre de sotaque na primeira e livre dos constrangimentos que a maioria de nós enfrentávamos na segunda: seu "deux" não era "dê"; seu "plus" não era "pli". Já que muitos dos palestrantes internacionais precisavam de tradutor, ela tinha uma vantagem sobre eles. Ela era agressiva, crassa, mas também persuasiva. Na verdade, não podíamos negar, ela era eloquente. Tínhamos que admitir que a mulher na fileira da frente era impressionante. Ela também estava determinada a impressionar. Você não tinha que gostar da sua cabeça careca ou concordar com sua missão para saber que ela tinha uma. Ela fazia de tudo para garantir que você lembraria.

"— a significância do papel desempenhado pelo Irã neste assunto —"

Aí! Ela disse. Ela atraiu esse opróbrio para si mesma pelo bem do Irã. Ela estava sendo agressiva e crassa, estava sequestrando a discussão sobre cultura europeia para falar do Irã. Nós fomos pegos entre o desgosto e uma admiração relutante por nossa compatriota. Não foi muito corajoso da parte dela transformar a estética em objetivos políticos tão abertos para levantar questões sociais em um contexto literário? Além dos poucos não mencionáveis, ou um em particular há mais de um século, essa ousadia é rara entre nós. Houve mulheres cantoras durante o regime do Xá, é verdade, mas elas nunca foram tão radicais. Mulheres escritoras do século 20 também haviam deixado sua marca, mas nunca tinham sido calvas e seu impacto estava na página, e não na sociedade. Até a Sylvia Plath da nossa cultura teve que morrer antes de se tornar um ícone literário. Mas enfim chegou a hora de uma mulher iraniana falar sobre política em uma conferência literária? Talvez seja finalmente chique fazer isso e permanecer viva.

"— a violação dos direitos humanos no Irã tem que ser encerrada com urgência!"

Nesse ponto, para nossa tristeza, o presidente da mesa conseguiu, com uma destreza física nem sempre testemunhada entre acadêmicos, arrancar o microfone das mãos da mulher. Nos surpreendemos com nossa tristeza. Também estávamos tristes pela nossa surpresa diante das pessoas que começaram a rolar os olhos quando a mulher na fileira da frente começou, pela terceira vez, a insistir na influência do Irã em alguns ou talvez em todos os problemas políticos, religiosos, comerciais. Quando o presidente da mesa voltou para o pódio com seu troféu, ela continuou falando sem sua ajuda, sobre a opressão em seu país, sobre civis inocentes morrendo numa guerra injusta, sobre mulheres e crianças sendo mortas por contaminação química, sobre a necessidade das democracias ocidentais intervirem urgentemente, agora, de todas as maneiras, antes que líderes e prisioneiros políticos morram por comer pão preto embolorado em Evin. A voz dela ecoava como um clarão apesar do movimento das pessoas nas cadeiras. A única coisa que deu fim a ela foi um breve guincho do microfone enquanto o presidente da mesa por fim obtinha sucesso em trazer a discussão de volta para a literatura. Ele manteve as rédeas curtas dali em diante.

Sentamos novamente em agitação, nossas mentes rodando, nossos corações palpitando. Havíamos sido sacudidos. Havíamos sido tocados profundamente por aquelas últimas palavras. Desde que deixamos o Irã, tentamos evitar pensar muito sobre a guerra, as prisões. Mas como poderíamos ouvir sobre a necessidade de intercâmbio literário entre países europeus quando nossos inocentes compatriotas estavam morrendo por aparato de guerra química, quando mulheres e crianças estavam ofegando nas montanhas curdas, envenenadas nas prisões de Evin e Rejai Shahr? Ela estava certa, essa mulher iraniana, com a cabeça firme! Ela nos lembrava da realidade, do real significado da civilização e da cultura, do verdadeiro propósito para tal reunião dos illuminati da Europa! Ela estava chamando nossa atenção no meio de toda essa conversa literária para as condições insuportáveis sendo suportadas por nosso povo sob o atual regime. Como poderíamos agradecê-la?

Nos encontramos caindo de nossos assentos no fim do momento de perguntas e respostas, com emoções incoerentes, lágrimas a nos cegarem. Disparamos para o centro do auditório, ondas de entusiasmo e preocupação nos carregavam. A bravura da nossa compatriota tomando a plateia e elevando o nível da discussão nos infectou de coragem. O quão certa ela esteve em insistir em tal importância do tópico em tal lugar! Quão nobre da sua parte em não se importar com o que as pessoas pensariam dela. Aliás, não a conhecemos, ou alguém como ela? Não tínhamos ouvido falar recentemente da mãe de uma amiga que disse que uma amiga de sua mãe havia contado a ela sobre uma artista iraniana que ganhara um prêmio por algumas fotos ousadas de pacientes terminais que brincavam com as semelhanças entre conflito e doença? Esta mulher provavelmente estava sofrendo de câncer; ela estava, sem dúvida, passando por quimioterapia também, ou na verdade era uma paciente de aids. Ela era uma heroína entre esses diletantes egoístas, esses esnobes intelectuais que viviam em uma bolha feita por eles mesmos!

Nós nos enfiamos pela multidão que se juntava ao redor do pódio para apertar as mãos dos vencedores do Prêmio Nobel, dos escritores renomados, dos gurus intelectuais, dos apresentadores de televisão. Nós procurávamos a nossa heroína iraniana, tentávamos alcançá-la, agradecê-la, pedir a ela um autógrafo. Quão belos eram seus olhos, quão deliciosamente frágil era sua cabeça agora visível, não careca por causa de câncer, mas raspada em solidariedade aos prisioneiros, morrendo ou sendo abusados em Evin. Ela estava usando um par de longos brincos de turquesa que acentuavam a elegância do seu pescoço. Ela se vestia de modo modesto, mas com uma imagem de pavão bordada em sua jaqueta. Ela era requintadamente persa.

Mas não, nós percebemos, depois de breves apresentações, ela não era a pessoa que pensávamos que ela era; ela não era a mulher que conhecíamos. Deixa pra lá. Havia outras conexões. Talvez ela conhecesse uma velha amiga nossa, que conhecia muito bem a mãe dela? Não, ela disse, olhando por cima de nossas cabeças, ela não conhecia os amigos da mãe. Mas é uma coincidência, insistimos, porque graças à sua mãe, a quem enviamos nossos melhores cumprimentos, ouvimos a história através de nossa amiga comum de uma senhora idosa, que acabara de deixar o Irã e passava alguns meses em Paris com a filha, que também perdera um filho nas montanhas curdas e que sofre há anos por não saber o seu destino. Assim como ela descreveu. Que interessante, ela disse, parecendo cada vez menos interessada. Sim, de fato, dissemos. Tantos perdidos; tantos haviam desaparecido nesta e em outras guerras não declaradas. E é por isso que queríamos que ela soubesse que de fato apoiávamos a causa dela. Oferecemos nossos serviços para promovê-la, o que é facilmente dito. Nós sacrificamos nossas vidas por ela, o que é facilmente feito em persa. Como é maravilhoso ouvir você falar, nós murmuramos. Como ficamos impressionados com suas palavras. Como estamos orgulhosos por sermos seus compatriotas. O que podemos fazer para ajudar o nosso país?

Mas ela parecia preocupada, distraída, em especial quando mandamos nossos cumprimentos à sua respeitada mãe. Embora ela parecesse estar ouvindo, ocorreu-nos, enquanto ela rabiscava sua assinatura no programa, que ela na verdade não estava ouvindo uma palavra de nossa admiração bajuladora, de nosso elogio entusiasmado. Ela não estava interessada em nossa amiga que era amiga de sua mãe. Ou na velha senhora que era amiga da amiga de sua mãe, que recentemente deixara o Irã e perdera o filho na guerra. Seus olhos estavam vagando sobre nossos ombros enquanto conversávamos, procurando contato com outra pessoa. Se por acaso olhou para cima e sorriu brevemente, foi porque ela chamara a atenção de outra pessoa. E quando ela enfim olhou para nós, ela mal nos viu; quando ela se desculpou com uma despedida superficial, foi com evidente impaciência. Ela parecia ter outras prioridades além do Irã naquele momento.

Mas e os oprimidos no nosso país, os inocentes civis? E as mulheres e crianças envenenadas por armas químicas? E o amigo do amigo da mãe dela cujo filho havia desaparecido para sempre, um menino cujos ossos ou foram espalhados nas montanhas curdas há muito tempo ou que morria de tuberculose, naquele mesmo minuto, comendo pão embolorado em Evin com quinze mil outros reféns políticos e prisioneiros de consciência? Percebemos, enquanto observávamos aquela linda e careca cabeça se afastando rápida de nós para dentro da multidão, que ela francamente não tinha tempo para tudo aquilo agora. Seu trem partia para Frankfurt, para Madri, para Berlim ou Munique em apenas meia hora. Ela tinha uma agenda lotada à frente na Basileia, em Roma, em Genebra e Londres. Ela já tinha entrevistas à espera em Paris e Estocolmo. Ela não podia desperdiçar um único segundo a mais. Antes de sair, ela teve que falar com o palestrante principal, chamar a atenção do ganhador do Prêmio Nobel antes que ele fosse levado para o aeroporto, estabelecer laços pessoais com importantes jornalistas enquanto eles ainda estivessem no auditório, garantir que as pessoas aqui se lembrassem do nome dela, registrassem seus objetivos, observassem suas coordenadas e identificassem-na, para futuras conferências e colóquios, como a melhor palestrante, a melhor apresentadora, a melhor porta-voz do Irã.

A mulher da primeira fila não tinha tempo para nós. Ela estava ocupada construindo sua carreira, promovendo sua identidade profissional, esculpindo seu lugar no mercado literário dos direitos humanos, e nós podíamos ver que seu preço seria impressionante. Se ela pudesse provar que tinha passado um tempo na prisão, ou tivesse qualquer tipo de associação com prisioneiros, ela logo estaria na categoria dos cinco dígitos por uma só apresentação — sem contar os custos de transporte e hotel. Se ela entrasse na lista de mais vendidos ou se entrasse no mundo dos filmes nesse assunto, então o céu seria o limite. Ela logo estaria na liga das estrelas olímpicas, conferências se acumulando nas costas de mulheres e crianças oprimidas, pulando sobre os membros espalhados e torsos ensanguentados de civis inocentes, e forjando seu futuro pisando sobre as cabeças, raspadas ou não, de centenas e milhares de prisioneiros encarcerados em nosso país.

Jardim

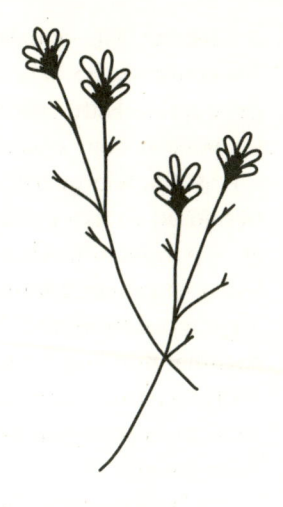

Se você não contasse os particulares, escondidos atrás de muros altos dentro de pátios invisíveis, e os exclusivos que pertencem a prédios elegantes para além dos portões fechados, e os culturais que só ficavam abertos para concertos em certar horas de dias especiais, não havia tantos jardins assim nessa parte de Paris. Na verdade, havia apenas um perto o bastante para ir caminhando do apartamento de Lili no Marais. Era um parque público lotado de árvores atrofiadas e excremento de cachorro, apesar das regulações recentes no tocante às práticas de *ramasse-crottes*, as quais sua neta Delli tinha pacientemente tentado explicar que deveriam ser referidas como "pega-cocô" na América e não "cata-bosta". Bibijan não se impressionava. Qualquer sociedade que amputasse árvores ou solicitasse a colheita de defecação em parques públicos mal poderia ser chamada de civilização em sua opinião. E ainda assim, isso era, como sua filha parisiense diria, *la belle France*.

Bibijan estava muito ansiosa para que pensassem que ela era civilizada na *belle France*. Ela nunca veio à Place des Vosges quando Fathi estava de visita, porque ela não queria que essas pessoas com seus cães urinantes pensassem que elas fossem turcas. Ela não queria que aquelas brutais criancinhas, pulando perigosamente por cima de poças e sacudindo as sombrinhas no ar — porque tinha chovido um bocado — confundissem Fathi de lenço na cabeça com qualquer tipo de árabe ou marroquina ou argelina ou tunisiana. Mas assim que Fathi foi embora e ela ficou sozinha, Bibi marcou hora com o cabeleireiro e se preparou para visitar o parque. Era sua saída especial do dia, quando Lili estava fora em suas viagens artísticas; era sua chance de conhecer gente, fazer amigos.

"Afaste-se, *mon cheri*, afaste-se", chamou uma das avós, não fazendo nada mais para impedir a criança que estava cutucando uma poça com o guarda-chuva.

Bibi estava triste que a presença de Fathi em Paris tivesse incomodado Lili tanto. Mas ao menos isso tinha aproximado as duas filhas. Elas passaram um bom tempo no telefone quase todos os dias durante a semana que a guria estava ficando com elas. Era uma pena que Lili parecia estar falando sobre dinheiro em todas as vezes e sobre o aluguel adicional para a *chambre de bonne* e, ainda mais triste, depois que a Fathi voltou para o Irã, que as ligações tenham diminuído e se tornado mais discordantes. Na noite passada, Lili perdeu a cabeça com a irmã e chamou Goli de idiota, dizendo que ela era mais cega que Bibi, e devia saber que tipo de esquema Bahman estava fazendo de verdade.

"Ele não é diferente de Mehdi", ela disse ríspida.

Depois, ela se desculpou com a mãe, o que era incomum. Bibi sabia que alguma coisa séria estava acontecendo, porque Lili não era de se desculpar. Ela pediu licença dizendo que tinha muito trabalho para fazer e estava sem tempo para aquele tipo de bobagem. Ela não disse a Bibi que bobagem era, apenas que tinha que se concentrar na sua arte, que tinha várias entrevistas agendadas e que alguém faria um filme sobre ela. Ela teria que deixar a mãe se virar por alguns dias, ela disse, com um rápido beijinho cheirando a nicotina na bochecha. Então se foi para Roma, para Ankara, deixando a geladeira cheia de comida. Bibi sentia falta de sua presença espinhosa no apartamento. Ela se sentiu muito sozinha depois de três dias e se aventurou ao cabeleireiro para encontrar pessoas.

Indistintamente, através das suas lentes grossas, Bibi viu que um dos bancos estava parcialmente livre, com um único ocupante. Ela se aproximou com esperança, mas, quando chegou perto, a senhora francesa sentada bem no meio lançou tal olhar de indignação a ela que Bibi hesitou. Ela apenas sentaria no canto, mas a mulher pareceu pensar que ela estava tentando tomar o banco e declarar sua independência. Ela só estava usando um lenço Hermes, do free shop, para proteger o cabelo do frizz, mas aparentemente isso fez dela uma colônia francesa. Ela pôs o lenço para trás casualmente e tentou sorrir. Mas a francesa olhou direto para longe dela. Ela tinha o cabelo tingido de azul que obviamente não ficava com frizz, embora ela pudesse ter ido ao mesmo cabeleireiro que Bibi; ela provavelmente era uma das avós também, porque mal olhava as crianças. Ela exalou um ar de colônia amanhecida e desaprovação quando Bibi sentou cautelosamente ao lado dela, se sentindo estrangeira e resignada. De todo modo, não havia outro lugar para sentar, dada a pilha de cocô de pombo na outra metade do banco. Foi o fim da sua esperança de conhecer gente.

Era preciso admitir que *la belle France* não era sempre limpa. Embora Bibijan tenha passado quase seis meses com Lili, ela ainda não se sentia em casa no Marais. Não que ela se sentisse muito melhor na casa de Goli, onde as tensões entre a filha e o genro eram quase palpáveis e as crianças não gostavam de comida persa. Lili estava fazendo o que podia, mas seu apartamento não era um lar. Não só por causa do cheiro dos ralos e o negócio difícil de escalar todas aquelas escadas até o topo do prédio torto. Não só porque tinha que se abaixar muito para pegar as coisas na geladeira minúscula de Lili, que congelava os vegetais e deixava a carne apodrecer. Mas também por causa das fotografias de Lili nas paredes.

A filha tinha construído uma reputação para si como "artista" iraniana recentemente e estava sendo convidada para falar no rádio e se apresentar na televisão francesa. Ela tinha visitado várias capitais europeias no ano anterior para exibir seu trabalho e veicular suas opiniões. Sua escalada para a fama tinha coincidido com um certo interesse nos registros de direitos humanos no Irã, então ela tinha se tornado uma figura popular em programas de entrevistas também. Um autorretrato recentemente publicado na seção de cultura da Elle a mostrava enrolada na colcha da sua cama, como se estivesse de véu, com uma estampa esmaecida de *ghalamkar* na qual ela tinha feito buracos em lugares estratégicos. Bibi achou muito vergonhoso. Ela também tinha se fotografado crucificada em varas de bambu entre um par de burcas afegãs. Ela também chamava modelos para seu trabalho político, só que Bibi não podia entender por que, em nome de Deus, todas tinham que estar nuas.

A arte de Lili era fria. Mas a real dificuldade para Bibi era a frieza da cultura em geral. Na verdade, as fotografias de Lili capturavam o problema com perfeição. Os rostos de suas modelos francesas eram uniformemente soturnos, seus olhares frios e hostis; elas encaravam a câmera, ou Lili, com um brilho de provocação ou um ar de suspeita. Será que por sua filha ser estrangeira?, pensava Bibi. Os corpos dessas modelos eram expostos agressivamente também, como se a intenção fosse violar todos os espectadores vestidos. Elas davam a impressão, bem como a mulher francesa estava fazendo no banco ao lado de Bibi, que o outro era uma ameaça e que a única maneira de responder a ameaça era ameaçar de volta. Bibi achava ameaças ainda mais difíceis de lidar do que com merda de cachorro ou pombo.

A velha ajeitou a saia no banco e puxou a ponta do seu casaco californiano de anarruga para cobrir os joelhos. Seus tornozelos estavam inchados como sempre e pareciam salsichas azuis e roxas dentro das meias de náilon apertadas. Ela sentiu frio por debaixo da saia e ficou muito chateada que o lenço fizesse tão pouco para impedir que seu cabelo fosse golpeado pela dura brisa de outono. A França era fria de muitas maneiras.

"*Bonjour*", ela acenou timidamente com a cabeça para a vizinha. Pareceu mais "*Bandjir*"; ela nunca conseguia acertar o sotaque. A francesa se virou levemente, ignorando-a. Na verdade, ela parecia meio nervosa e também em desaprovação. E quem poderia culpá-la, presa no meio de um banco gangorra, com uma iraniana idosa de lenço na cabeça sentada numa ponta e um monte de cocô de pombo na outra?

Bibijan tinha descoberto, ao longo dos últimos seis meses, que os franceses e os americanos eram igualmente sensíveis a críticas. Eles se ofendiam com facilidade e pareciam equipados com um radar, como aqueles que usam em aeroportos, que soava ao menor sinal de reprovação. Os americanos deixavam claro para você, todas as vezes que você passava pela imigração; suas perguntas sobre quanto tempo você tinha passado fora do país deles claramente insinuavam que deveria voltar para o seu. Os franceses exibiam isso com um dar de ombros desmaiado, o despido desdém de uma água-de-colônia; a inferência era que se você expressasse uma mínima aversão por cães ou pombos, então você não deveria nem ter vindo. O inglês e o francês de Bibijan eram mínimos, mas ela tinha que tomar cuidado para que nenhuma sílaba pisasse fora dos limites, nenhuma norma de tempo ou sentido fosse violada. Usar palavras era um negócio arriscado nesses países, assim como era no Irã.

"Apenas uma formalidade, Khanum", Mehdi tinha insistido. Você não tem que se preocupar com cada palavra. Isso só quer dizer mais dinheiro a cada mês, e só".

Mas Bibi se recusara a assinar seu nome às palavras que matavam seu filho. Aquilo seria o equivalente a assassinato. Você tinha que ser cuidadoso com as palavras.

Árvores eram a prova disso, contemplando o entorno da Place des Vosges. Não havia imprensa livre para as árvores aqui. Elas eram podadas ferozmente todos os anos, apesar de suas tentativas de silêncio. Suas sombras estavam restritas a estreitos círculos no caminho de cascalho. Seus troncos estavam embainhados dentro de espinhos de metal. Nenhuma delas podia crescer mais, ficar mais larga, mais alta, mais ampla ou mais grossa no tronco do que as outras, e elas eram cortadas em cubos ou retângulos em todas as ruas. Ter folhas demais ou de menos, alcançar longe ou nem um pouco longe punha uma árvore em perigo iminente.

Bibijan experimentou um estresse incomum nesse país por causa das árvores. Ela se sentia presa no apartamento da filha, mas sair para o parque também era restritivo. Ela esperava não morrer na França.

"Khanum não deve se preocupar nem por um instante", Mehdi havia dito. "Uma formalidade burocrática, isso é tudo. Não quer dizer que ele esteja morto. Não vai fazer diferença".

Ela tinha mesmo se recusado a assinar o papel que faria dela a mãe de um mártir. Ela tinha jogado fora o formulário judicial que estabelecia sua dependência do estado baseada no sacrifício de seu filho. Significava menos recursos, mais restrições, de acordo com Mehdi. Significava que ela precisaria ter cuidado com o dinheiro bem como com as palavras. Mas aquilo era mais fácil do que matar seu filho.

Bibi pôs a bolsa sobre seus joelhos frios e suspirou. Ela odiava o assunto dinheiro. Ela achava que essa era a razão pela qual as conversas de Lili com a irmã tinham se tornado tão cáusticas ultimamente. Bibi não gostava de ser um fardo para Lili, especialmente nesse negócio da *chambre de bonne*. Mas talvez não fosse mesmo sobre dinheiro, porque elas tinham conversado sobre Mehdi da última vez. E sobre Bahman.

"Se Khanum recusar os fundos da pensão, sobrarão poucos recursos para ela no Irã", Mehdi havia advertido. "Ela terá que se tornar dependente de seu genro".

Era chantagem. A última coisa que Bibi queria era ser dependente de Bahman. Embora a solução de Mehdi tivesse sido inaceitável, a ideia de receber esmolas de seu genro era igualmente impensável. Mais tarde, na América, Goli havia garantido que seu marido tinha feito algum acordo com Mehdi, de que ela teria uma pensão suficiente no fim das contas, e que Fathi a traria do Irã para ela a cada seis meses. Mas quando ela tentou perguntar para a guria, Fathi se fez de burra, como ela sempre se fazia quando estava mentindo. Bibi suspeitou que fosse porque a quantia era irrisória.

Ela suspirou novamente ao pensar que era um fardo para as filhas. Ela tampouco tinha alguma vontade especial de morrer na América também. Todos os broches do General tinham sido esmagados em uma placa meio coberta com grama no cemitério e ela com certeza não queria ser esmagada ao lado dele. Até mesmo uma árvore súper podada era melhor do que aquilo.

Sua vizinha francesa de cabelo tingido recuou com o suspiro. Era claramente intolerável ouvir um suspiro estrangeiro, não só uma vez, mas duas, e ela deve tê-lo interpretado como uma crítica à República, pois se levantou bruscamente naquele momento e foi embora. Bibi ficou perturbada. Ela queria se desculpar, mas não possuía as palavras. De todo modo, era inútil, por conta de seu sotaque e da falta de vocabulário. "O-rava", ela chamou vagamente, enquanto a francesa se virava e arrastava os pés no cascalho, mas estava claro, pelas costas furiosas da mulher, enquanto ela seguia até o portão, que o esforço para a reconciliação e para a *politesse* não tinham sido suficientes.

Bibi se sentiu exaurida demais para suspirar de novo. Ela tocaria no assunto da *chambre de bonne* com Lili, que estava voltando naquela noite. Ela insistiria em pagar uma parte. Não era apenas a estreiteza da calçada e a congestão nas ruas que lhe causava palpitações no Marais, mas também o socialismo, os direitos iguais para raízes e galhos na Place des Vosges. Lili poderia ser uma fotógrafa iraniana emergente, mas quanto dinheiro tirar foto de nudez poderia dar no fim das contas?

"Cuidado, *cheri*, cuidado com os outros!", choramingou a avó do outro lado do parque. Mas nada ainda havia sido feito para impedir o comportamento maniático da criança.

Ao menos tem um pouco de sol hoje, pensou Bibi, tentando se animar com uma sacudida, embora tivesse sido mais esperto trazer um guarda-chuva. Ela apertou os olhos ao borrão do sol. Quase nenhuma árvore da Place des Vosges oferecia proteção, fosse contra a chuva ou o sol. Era como se a municipalidade quisesse dissuadir o público de sentar aqui, como se houvesse um limite de tempo permitido para ficar nessa praça sem uma autorização francesa. Não foi essa ameaça exatamente nem o uivo das crianças e dos cachorros que a forçou a ir embora. Foi apenas porque não havia chance alguma de se enraizar ali. Era um parque, afinal de contas, não um jardim, pensou Bibi.

Jardins precisavam de tempo; eles precisavam de lugar. Mas tempo e lugar haviam sido extirpados de Bibi desde que deixara o Irã. Embora houvesse grama ao redor da casa de Westwood, Goli não era do tipo que gostava de jardins e Bahman preferia a praia. E embora Lili estivesse agora tentando cultivar menta e estragão em sua sacada, ela não tinha dedos verdes e as plantas murchavam toda vez que sua mãe ia para a América. Bibi se lembrou dos jardins do norte do Teerã, onde as árvores eram tão altas que carregavam a brisa fresca da noite com elas, onde as piscinas eram tão fundas que você teria que tomar cuidado para o caso das crianças tentarem tirar uma soneca dentro delas. Ela se lembrou das fileiras de vasos de gerânios ao longo do muro da casa do pai, sentindo sua ardência no ar quando os jardineiros regavam os tijolos aquecidos pelo sol atrás deles. Ela lembrou da fragrância do jasmim entrando pela janela aberta do quarto de costura da mãe para perfumar os botões e as flores desabrochadas do tapete aos seus pés. Não levava muito tempo para fazer um jardim no Irã. Um gerânio de sua infância, um nó pungente de um tapete de lã oferecia a ela mais do que aquele parque seco no meio da Place des Vosges. Como ela iria manter as esperanças verdes e vivas por Ali, agora que ela tinha deixado o Irã?

"As filhas de Khanum vão ajudar a encontrá-lo", Mehdi deu uma olhada maliciosa, imprestável.

E ela sabia que ele a estava punindo por se recusar a assinar os papéis. Ela sabia muito bem que suas filhas não tinham tempo nem lugar para tais esperanças. Talvez tivesse algo a ver com a guilhotina nesse país, pensou Bibi vagamente. Os franceses pareciam estar em constante pavor de um motim da horticultura. Se uma árvore expressasse esperança demais, seus dedos seriam cortados para que somente as juntas pudessem brotar. Se ela não aprendesse com aquilo, a mão inteira seria amputada no ano seguinte, e ela seria deixada com os pulsos sangrando. Se ela persistisse em se alongar, seus braços seriam serrados nos cotovelos. Você não notava tanto a inumanidade no verão; era somente no outono que o reino do terror durante a primavera prévia se tornaria evidente. Bibijan estava contente de ir para

Los Angeles no inverno, não só pelo clima, mas também por causa das árvores.

Ela odiava essa obsessão de cortar, de podar. A perda dos membros já era ruim, mas o corte das cabeças estava a um passo da perda da memória. Ela tinha que admitir, no entanto, que *la belle France* não tinha o monopólio daquilo. Ela se arrepiou. Esquecer era algo que ela estava tentando cultivar para ela mesma desde que deixara o Irã. O passado havia se tornado mais vívido do que o presente quanto mais ela o deixava para trás. Era desconcertante ter chegado tão longe para ser lembrada de eventos de sua casa, passados há tanto tempo. Ela tinha visto algumas árvores no passado, mesmo no Teerã, que foram amputadas bem na altura das axilas por acreditarem em crescimento, por imaginarem a altura; ela tinha visto algumas — judias, zoroastas, hereges baha'is — arrasadas ao chão por suas diferenças. Toma isso, criatura perniciosa, e isso e mais isso. Faz tempo, durante o mês do Moarrão, o alfaiate do pai, que ousou ser diferente, tinha sido chicoteado até a morte contra o tronco cheio de cicatrizes de um velho plátano, bem diante dos olhos dela.

"Vamos embora, meu querido, vamos embora", chamou a avó da criança que agora tentava bater num cachorro com a ponta do guarda-chuva. Mas o menininho tinha espasmos de animação, estava surdo para as exortações de sua avó.

Bibijan virou para o lado oposto da gritaria e do chamado agitado. Não havia, afinal, muita diferença entre Paris e o Teerã. Derrube-as e desenraize-as, esmague-as e confine-as, venha e chore com a chamada de sexta-feira para rezar. Prive-as de educação, negue a elas suas subsistências, destrua suas esperanças e as deixe morrer. Mas, mesmo assim, não tinha acabado, porque quando estiverem mortas, grite no palanque, desenterre seus corpos dos túmulos. Sim, depois da revolução, eles tinham mesmo escavado parte do velho cemitério. Apagamento total. De repente, Bibi também não queria morrer no Irã por causa de todos aqueles túmulos quebrados e sepulturas destruídas.

Suas memórias corriam desenfreadas. Ela precisava podá-las, cortá-las, controlá-las. Ela não queria assistir ao drama do chicote erguido e do repentino golpe, do longo calafrio e do uivo suplicante; ela não aguentaria ouvir o longo e dolorido berro. Se o alfaiate do pai tivesse sobrevivido ao reinado do Xá, ele provavelmente estaria na prisão agora, junto com todos os outros jovens e velhos e, esperançosamente como seu filho, e possivelmente pelas mesmas razões. Árvores não iam embora. Mesmo quando submetidas a atrocidades, elas ficavam. Ou morriam pelo bem do jardim. Mas Bibijan tinha sido arrancada. Quando Fathi voltou para o Irã, ela ficou inquieta na França e tomada de um remorso sem nome. Ela também estava sentindo cada vez mais frio, percebeu. Logo seria o tempo de retornar para Los Angeles.

Então ela escovou seu anarrugado, alisou seu lenço e se levantou para ir.

Mas talvez ela desse uma passadinha no mercado antes para se animar e comprar algum item básico para a volta de Lili. Fazer compras sempre a ajudava a esquecer as coisas desagradáveis da vida. Havia o suficiente do dinheiro de Fathi, afinal, qual fosse sua origem, para comprar alguma fruta a mais.

Revolução

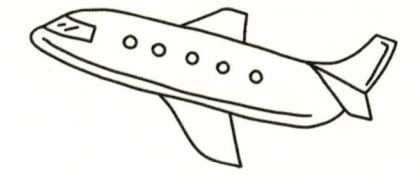

As compras causaram aquilo. Isso mesmo, foi assim que tudo começou: não fazer compras. Nada mais de empilhar lenços com nomes de marcas e sapatos chiques. Nada mais de provar blusões e saias curtas com uma desculpa de que seriam presente para alguma sobrinha que estivesse voltando. Nada mais de hesitação sobre um ou outro casacão, só para acabar comprando os dois no fim. Nada, dissemos. Nada mais de maços de dinheiro nas malas de mão. Elas simplesmente não conseguiam entender. Como poderíamos explicar que isso era uma revolução e não apenas outra ida descontrolada às compras na Europa? Mas por que não?, elas replicaram brilhantemente. Isso seria tanto pela diversão quanto pelo exílio. Foi difícil dissuadi-las.

Estranhamente, o resto foi menos problemático. Elas pareciam não estar perturbadas com a ideia de deixar tudo para trás. Naturalmente, a jornada foi motivo de alguma preocupação, a

falta de chuveiros, a incerteza dos destinos. Mas uma vez lá, a ausência de mobiliários luxuosos parecia causar a elas menos ansiedade do que o esperado. Elas levaram as joias, naturalmente, mas abandonaram a poltrona que parecia uma Luís XV e as cadeiras do conjunto com uma espontaneidade que era quase angustiante. Elas desistiram do Villeroy & Boch quase que sem suspiro algum. Sim, envolvia um certo grau de sacrifício, sobretudo para você, elas completaram, explicitamente, porque você, elas repetiram, com ênfase objetivante, gostava daqueles jantares imensos, não é? Não poderíamos negar.
Bem, nós não gostávamos, elas disseram.
Era como se mal pudessem esperar para escapar. Sim, é claro que elas sentiriam falta do Irã, mas sempre haveria a tevê persa e os DVDs, elas completaram, inconsequentemente, e dá para comprar porcelana em outro lugar, em especial durante a época de promoções. Na verdade, nós pensamos amargamente, a razão pela qual elas estavam tão numa boa sobre abrir mão de tudo era porque elas estavam provavelmente antecipando a substituição dos itens na época das promoções.

O problema era que só tinham pensado em Londres ou Paris no passado como lugares de compras. A cada solstício e de novo no final do verão, elas costumavam voar direto do Teerã para as promoções especiais, como aves migratórias. Suas chegadas marcavam a mudança das estações e suas partidas a necessidade de malas cada vez maiores. No início, elas se contentavam com quitinetes alugadas em Kensington, com bocas de fogão sujas e o cheiro de ovos rançosos na sala de café da manhã do porão. Então elas quiseram adquirir aquelas casas vitorianas com terraço que depois foram vendidas por uma dinheirama para os sauditas. Depois, elas esperavam acomodações mais elegantes, a gaiola dourada de Dorchester ou o Hotel Colbert no quinto *arrondissement*. Mas onde quer que passassem a noite, seus dias eram gastos nos provadores das grandes lojas de departamentos. Para elas, a Europa era isso.

Tinha que acabar. Harrods não era mais praticável; Lafayette estava fora de questão; a ideia de comprar roupas na Vuitton e Hermes o dia todo não era mais uma opção. Não vamos à Europa pelas promoções, vamos pelos vistos, nós dissemos a elas, severamente. Elas teriam que parar de competir com as esposas dos xeiques nas lojas. Na verdade, elas não gastariam mais tempo algum nas lojas e teriam que segurar as línguas sobre os xeiques e suas esposas quando os vissem. Nada mais de comentários mordazes sobre árabes em Londres; nada mais de falar mal de argelinos em Paris; nem piadas sobre turcos em Frankfurt ou libaneses em Rimini. Vocês terão que mudar os hábitos de agora em diante, dissemos às nossas mulheres duramente.

Quando vocês mudarem os seus, elas retrucaram.

E foi assim que começaram as brigas, a impertinência. Foi isso que levou a problemas familiares mais tarde, a dita honestidade que nos levou a discussões amargas. Como nos prepararíamos para tamanho levante, tais comoções domésticas? Como poderíamos ter nos protegido contra essas horrendas divergências e suspeitas? Tivéramos pensado que a desordem ameaçaria nossa paz ao fugir para o ocidente, nós teríamos mesmo deixado o Irã? Mas ninguém poderia ter imaginado tais coisas antes que elas ocorressem. Ninguém teria nem sonhado com tudo isso. Mesmo que tivéssemos sido precavidos com antecedências, mesmo que tivéssemos sido avisados da gravidade de cometer esse erro, nós nunca acreditaríamos. Nós simplesmente não compreenderíamos que uma simples interdição às compras iria tão longe ao ponto da separação e do divórcio.

Somente anos mais tarde, quando tudo estava terminado, foi que percebemos o que de fato significava. Somente depois da amargura e da pensão alimentícia foi que nós entendemos. Foi quando nos encontramos sozinhos em mesas sujas de cafés, folheando panfletos políticos abandonados, passando tempo em cafeterias de estudantes, esperando sobras de lasanhas, tendo aceitado o único trabalho que nós conseguimos encontrar, descarregando mercadorias, desempacotando suprimentos em supermercados enquanto as pessoas enchiam seus carrinhos ao nosso redor, que a ficha caiu.

A revolução real seria acabar com as compras!

Lavanderia

Havia muitos velhacos na família dela, mas o irmão tinha sido o único bobo, pensava Lili, vendo os lençóis de cor cáqui rodarem e rodarem na secadora.

    Ela odiava lavar roupa. A pior coisa sobre a revolução era que a obrigava a lavar a própria roupa. Lili tinha celebrado o colapso do velho regime com fervor marxista, mas, desde o momento em que ela desdenhou o dinheiro do pai, ao lado da banca de ostras no Boulevard St. Antoine, e abandonou seu apartamento dourado na Champs-Élysée, nunca conseguiu bancar uma máquina de lavar nem de secar. Ela pode ter escolhido uma vida boêmia, mas estava meio enfastiada com sua roupa suja; ela pode ter desejado mostrar que era alguém do povo, mas não gostava de compartilhar da sua sujeira. A Revolução a compeliu a admitir os limites de suas teorias políticas, deixando-a à mercê da lavanderia da vizinhança.

A tontice de Ali não era exclusiva dele, no entanto, ela pensou, assistindo às toalhas baterem molhadas contra a portinha redonda da secadora. Quantos iguais a ele tinham morrido por alguma falácia supremacista ou outra, pensando que tinham sido os primeiros, os últimos, os melhores, os únicos e os escolhidos? Quantos outros garotos fervorosos tinham desejado a própria morte sem nem serem capazes de empunhar uma arma? Era uma estranha ironia que, de todos os filhos do General, o único a seguir seus passos na carreira militar fosse o menos inclinado a lutar. Ali tinha ido para a guerra pelos motivos mais bestas e ainda terminara em cima das colinas de Sulaymaniyah, envolvido em um sério combate com o inimigo. Isso foi muito mais do que o seu pai jamais experimentara, Lili pensou com desgosto. O General havia começado sua carreira como motorista de caminhão e deslizado pelas patentes militares engraxadas com a força do lucro ganho no contrabando de munição. Que soldado! Ele havia ganhado suas medalhas por lidar com propina durante os últimos anos do Xá Reza.

É claro que Ali era jovem demais para saber quando foi enviado para ser mártir; ele não tinha conhecimento algum do mundo, ao contrário do pai. E sua tontice foi parcialmente desculpada pelo fato de que ele era um sonhador, um poeta. Ela sempre teve uma conexão especial com o irmão: ele era seu advogado em casa e ela sempre o defendeu contra a agressão de outros rapazes na escola. Havia um em particular, mais velho do que Ali, a respeito de quem ela suspeitava de pedofilia. Sim, ele não poderia ser culpado pelo que fez. Quando muito, a família seria responsável pelo que tinha acontecido com a criança. Se ele tivesse sido arrebatado pelo fervor religioso, era culpa deles, os religiosos, e não dele.

Além disso, ele tinha sofrido lavagem cerebral pelas transmissões de rádio durante todos aqueles meses iniciais da Guerra. Quase nenhum dia se passou sem que uma voz dura e chiada apregoasse a iminência do apocalipse por todos os cantos da cidade, bradando falácias supremacistas em milhares de autofalantes: primeiros, últimos, melhores, únicos, escolhidos para morrer.

Lili estremeceu ao lembrar. Ela não esteve lá, mas havia escutado. Ela não tinha vivido aquilo, mas soube de tudo. Ela quase enlouqueceu. Francamente, a população inteira do Irã talvez tenha enlouquecido. E mesmo se Ali não acreditasse em todas aquelas asneiras sobre o país ser limpo da corrupção pelo clero, ele sem dúvida havia sido levado a pensar que seu sacrifício devolveria o Irã à sua antiga glória. Ou melhor, à sua futura grandeza.

Um trouxa, pensou Lili, caminhando inquieta para cima e para baixo entre as secadoras. Um idealista. Mas não um golpista, como alguns. Ela fez careta para seus lençóis marrons girando em sua dança sufi. A política dela era limitada como o fervor religioso de Ali, sua influência psicológica igualmente nociva. Mas os seus erros a tinham tornado uma cínica, a tinham feito suspeitar do dinheiro. Em especial do que Fathi trazia do Irã.

Depois que Bibi embarcou no avião para a América na tarde anterior, ela telefonou para a irmã para confirmar a hora da chegada e para perguntar a ela, mais uma vez, sobre o dinheiro. O que era? De onde vinha?

Goli tinha sido mais vaga e mais confusa do que o usual. "Tudo vai dar certo, tudo certo", tagarelava. "Sério, Lili, não se preocupe com o dinheiro".

Lili não estava preocupada. Ela estava desconfiada. De quem era esse dinheiro?

"Da pensão de Bibi, é claro", Goli se esganiçou. "Bahman usou suas conexões empresariais para arranjar as coisas. Ele conhece advogados em Los Angeles que conhecem juristas no Teerã que têm conexões, sabe, eu quero dizer as conexões certas; eu já expliquei, Lili. Ele enfim encontrou um jeito de libertar Bibi da ganância de Mehdi".

Libertar? A palavra na boca de Goli era uma piada. Ela não sabia o que aquilo significava. Lili riu tanto que teve um ataque de tosse no telefone. A irmã passava ao marido todas as decisões financeiras, confiava em seu julgamento para todos os assuntos administrativos; ela era uma daquelas mulheres persas indefesas que adotaram o verniz do ocidente, imitavam as poses do ocidente, copiavam e papagaiavam todas as asneiras do ocidente, enquanto permaneciam completamente persas. Mesmo depois de todos esses anos. Lili estava certa de que Fathi nunca poderia extrair a pensão de viúva de Bibi do Irã sem que Mehdi soubesse. Mesmo que tentasse, Mehdi nunca teria deixado Bahman escapar dessa.

"É uma chance de se livrar daquele canalha depois de todos esses anos", Goli dizia. Ela jorrava e jorrava palavras sobre o quão canalha Mehdi era. O green card de Bahman, ela disse, salvaria Bibi daquele canalha; era a única opção para Bibi. "A última chance, o refúgio final", Goli concluiu, como se os Estados Unidos fossem o lar ideal para uma doente terminal sofrendo de uma doença autoimune como Mehdi.

"Caia na real, Goli!", Lili disse, ecoando o americanismo dela apesar de si mesma.

Mas Goli estava inacessível. Surda. "É perfeitamente real!", ela grasnou de volta. "É um green card bona fide!". Exceto que ela pronunciou "bona fido" como se estivesse oferecendo residência a um cachorro.

Lili ficou com nojo. O sentimentalismo piegas da irmã ia além do infantil às vezes; beirava o criminoso. Você não pode insinuar surpresas a uma mulher velha que passou pela Revolução e perdeu um filho na guerra. Você não dá Chás de Cidadão Sênior, com green card num pacote cor-de-rosa enfeitado, para uma mãe que sacrificou tudo pelo filho. E você certamente não pode acomodá-la em algum lar de velhos da Califórnia e imaginar que está fazendo a ela um favor. Lili suspeitava que Goli estivesse escondendo alguma coisa em nome do marido com toda aquela conversa sobre libertação e refúgios finais. "Posso falar com Bahman?", ela por fim perguntou, entre tossidas.

"Ele vai te ligar quando voltar de Malibu", Goli disse, sua voz ficando estridente, "e Fathi vem na próxima semana de todo modo", ela completou, inconsequente.

Lili não entendeu como aquilo ajudaria. Ela não tinha o menor desejo de falar com Fathi.

"Ah, ela sabe de tudo", Goli disse. "E Bahman vai te ligar, prometo".

Mas ele não ligou. E Lili não ligou de novo. Isso só iria alimentar os preconceitos de Bahman. Seu cunhado já tinha uma opinião muito ruim da família. Ele chamava a esposa de *drama queen*, considerava a irmã dela um risco e pensava que a mãe delas era uma perdulária delirante. E ele não estava de todo errado. Primeiro vieram todas as propinas para a busca infrutífera de Ali. Depois foram as contas de hospital do General, aquele fardo moribundo nas suas costas. E agora Bibi estava se tornando uma dependente também. Lili não queria dar ao cunhado mais nenhum motivo para se sentir perseguido pela família. Então, na manhã seguinte à partida de sua mãe para os Estados Unidos, ela enrolou a roupa de cama da mãe e se arrastou até a lavanderia, sentindo-se ela a própria mártir.

Ela e Bahman não se davam bem. Há anos, no começo da Revolução, ela acreditava que ele tinha tentado fazer com que ela fosse presa durante uma visita à Califórnia; a polícia veio até a casa para interrogá-la e desde então ela nunca tinha voltado àquele país. Seu pai teria dito que era uma punição por suas asneiras. Ela considerava aquilo uma prova da perfídia de Bahman e era por isso que estava tão aborrecida com o green card. Mesmo que arrastar Bibi para a França não tivesse sido solução alguma, Lili nunca mais teria visto a mãe se ela ficasse para sempre nos Estados Unidos. Era tudo muito feio e suspeito.

Mas Bahman, com seu green card, não era o pior golpista perto delas. Os crimes de Mehdi contra a mãe eram vários, como Goli tinha reclamado muito, mesmo que ela fosse igualmente criminosa, fingindo que tudo estava bem, tudo bem. E Fathi, com sua opacidade, sua cumplicidade silenciosa, não era melhor. E quanto às suas próprias ofensas? Lili deu de ombros involuntariamente. Quando ela tinha voltado ao Irã, arriscando sua vida ao cruzar a fronteira durante a guerra com o Iraque, ela estava indo contra todo tipo de lei. Ela estava contrabandeando dinheiro para fora do país também, bem como escondendo segredos pessoais. Ela tinha feito um aborto e se atirado na política em cega vingança; ela estava até usando véu para esconder sua tristeza. Lili se contorceu de tossir ao lembrar de suas vergonhas, seus crimes

cometidos em nome da justiça. Ela tinha posto sua mãe e ela mesma em perigo.
E agora estava se coçando por um cigarro. Mas aquilo significava ir para a rua e estava chovendo. A lavanderia ficava apenas a uma quadra do apartamento e em geral estava cheia de tipos franceses, mas estava abençoadamente vazia hoje, o único barulho vinha das batidas do seu próprio pensamento e das roupas, o único vapor, de suas dúvidas que subiam em espiral e da secadora. Ela estava sozinha. Talvez ninguém ficasse sabendo se ela fumasse ali dentro? Mas isso seria mais um crime? Ela tossiu. Contra ela mesma?
Lili se forçou a pensar em sua mãe ao invés de no cigarro. Bibi não era trouxa, mesmo se Goli a chamasse de gagá, ela pensou, piscando para os dervixes giratórios na portinhola da máquina. Ela tinha sobrevivido ao Irã pós-apocalíptico e conhecia bem os truques de Mehdi. Se Bahman estava mesmo tramando algo, ela com certeza adivinharia, ela saberia. A velha era muito capaz, apesar da visão deteriorada, de ver direto através da filha. Lili não tinha dúvida de que ela estava ciente das fraquezas de Goli, bem como das suas próprias. Quando ela estava se despedindo no dia anterior, Lili teve a impressão distinta de que sua mãe a estivesse interpretando como um livro. Quando Lili se inclinou para beijá-la na bochecha, Bibijan foi para trás para escrutiná-la.
"Não perca mais peso antes de eu te ver de novo, meu ratinho", ela piscou, seus olhos nadando. "Eu não quero que tudo que eu amo em você desapareça".
Lili tinha instintivamente se afastado. Não era apenas por causa do leve aroma de rosas na pele da mãe, que a fez perceber que ela mesma provavelmente tinha um cheiro forte de tabaco barato e possivelmente de maconha, mas também porque as expressões de amor da sua mãe eram dolorosas para ela, exprimidas, como sempre, na linguagem de uma ternura respeitosa. Tão logo Bibi tinha chegado a Paris, Lili começou a temer seu retorno a Los Angeles. E agora que ela enfim tinha partido, era como se ela tivesse vindo apenas para preparar Lili para uma partida maior. Sua presença trouxe a pressão das expectativas, mas sua

ausência, mesmo em antecipação, era muito pior. Agora, encarando o incansável ciclo de lençóis e toalhas, ela de repente entrou em pânico ao pensar que Bibi poderia morrer na América e que nunca mais ia vê-la.

Ela se sentiu presa. O espaço entre as máquinas e a vitrine da lavanderia era mais estreito do que uma sepultura. Lili quis quebrar o vidro e pular para fora, na calçada, brilhosa por causa da chuva. Era verdade que Bibi ficara visivelmente mais fraca durante sua estada na França. Quando ela passara pelos portões de embarque no Charles de Gaulle no dia anterior, Lili viu o quão frágil ela tinha se tornado, o quão vulnerável e velha. Bibi caminhava com dificuldade sobre suas pernas atarracadas enquanto passava pela imigração. Ela se atrapalhou para pegar o passaporte como se fosse uma cega, atrasando todos atrás dela na fila da segurança. Assistindo à figura pequena por cima das cabeças da multidão, Lili se perguntou se ela algum dia voltaria, e se ela voltaria a ver a mãe. Ela teria mais uma chance de olhar aquela rala coroa de cabelos brancos nos portões de chegada, se balançando em sua direção, ao invés de ao longe, atrás do carrinho de malas?

Depois do último aceno de tchau, Lili de repente lembrou, com uma punhalada de decepção e uma explosão de culpa, que, apesar dos lembretes de última hora de Fathi, ela tinha esquecido de pedir a assistência da cadeira de rodas para Bibijan. E ela lembrou que Goli também não o tinha feito, quando sua mãe veio dos Estados Unidos. O pensamento foi insuportável. Estava furiosa consigo mesma, ainda mais irritada do que estava com a irmã ou com Bahman ou com Mehdi, até mais enojada do que ela estava com Fathi. Não havia motivo para comparações: eles eram todos muito ruins.

A fissura de Lili por nicotina tinha se tornado insuportável e ela não poderia mais culpar Goli por isso. Ela tinha que sair daquele lugar. Era intolerável considerar a morte da mãe rodeada por todas aquelas reviravoltas. Ela jogou a bolsa sobre o ombro e empurrou a porta, abandonando seus lençóis à máquina irracional. Em ocasiões passadas, quando tinha feito isso, encontrara suas roupas fora da máquina, retiradas por alguém que queria fazer uso das instalações. Mas não havia ninguém que quisesse enganá-la para usar a secadora hoje. Sem criminosos, sem trapaceiros, sem vigaristas ou agiotas ou agentes duplos ali, exceto ela mesma. Remexeu na bolsa para encontrar o isqueiro e saiu para a calçada molhada, enchendo os pulmões com goles de ar poluído da cidade com alívio. Uma garoa fina deixava algo como teias de aranha em seu rosto, lágrimas invisíveis, enquanto ela inspirava.

"Ela ainda fica melhor aqui do que com aqueles malucos na Califórnia", resmungou Lili consigo mesma enquanto caminhava, exalando a fumaça em outro acesso de tosse. Mas ela sabia que não era verdade. Se Ali estivesse presente, ele teria entendido que Bibi não poderia ter sobrevivido na América ou na França por muito tempo. Ele teria encontrado uma solução melhor do que ficar em dívida com Mehdi ou dependente de Goli e Bahman. Ele podia ser bobo, mas teria protegido a mãe. Ele nunca teria deixado alguém enganá-la, passá-la para trás, explorá-la, esgotar sua pensão e extorqui-la até a última gota. Ele teria feito algo, uma intervenção, Lili estava certa disso: ele a teria redimido.

Mas Lili não poderia. Mesmo no auge de sua asneira revolucionária, quando ela abordava pessoas com panfletos todos os dias, ela nunca fora tão inocente para acreditar em redenção. Crises, catástrofes e cataclismas talvez, mas nunca em redenção. Se você vai redimir alguém, você tem que acreditar haver algo que valha a pena salvar na pessoa, ela pensou, encarando os pedestres com mau humor, aglomerados sob guarda-chuvas cintilantes, enquanto passavam empurrando-a. Ela não acreditava.

Ali era do tipo que acreditava em redenção, ele poderia salvar as pessoas. Sua capacidade de acreditar era imensa, magnânima. Ela teria encontrado razões para perdoar até Bahman, Lili pensou, ironicamente, assim como ele teria pena de Goli. Imagine estar casado numa família como a nossa, ele teria dito: com uma esposa que é da América pós-onze-de-setembro por fora e pré-Revolução-islâmica no Irã por dentro, e um sogro que está todo podre com a realeza por dentro. O que mais o homem pode fazer além de fugir para piqueniques na praia com os garotos em Malibu? Sim, Ali teria entendido seu cunhado e teria sido um tio melhor para as crianças de Goli também, melhor do que ela jamais fora como tia. Acima de tudo, ele teria lembrado da cadeira de rodas, não como a Fathi teria feito, para provar sua grande preocupação com Bibi, mas simplesmente por amor. Ali sempre foi bom em amar.

Lili sacudiu a chuva dos ombros. Bem, por causa de todo seu amor, estava provavelmente morto agora, ela pensou desalentada. Isso se ele não estivesse encarcerado em alguma prisão ou campo, seus ossos largados em alguma encosta, comidos de toda carne por gaviões e corvos há muito tempo. Era melhor pensar que ele tinha sobrevivido e se tornado um velho amargo como ela? Ou ela preferiria matá-lo jovem, um idealista? Mas era tão insuportável imaginar Ali morto na chuva quanto ruminar a ideia de Bibi morrendo na lavanderia apertada. Lili jogou o último quarto de cigarro numa poça cheia de bolinhas de chiclete e esmagou-o com o salto. Seu irmão pode estar livre dos crimes da família, ela pensou, com pesar, mas a criminosa da irmã certamente teria se beneficiado de sua contínua presença no mundo.

Na verdade, todos eles estariam melhor se ele estivesse vivo, ela pensou voltando à lavanderia. Todos eles — incluindo Bahman — poderiam ter jogado um pouco mais limpo na lavagem, se Ali tivesse permanecido vivo. Sem ele, eles perdiam o enredo. Ela saiu da chuva e olhou soturna para as roupas girando atrás da portinhola. Nunca acabaria? Primeiro os esquemas comerciais e políticos do pai. Depois Mehdi roubando dinheiro bem debaixo do nariz de Bibi. E agora Bahman realmente contando para Fathi seus segredos incomensuráveis? Bem, Lili resmungou, lançando um olhar impaciente para a secadora, não podia durar muito mais; Ali teria que dar um fim naquilo. A secadora de repente emitiu um distinto zunido anasalado e ficou abençoadamente em silêncio. Lili destravou a porta, xingando enquanto duas fronhas e uma toalha caíram no chão. Sim, era dinheiro sujo, ela pensou, mergulhando para pegá-las, e sua irmã também estava escondendo coisas. Ela estava enjoada com a ideia de seus lençóis e toalhas limpos tocando o chão e os sacudiu com fúria. Nós todos somos zoroastras no fundo, ela pensou, obcecados com pureza. Quando ela a tinha questionado na noite anterior, Goli tinha sido muito *non sequitur*. "Você é tão desconfiada, Lili!", ela disse, a voz subindo histérica. "Por que eu teria segredos? Você vai ter que perguntar ao Bahman quando ele voltar pra casa".

Mas Ali tivera segredos também, ela lembrou, batendo a imundície imaginária da toalha. Quando a foto do seu irmão chegou à família, do campo da montanha na fronteira, ela sabia que algo estava acontecendo por lá também. Lili lutou com a memória quando tentou dobrar a colcha queen size sem que ela tocasse no chão. Os soldados-criança que iam de bicicleta até as linhas de frente do exército iraquiano eram bucha de canhão; esperava-se que sua extrema juventude fosse chocar o inimigo a ponto de que ficassem passivos até que pudessem arremessar algumas granadas de mão antes de serem trucidados. Poucos sobreviviam. As fotos tiradas deles antes das operações eram para os túmulos. Elas eram enviadas às famílias com detalhes sobre a hora e o local da morte. Mas a foto de Ali chegou com a informação de que ele teria "sumido em ação".

Ela mostrava seu irmão mais novo vestido com uniforme militar, com uma faixa branca na cabeça, seus olhos brilhando. Seus lábios estavam prensados com força e havia um hematoma manchando seu queixo. Lili não disse nada a Bibi quando viu a foto, em sua primeira visita de volta ao Irã, mas ela suspeitava de que a boca do irmão estivesse cheia de dentes quebrados. Ela tinha o sentimento de que ele tinha contado ao seu comandante suas intenções e teria sido punido de acordo. Ali teria se recusado a jogar a granada.

Lili começou a tossir de novo, enquanto enfiava sua roupa limpa dentro da sacola suja. Ah bem, ela pensou, tentando respirar, a pureza é relativa neste mundo e o sofrimento tão comum quanto a sujeira, especialmente no exército. E a dor não era exclusiva de Ali mais do que crimes eram restritos à família. Não que isso os exonerasse. Mas havia uma única tontice que seu irmão estivera escondendo que era perigosamente limpa, apavorantemente pura. Ninguém na família poderia ter adivinhado.

Se a boca dele não estivesse cheia de sangue, Lili estava certa de que Ali estaria sorrindo radiante na foto. Diferente de seus camaradas do exército, ele não sentia raiva do Grande Satã. Seus olhos não brilhavam de ódio. Era exatamente isso que estava tão errado. Ele nem tinha intenção alguma de lutar contra os iraquianos quando marchou para as montanhas do Curdistão. Seu objetivo havia sido conquistar a si mesmo, se purificar. Era o verdadeiro sentido da palavra *jihad* para ele. Ele levava o islamismo tão a sério que tinha acreditado de verdade no fim dos tempos, no retorno do Messias, no prometido Qa'im. Ele estava se preparando não para matar o inimigo nem para conquistar o paraíso no processo, mas para reconhecer a hora em que vivia, como ele pôs em sua última carta para a sua mãe e as irmãs. Ele queria ser digno do privilégio desse dia.

Quem poderia imaginar que ele fosse tão idiota? Nem Fathi, que era a mais religiosa de todos, nem mesmo Bibi, que era dada a experiências místicas, o que Goli chamava de "estar gagá", nenhuma delas teria levado o idealismo tão longe. O tolo de Deus. Lili resmungou furiosa enquanto saía na chuva. Como se não fossem culpadas o suficiente do tipo comum de tontice em sua família — pagar propinas para esconder os elos do pai com o antigo regime, negar associações com organizações ilegais, roubar o dinheiro da mãe —, como se tudo aquilo já não fosse ruim o bastante! Mas se Ali tivesse ido mais longe, se ele tivesse feito algo ainda pior, se, como ela suspeitava, ele tivesse realmente mudado de religião, não era de se admirar que nunca mais tivessem ouvido falar dele. Aquilo seria a última tontice, a infâmia maior. Aquilo teria significado que ele fora condenado a apostasia no novo governo, o que era ainda pior do que ser um prisioneiro de guerra. Mesmo que ele tivesse sobrevivido à prisão nos campos, mesmo que não tivesse morrido sob tortura ou sido sumariamente executado sem julgamento, ele teria sido preso em Evin por décadas por ser um "infiel", por ser um "deles"—

Mas, se ele pudesse apenas se qualificar como um vigarista mais do que um idiota, pensou Lili, agradecida pela chuva estar escondendo suas lágrimas que tinham começado a escorrer pelas bochechas, se ele fosse de algum modo responsável pelo dinheiro do qual Mehdi tinha tentado se apropriar e Bahman tinha conseguido tomar posse ao invés disso, e que agora Fathi tirava do Irã a cada seis meses — se tivesse qualquer coisa a ver com a fé de Ali —, ora, então não teria havido nenhuma morte pela qual se enlutar, nenhum martírio para se entristecer: somente uma vida bem vivida.

Parentes

Temos os dois tipos na nossa família, as do oriente e as do ocidente, e nós juramos, as primeiras é que causam todos os problemas. Ficando de mau humor a todo momento. Se ofendendo com qualquer coisa. Sempre reagindo exageradamente às conclusões. Inventando razões para se sentirem magoadas ou pensarem que nós é que estamos. Tão sensíveis que não se pode dizer nada a elas sem arriscar que seja um insulto. Se comunicar com as garotas *farangis* é francamente muito mais fácil. Com elas, ao menos, você sabe onde está, apesar das barreiras da língua: é direto, franco, elas dizem exatamente o que querem dizer. Tudo é reto e certo com elas. Mas com nossas noras persas, Deus ajude! Temos que pisar em ovos o tempo todo e imaginar tudo o que elas não estão nos dizendo. É como tirar leite de pedra, é como se tivéssemos gatos de baixo da nossa pele. É extenuante.

Naturalmente, nunca poderíamos confiar nas esposas estrangeiras de nossos filhos, não totalmente, não de coração, você entende; está fora de questão. As *farangis* são pessoas muito frias, insensíveis, na verdade, água no lugar de sangue, parece, e não só porque elas são suecas, norueguesas, alemãs, árticas. Não é nem só porque elas não falam persa. Não temos preconceito assim, sabe, não somos mente fechada como alguns. Na verdade, nós somos as primeiras a admirar que elas tenham feito um esforço tão grande para aprender farsi no começo, abençoadas sejam, quando tudo era meu docinho isso minha querida aquilo e finalmente joonie; elas fizeram sua parte, deram seu melhor, foram rápidas na cartilha do *Bábá Áb Dád*. Mas, bem, o que nós podemos dizer? Não dá para fazer chá com espinafre, dá? E nós não temos nada contra elas, nada disso. Não, nem por um momento. Além disso, o pior, com elas, não é a falta da língua: são seus elos perdidos, as lacunas de entendimento, de compreensão. Essas *farangis* não conseguem ler as entrelinhas; elas simplesmente não conseguem registrar uma insinuação. Elas não têm absolutamente nenhuma capacidade de entender o não dito.

Da mesma forma que isso é uma bênção, é claro. É uma vantagem que elas nem sempre entendam o que nós estamos dizendo. Sabe como é. Bom, ao menos não tem *taarof* com elas, nem intermináveis elogios, nem se enrolar em nós insistentes e apertados para dizer o que na verdade você não pensa. Não tem nada disso com as estrangeiras. Mas magoa de outros jeitos, sabe. Elas podem não ter tato às vezes e levam a sinceridade a tais extremos que você chega a se perguntar se é falta de imaginação ou estupidez. Cortesia nenhuma, nem elogios, tudo no valor superficial. Um "não" é um não e um "sim" significa que elas devem consertar algo. Consertar as coisas é algo em que as *farangis* são boas, mas isso é tudo. Lá está você, meio cega, tateando para encontrar sua bengala e elas perguntam, "Você precisa de algo?", e é claro que você diz não. E daí não vai muito longe. É claro, elas se curvam e juntam a bengala para você quando ela se estatela no chão, mas não é esse o ponto, pois então lá se vão elas com um beijinho na bochecha e um tchau alegre, despejando você pelo resto da tarde. Como se a bengala fosse realmente tudo o que você não estava pedindo —

Mas, apesar disso, é muito pior, se você não se importa que falemos, é muito mais difícil de lidar com as nossas próprias moças. As ocidentais dizem muito pouco, mas elas falam a sério. Ao menos, nós presumimos que elas o façam. Mas com as nossas garotas, é tudo vapor. Ah, elas são umas queridas, não nos entendam mal. Nossas amadas noras persas são mulheres lindas, mães maravilhosas, boas cozinheiras. Elas sabem arrumar uma mesa magnífica; na verdade, elas estão em constante competição quanto a isso. Elas se vestem bem, embora tenhamos que dizer que seja um pouco exagerado às vezes, a altura daqueles saltos frívolos. Elas adoram seus filhos, apesar de acharmos que elas são bastante indulgentes com eles. Como é que devemos nos comunicar com esses grandes garotos desajeitados que só conseguem trocar monossílabos sobre hóquei no gelo ou com essas netas magras como frangas que não podem articular uma palavra sequer em persa? Mas suas mães fazem o melhor por eles, elas os amam, não há dúvida. É quando elas começam a insistir sobre o quanto nos amam também, o quanto se preocupam conosco — é aí que temos vontade de morrer para já.

Não dá para imaginar ao que elas nos submetem! É humilhante! Elas estão sempre nos envergonhando em público. Elas sempre falam da nossa visão que não está mais boa no meio do supermercado. Mencionam nossas artrites e o coração descompassado na frente das visitas. Elas até levantam os problemas que envolvem o fato de morarmos sozinhas quando vamos ao médico. É mesmo irritante. Tão insensíveis. Tão calculistas. Elas só fazem isso para mostrar ao mundo que se importam conosco, é claro; elas só estão tentando mostrar que são boas e preocupadas noras. Por isso são tão falastronas.

Por favor, não nos entenda mal. Nós queremos muito bem nossas noras, de verdade. São todas boas mulheres, persas ou não: elas são de famílias decentes, tanto as nossas quanto as delas. Não somos o tipo de mulher que está sempre resmungando, criticando, julgando as esposas dos nossos filhos, não mesmo! Não tomamos partido a favor ou contra, como algumas sogras iranianas que conhecemos. Ora, nunca teríamos permitido que nossos garotos se casassem, teríamos, se não aprovássemos as mulheres com as quais eles estavam casando? Não teríamos deixado nenhuma dessas mocinhas chegarem perto dos nossos filhos! Mas, no fundo, nós não temos absolutamente nenhuma intenção de viver com elas, nenhuma delas. Do oriente ou do ocidente, não faz diferença: noras são todas iguais. Não poderíamos nunca, por princípio, morar sob o mesmo teto. E não é só por causa dos netos e netas que nós dizemos isso, embora elas tenham tentado sugerir que nós temos favoritos, que nós fazemos comparações, o que não faz o menor sentido, porque os jovens são todos iguais hoje em dia, não acha? Todos igualmente desrespeitosos, mal educados, iletrados. Nem é porque estamos distantes dos nossos filhos, Deus que me perdoe. Eles são meninos maravilhosos, advogados brilhantes, mesmo que sejam ocupados demais para telefonar, mesmo que eles nunca tenham tempo para visitar, não estamos reclamando. Estamos reclamando? Nós entendemos perfeitamente o quão ocupados eles são. Estamos orgulhosas. E com certeza não é por causa de seus tetos que não queremos morar com eles. Todos têm tetos ótimos, lares adoráveis, cozinhas grandes e confortáveis, bom isolamento para compensar o pé--direito alto, chuveiros adequados, bem como aquelas banheiras inúteis. São todos grandes lugares, apesar do tempo que nossos filhos passam cortando a grama deplorável nos fins de semana, sim, Graças a Deus, eles estão bem, muito bem.

Mas está fora de questão que percamos nossa independência. Até podemos ter a vista ruim, mas nós ainda temos nossas casas, nossos flats ou apartamentos, nossos pequenos estúdios, seja em Oslo, Frankfurt, Montreal, San Diego. Não importa onde seja, queremos que fique como está. Nós as enxergamos erguendo as sobrancelhas e rolando os olhos toda vez que dizemos isso, é claro: as *farangis* com caras solenes e sérias e falando sobre o seguro contra incêndio e as questões de responsabilidade; as persas suspiram e secam as lágrimas dos olhos e ficam com caras de martírio. Não pense que não sabemos o que elas estão pensando. Por cima dos nossos cadáveres, dizemos, quando elas falam sobre isso. Preferimos morrer a sermos enfiadas nessas casas de repouso. Imagine ficarmos presas com um bando de suecos e alsacianos e finlandeses de cadeiras de roda! Imagina que esperem que joguemos baralho ou bingo com gente de Boston, ou seja lá o que for que fazem nesses lugares. Podem nos matar antes, dizemos, e então nos enterrem. Mas não antes disso.

É claro, é aí que começa tudo de novo, as discussões sobre se não preferiríamos ficar com eles, e por que não gostaríamos de viver com eles e se não faria mais sentido financeiramente se nos mudássemos para morar com eles? As *farangis*, com caras tristes como mulas, sugerem que nós façamos listas, para ver os prós e os contras, e olhar para os pontos principais; as persas, chorosas e infladas, declaram seu amor, fazem votos de sacrifício, perguntam se nos ofenderam e se as perdoaríamos? Sabe, de todos os suspiros e da falação que sai das bocas delas, não dá para acreditar em nada do que dizem.

A questão é que, apesar de todo o protesto delas, não podemos ter certeza de que nossas amadas noras estariam à disposição se precisássemos delas. As persas, dizemos. Simplesmente não dá para confiar, sabe, que elas saberão o que fazer, sabe, quem chamar, quando, entende, alguma coisa séria acontecer. Sempre foi assim, desde o começo. Elas são muito incompetentes. E assim — é difícil colocar em palavras, para sermos honestos, é mesmo muito difícil de explicar —, assim, se não houver alternativa e nós tivermos absolutamente que morar sob o mesmo teto de uma ou outra de nossas noras, bem, é aí que escolheremos as persas. Sim, é isso. E não tem nada a ver com o fato de que elas são do nosso tipo. Honestamente, elas não são. Nosso povo veio de Tabriz e essas garotas têm família em Shiraz, em Isfahan, em Mashhad, em Yazd; elas não poderiam ser mais diferentes; não são do nosso tipo mesmo. Não, é outra a razão.

A razão pela qual preferiríamos ficar com as garotas persas, em última análise, é que as ocidentais são muito competentes, é por isso. Elas são insuportavelmente eficientes. Quando falamos de coisas práticas, as *farangis* sempre sabem o que fazer. Não é só a bengala aqui e ali: não é só as compras, o aluguel do apartamento e todo o resto. Mas as ocidentais são aquelas que se mantêm informadas quanto às nossas consultas, sabe: dentista, oculista, checapes cardíacos, o plano de saúde. Então, se qualquer coisa acontecer, elas saberão exatamente o que fazer. Elas se apressariam para nos salvar. Elas nos arrastariam para o hospital. Elas deixariam que os médicos enfiassem tubos na gente. Sabe como são os hospitais nesses países ocidentais. Essas *farangis* não nos deixariam morrer.

Mas as nossas queridas compatriotas, nossas amadas noras persas, chorariam, dariam chiliques, ficariam numa falação, mas Deus as abençoe, elas nos deixariam morrer.

Muros

O genro dela estava no aeroporto, suave, tranquilo, obsequioso e com cheiro forte de loção pós-barba. Ele tinha ganhado peso, ela notou. Ela já tinha visto que ele tendia a ficar gordo, seis meses antes, quando ela chegara do Irã pela primeira vez, mas ele parecia ter se expandido em confiança bem como em circunferência desde então. Ele estava sorrindo para ela, como se ela fosse mesmo sua mãe, que estava morta. Embora Bibi tivesse sempre mais tolerado do que gostado de Bahman, ela se permitiu ser abraçada por ele quando emergiu dos portões de desembarque, porque ela, na verdade, se sentia meio morta. Seu coração batia com a irregularidade de um programa de tevê governamental confuso onde as imagens ficavam rolando na tela e passando em faixas diagonais. Ela estava atordoada depois da longa jornada de Paris e a extenuante experiência de passar pela imigração dos Estados Unidos e o esforço com a alfândega tudo de novo. Foi apenas quando foi engolida pelo cheiro dele que ela voltou a si. Desde quando seu genro se permitia abraçá-la desse jeito familiar? Ele sempre se curvava diante dela, com sua mão direita pressionando o coração, numa respeitosa deferência. Ele mantinha uma distância discreta desde que se conheceram, de acordo com os costumes do oriente, e ela obedecia aos mesmos códigos, mantendo os muros erguidos entre eles. Beijar era coisa que se fazia conforme o gênero no Irã. Mas todo mundo parecia estar fazendo isso na América; todos eles continuavam a jogar os braços ao redor uns dos outros. Bibijan nunca tinha sentido a necessidade de abraçar Bahman, mesmo quando ele se tornou seu genro. Ela o tratara com respeito, mas nunca com familiaridade, e ele respondia com decoro, na mesma medida. Na verdade, ele costumava ser tímido. Mas algo havia mudado agora. A proximidade do frutado pós-barba de Bahman e de sua barriga de repente acordaram-na e a fizeram perceber onde estava. A América havia derrubado os muros.

Embora fosse sua segunda visita aos Estados Unidos e Bibijan agora fosse oficialmente uma residente estrangeira no país, os muros externos ainda estavam firmes no lugar. Tinha levado horas para passar pela imigração. Mesmo que estivesse em posse de um green card, ela foi tratada como menos legítima e mais suspeita do que os estrangeiros não-residentes na fila paralela, muitos dos quais passaram como turistas sem qualquer problema. Mas o policial que a entrevistou levou um tempo para escrutinar todos os documentos que Bahman havia preparado para ela antes mesmo de que ela deixasse os Estados Unidos. Ele foi muito hostil. Ele queria saber por quanto tempo ela permaneceria e onde ela tinha a intenção de ficar no país, por que ela tinha deixado o Irã e o que ela tinha feito nos últimos seis meses na França. Ele exigiu provas de tudo para deixá-la entrar na América: idade, motivos, sonhos recentes, vitaminas suplementares. Ele também quis saber quando ela retornaria e, naquele ponto, Bibi já não sabia mais a que país ele esperava que ela retornasse. Ele parecia muito cético quanto às suas intenções, como se velhinhas iranianas nunca fossem quem elas diziam, como se ela tivesse se inventado, como uma história.

Na hora em que ela chegou onde suas malas estavam girando e girando num isolamento solitário na esteira, Bibijan pensou se ela era mesmo uma história. Ela estava crescentemente insegura de sua existência. Tudo parecia um sonho. Quando os policiais na sala da alfândega perguntaram sobre os cachecóis da Chanel e os chocolates parisienses que ela estava trazendo aos Estados Unidos para sua filha e para seus netos e netas, ela começou a duvidar se aqueles eram presentes adequados e não teve certeza se eles eram reais também. E quando ela enfim emergiu dos portões de chegada e se encontrou não à meia-noite em Paris, mas na metade da tarde em Los Angeles, Bahman pareceu o mais irreal de tudo. Desde quando esse genro seu algum dia usou camisas multicoloridas como aquela? Ou bermudas que mostravam seus joelhos gordos? Desde quando ele mantinha o cabelo tão nojentamente comprido, com um rabinho de cavalo atrás da careca? Aquilo era um pesadelo.

Mas, quando ele abraçou Bibi, ela foi sacudida até acordar. "Como é que tá, Bibi?", ele berrou, em inglês. "Quanto tempo!". Ele nunca tinha se endereçado a ela com tamanha vulgar familiaridade antes e numa língua estrangeira! Ela de repente sentiu uma pontada de nostalgia por aquele jovem franzino com pálpebras caídas e a mão direita pressionando o peito, bajulando o General como um cão submisso. Bahman falava sem parar, seu persa pontuado por um vocabulário infantil e frases americanas.

Ele costumava ter um pouco de sotaque britânico no passado, datado de seus estudos em Londres, mas parecia ter perdido aquilo e a sua magreza por completo. No Naw Ruz, ele só falou com ela sobre o green card e ela não tinha notado seus padrões de fala porque ela não queria ouvir o que ele dizia; além disso, Goli foi quem falou mais das coisas naquela visita. Bahman tinha olhos inquietos e bamboleava seu novo formato americano XXXG. Ele apenas disse a ela que grande jogada tinha sido fazer dela uma estrangeira, quanto tinha custado para negar a todos aqueles mexicanos o que agora ela tinha. Seu status de imigrante, ele a tinha assegurado, foi radicalmente caro.

No Irã, nos velhos tempos, Bahman nunca teria aberto a boca para falar de dinheiro com sua sogra. Quando ele se casou com Goli, andava sempre côncavo de deferência diante do General, que havia deixado bastante claro quem dava as cartas do dinheiro na família. Ele fora um daqueles jovens persas frouxos, com a cabeça pendida para um lado e as mãos em concha sobre seus genitais, sem dizer nada, olhos fixos no chão em sinal de modéstia quando falavam com ele, e apenas murmurava elogios e cortesias insípidas quando convidado a falar. Mas, embora tenha ganhado peso e suas palavras agora fossem carregadas com o custo do estacionamento, o preço da gasolina, o aumento das taxas aéreas e os gastos radicais com o green card, elas pareciam portar menos substância do que antes. Eram como buracos na camada de ozônio. Ela não entendia a conexão que ele estava fazendo entre filmes e o dinheiro que ele estava pondo na máquina de moedas.

"Percebe-se", ele dizia, "dado o orçamento dos blockbusters. Grande quantidade de filmes de ação em estacionamentos de subsolo, Bibijan!", ele desfilava. "Acabei de ver Fred Cooper do filme *The cash flow* pagando um tíquete de estacionamento! Sortudo, filho duma égua".

Bibi não tinha a menor ideia do que ele estava falando. O que se percebe? Quem tinha o dinheiro? E onde estava a égua? Seu genro tinha uma risada meio alta que parecia a de um cabrito, que ele reprimia embaixo de uma gravata borboleta no passado. Mas a América o tinha deixado confiante bem como muito incompreensível. Ele tinha descartado sua gravata e ria livremente agora. Ele também falava.

Ele a levava como um pastor através da multidão agitada e dos corredores aclimatados do aeroporto de Los Angeles, tagarelando sem trégua. Ele a empurrou através das portas giratórias para o frágil sol do lado de fora, falando compulsivamente. Ele continuou por todo o caminho, atravessando a rua e indo até o sexto andar do estacionamento, onde acabou que seu carro era um veículo preto e imenso com tração nas quatro rodas, que parecia um rabecão. Ela teve dificuldade em erguer suas pernas inchadas para dentro dele, então Bahman a ajudou, conversando sem parar.

"Angela Colney dirige uma Range Rover, aros pretos da DUB, satélite da DIRECTV e tudo; eu a vi na Pacific Palisades indo pra Malibu, mas pra ser honesto, Bibijan, eu mesmo prefiro o Mercedes classe G", disse.

Ela afundou no assento, exausta, e fechou os olhos. Talvez ele estivesse tomando algum remédio; diziam que os americanos faziam isso para ficarem felizes. Foi um grande alívio quando a porta se fechou no seu sorriso perpétuo. Havia algo estranho quanto aos seus dentes também; quando foi que eles ficaram tão retos e tão brancos? Enquanto Bahman empilhava a bagagem dela no porta-malas, Bibijan rezou para que ele a deixasse dormir no caminho de volta.

Mas não. Ele falou de carros sobre os quais ela nunca tinha ouvido. Ele falou de estrelas de cinema as quais ela nunca vira. Ele continuou por toda a Marina Freeway e então pela 405. Bibi não lembrava de como Westwood era longe do aeroporto, de como a estrada era sem graça, de quanto demorava durante o horário de pico, mas nada poderia estar mais distante de sua experiência do que as palavras ininteligíveis de Bahman. Ela tentava se concentrar nos detalhes de seu novo passatempo — "O surfe é uma arte e uma ciência, Bibijan" — no novo regime que seu guru da dieta tinha recomendado — "Suco de capim pela manhã, chá de gojiberry ao meio-dia" —, mas, quando o trânsito da tardinha ficou lento e arrastado, ela desistiu e parou de ouvir as razões pelas quais massagens eram tão — "Incríveis, Bibijan, simplesmente incríveis". Ela também parou de olhar para ele, porque suas coxas gordas eram ofensivas para ela, dentro daquela bermuda larga. Se o véu era necessário pelo bem da modéstia, então Bahman deveria estar usando um, ela ponderou, meio cochilando enquanto ele continuava com a ladainha. As mulheres nuas nas paredes de Lili tinham incomodado menos.

Uma lei para mulheres, outra para homens, pensou Bibi, enquanto adormecia. Era meio besta. Ela era uma jovem de dezessete anos quando o véu foi abolido pelo velho regime e tinha passado dos sessenta quando o novo a forçou a usá-lo novamente. Uma lei que te faz cobrir o rosto e outra que te faz mostrá-lo, ela pensou devagar. E sempre homens decidindo, sempre homens matraqueando e matraqueando sobre o que as mulheres devem vestir ou não. Bibi teria gostado que mulheres passassem uma lei forçando homens a usarem calças compridas na presença de suas sogras.

Ela estivera ansiosa para usar um chapéu nos dias do Xá Reza; era um voilette com uma fita de tule com bolinhas que pendia até a metade do rosto. Mesmo que se sentisse de cabeça para baixo no início, expondo a boca e cobrindo os olhos, ela não se incomodou em mostrar seu batom ao mundo. Sua família era esclarecida. Seu pai possuía um dos poucos carros da cidade. Mesmo que fossem Siyyids, nenhum de seus tios havia sido clérigo ou alegado ter ancestralidade com a princesa Qajar bichada; eles foram poetas, escritores, intelectuais, ativos no Movimento Constitucional, líderes do pensamento. Então quando o Xá Reza decretou que as mulheres iranianas deveriam abandonar o véu, ela já estava pronta para aquilo, ela estava feliz de jogá-lo fora. Algumas de suas velhas tias, as meias-irmãs solteironas da geração passada, ficaram aninhadas em suas casas daquele dia em diante e nunca mais saíram para a rua. Mas ela se fascinou com aquele chapéu e valseava pelas ruas. Logo depois, ela conheceu e se casou com o General.

A lembrança de seu marido morto sacudiu a senhora até que acordasse. Bahman ainda falava. Ele tinha passado do surfe e das dietas e agora estava preso em massagens. Ele tinha uma massoterapeuta particular, ele contava a ela, usando a palavra em francês com sotaque persa, o que então soou como "jah-sooz", a palavra persa para espião. Mas quem estava sendo espionado? Bibi piscou até acordar e ficou olhando pela janela.

Eles tinham parado no semáforo. Bahman largou o assunto da massagem brevemente para anunciar que eles logo chegariam em casa. Agora, aquilo era uma palavra, pensou Bibi. Casa. O que significava ali? O que significava em qualquer lugar? Eles estavam dirigindo pelas ruas da cidade e tinham deixado a autoestrada. Viravam para o que Bahman chamava de seção residencial de Westwood. Residência era outra palavra para casa. "Você é uma residente permanente dos Estados Unidos, senhora?", o agente de imigração tinha perguntado. Ela não tinha ideia. Westwood, onde Goli morava, era uma casa permanente? Era como um parque, ela lembrava, com casas de estuque cercadas por fossos de grama, uma versão americana da Place des Vosges com árvores cuidadosas nos dois lados. Mas o quão permanente era? Bibi ficou olhando pela janela enquanto eles diminuíam a velocidade em frente ao que parecia ser a residência do Presidente dos Estados Unidos.

Era aquilo, ela percebeu, quando o carro entrou na estradinha da garagem, seu coração como uma bobina ao lembrar. A casa de Goli e Bahman: uma coisa imensa, branca e cheia de colunas, com os fundos para a estrada, sob um elevado de grama. Da primeira vez que Bibi tinha posto os olhos nela, quando chegou do Irã um ano atrás, ela pensou mesmo que Goli estivesse vivendo na Casa Branca ou em *E o vento levou* ou coisa parecida. Ela ficou impressionada com o quão grandiosa parecia. Mas agora, depois de seis meses no apartamento de Lili no Marais, a casa da filha mais velha, comprada com o dinheiro que o General deu para o casamento, parecia pretensiosa. Ela não tinha notado tanto antes, mas, comparada à França e ao Irã, onde os jardins eram mantidos como as mulheres, atrás dos muros, essa casa com a fachada paladiana e gramados verdes era terrivelmente nua, exposta ao mundo.

Ela ficou olhando pela janela do carro atordoada, enquanto o motor ficou ocioso e seu genro seguiu falando. Ela não conseguia registrar uma palavra do que ele dizia. Primeiro ela achou que poderia ser sobre ele mesmo de novo — por que perder peso estava ligado com surfar, ou como deslizar sobre a espuma trouxe a ele tranquilidade para a mente — e então ela percebeu que ele estava falando da casa, dizendo algo sobre vendê-la. Dinheiro de novo? Era mesmo muito desconfortável ter que ouvir Bahman falando de dinheiro.

"Mas onde estão os muros?", arfou Bibi.

Para somar à insensibilidade, seu genro tinha adquirido certa estupidez; ele tinha esquecido que ninguém certo da cabeça ia querer comprar uma casa sem muros. Quem quer que estivesse passando na rua poderia ver direto o jardim. Completos estranhos poderiam ver bem dentro da sala de estar, da sala de jantar, mesmo dos quartos. Goli nem tinha posto as cortinas certas: as janelas eram enfeitadas com finas e transparentes faixas de náilon, que balançavam ineficazes do outro lado do vidro em três renques de bordas arredondadas que expunham todos os acontecimentos dentro da casa para o mundo exterior. Bibi lembrou que elas estavam decididamente cinzas, aquelas cortinas, e precisavam ser limpas. Nenhuma das filhas era muito cuidadosa com a casa: Lili vivia numa imundície bolchevique e Goli dependia de empregadas filipinas, as quais ela não poderia mais pagar. Era sua culpa, pensou Bibi, com tristeza; ela não as tinha ensinado a cuidar de si mesmas. Era culpa do General, por tê-las acostumado à ilusão do luxo. Mas aquilo não resolvia o problema dos muros. Aquilo era culpa da América, que fingia ser tão aberta enquanto era tão fechada para qualquer um que não fosse americano.

"Como vocês vão vender uma casa sem muros?", ela gaguejou alto, ciente pelo jeito esquisito com que Bahman a olhou de que ela tinha dito algo que não soou completamente correto. Sua voz soou meio estranha para ela mesma também. Aguda. Deve ser o jet lag.

Ela sentou dura e reta, tentando acordar e chegar na América, enquanto seu genro saía do rabecão monstruoso e andava até o lado ela. Mas ela não poderia sair; ela não poderia descer; ela simplesmente não conseguia se mexer dali, enquanto ele estava em pé, segurando a porta aberta para ela. E não era só porque era alto demais do chão ou porque suas pernas estivessem tão inchadas e intumescidas que ela mal aguentava ficar em pé. Era porque Bahman ainda estava falando.

E embora ela não quisesse olhar para ele para não ter que ver seus joelhos nus, ela tinha enfim entendido que ele não estava mais falando sobre a casa. Ele também não falava sobre dinheiro, graças aos céus. Ele mais uma vez falava de si mesmo. Mas o que ele estava dizendo agora? Bibi não conseguia suportar ouvir aquilo, não queria saber. Ela estava de repente cansada, muito cansada. Ela mantinha seus olhos fixos naquela casa nua onde sua filha vivia exposta para todo mundo ver, enquanto seu genro ficava lá parado, com sua bermuda de surfista e camisa havaiana, aberta para todo mundo, dizendo alguma coisa tão despida de sentido, tão nua de consequência, que, embora ela entendesse suas palavras, seus significados colidiam e se desintegravam nas margens do seu mundo.

Bahman tinha aparentemente se perdido. Então ele tinha decidido procurar por si mesmo. Ele agora estava se encontrando, ou talvez pedacinhos dele, espalhados como os pedaços de madeira que flutuam nas praias da Califórnia. Ela entendia que pessoas muitas vezes se perdiam e se encontravam aqui; acontecia todo o tempo. Se Ali estivesse perdido na Califórnia ao invés de no abandonado Curdistão, alguém teria provavelmente o encontrado agora. Uma massoterapeuta ucraniana, ou era russa, tinha encontrado Bahman surfando com seus amigos, ele confidenciou. Ele, por sua vez, a tinha encontrado em uma banheira de hidromassagem "bem como em *Funny or die*". Eles estavam agora em um regime de capim juntos. Se encontrar depois de ter se perdido aumentou a confiança de Bahman. Ela ocupava todo seu espaço mental.

"O amor é incrível!", ele disse a ela, em inglês reverberando autoconfiança.

Havia coisas que um genro nunca devia dizer à sua sogra. E Bahman as estava dizendo. Há palavras que são inacreditáveis demais para cruzar essa barreira. Mas ele a estava cruzando. Bahman estava derrubando todos os muros que sempre estiveram entre eles e isso era aparentemente a razão pela qual ele não entraria na casa. Ele só a estava largando ali, como um pacote, e indo surfar.

Ele não morava mais na Casa Branca, ele disse a Bibi, animado. Ele dava uma volta, e não era como uma roupa na máquina de lavar, de boaça, com os garotos, e ele não estava falando sobre seus filhos. Mais hilário. Ele falava de seus amigos em Caribou. Seus amigos do surfe. Seus velhos camaradas do Irã que tinham conexões lucrativas com sócios em "casa", ao que ele queria dizer o país que ele deixou há duas décadas e nem conhecia mais, seus cupinchas que estavam "dentro" — e ele disse isso como se fosse um tipo de banheira ou de piscina —, "dentro da lei". Eles eram seus bons amigos que tinham resolvido as coisas do dinheiro — aquela palavra horrível de novo — para que então aquele golpista do Mehdi não botasse as mãos nele; foram eles que apresentaram a "maxagista" ucraniana.

"Bibijan, eu nunca fui tão feliz na minha vida pra ser honesto!".

Ele estava bem feliz, de fato, tão mas tão feliz que Bahman estava se divorciando de sua filha. Ele sentia muito, mas não podia aguentar mais.

E Bibi, olhando para ele, com os olhos encharcados, de repente se deu conta de que ele tinha se perdido por causa deles, corrompido por causa deles. O General e seu dinheiro tinham arruinado o garoto. Em algum lugar dentro daquele homem infantil e gordo estava um noivo tímido e magro que simplesmente queria uma esposa que lhe desse uma massagem por dia.

Casamentos

Nós realmente exageramos às vezes. Casamentos são importantes para nós e todos nós vamos com tudo quando se trata de casar. Talvez seja porque casamentos nos lembram de quem somos, quem éramos, de onde viemos. São como funerais nesse sentido, exceto que as pessoas dançam. E é verdade que, embora muito tenha mudado nas nossas vidas, nossos casamentos não são diferentes aqui de como eram lá no Irã: a mesma extravagância, a mesma fanfarra. Casamentos nos lembram do velho país.

Somos um pouco como os gregos nesse quesito, embora nunca gostássemos de admitir, por medo de causar alguma ofensa. Nós gostamos de lembrar nossas glórias do passado, em que pese nossas pobres circunstâncias do presente. Nós gostamos de demonstrar nosso cuidado com a geração futura também; gostamos de dar às nossas crianças do bom e do melhor. E gostamos de mostrar aos outros que nós temos muitos meios de fazê-lo, sim, senhor, que não temos que mendigar, não somos miseráveis. Na verdade, nossos casamentos são bem sobre isso: eles propagandeiam a nossa riqueza ao mundo. Mas eles também podem ser um grande desperdício. Você acha que não temos nada melhor para fazer com o nosso dinheiro do que jogá-lo nas pessoas que estão prestes a cometerem o erro de suas vidas. Nós estivemos em casamentos onde milhares foram gastos no vestido de noiva e nos vestidos das damas de honra, centenas de milhares no buffet e nas bebidas, mais de um milhão no local e no entretenimento, nos serviços de segurança e no seguro. Porque é claro que você nunca sabe o que pode dar errado num casamento.

Nós fomos em um em Los Angeles faz um tempinho, onde a noiva foi carregada para o salão da festa num caixão. Lá estava ela, adornada com rendas e lírios, com seus olhos fechados sob uma tampa de vidro, a imagem da Bela Adormecida. Ou Branca de Neve depois da maçã envenenada. E depois de óóós e de aaas e de suspiros e flashes de câmeras, o noivo entrou, com uma lufada de fumaça vermelha, vestido como um vampiro, uma mistura de *Crepúsculo* com a *A noiva de Frankenstein* ou algo assim. Isso causou ainda mais óóós e aaas e flashes. Era para ele erguer a tampa de vidro do caixão, beijar a noiva e deixá-la sair. Mas aí, entre todos os óóós e aaas e por causa de sua respiração e da umidade causada pelas flores, a tampa ficou selada. Ele não conseguia abrir. Ele tentou de novo e mais uma vez. Mas estava emperrada. Fechada a vácuo. Ele entrou em pânico. Ela mais ainda. Ela não precisava do beijo da vida, prometemos: ela começou a gritar, o que tornou tudo pior. Eles tiveram que quebrar o vidro com um martelo. Um verdadeiro desperdício de dinheiro aquilo.

Então sim, considerando toda a pompa e o luxo que se mostra em Los Angeles, o show e as besteiras, nós poderíamos muito bem estar no elegante subúrbio de Shemiran, para cima e ao norte dos subúrbios do Teerã. Mas nós temos Hollywood aqui, que dá aos casamentos americanos-iranianos aquele brilho extra. Nós vimos alguns casamentos bem chiques aqui também, podemos garantir, que francamente põem o Oscar no chinelo. E alguns passam bem perto.

Mas não é só na América que a extravagância marital leva os iranianos à imprensa local. Acontece em todos os lugares. Teve esse outro casamento sobre o qual ouvimos falar, um noturno, em Estocolmo, que aconteceu nas neves do início da primavera. Foi na última terça-feira do ano, antes da Quarta-Feira Vermelha ou do Chaharshambeh-suri depois do ano-novo persa. Essa é a noite em que fazemos fogueiras e jogamos fora o velho ano, purificando o novo e tudo mais. Por isso eles escolheram aquela noite para o casamento, a ideia era enfatizar o aspecto zoroastra da cerimônia, mais do que o muçulmano. Somos meio sensíveis a esse respeito, sabe, desde a Revolução. Então, querendo ser mais persa do que iraniano, o jovem casal decidiu coroar seus votos com o tradicional pula-fogueira; eles queriam fazê-lo como um tipo de símbolo, saltando de seus passados para o futuro juntos, assim era. Bem, ele pulou certinho, mas ela não pulou alto o suficiente, se é que você me entende. Foi o véu. Queimaduras de primeiro grau.

Teve pelo menos um casamento que virou um funeral, de acordo com os rumores. Aconteceu recentemente, em Hamburgo. O casal estava, digamos, na época da maturidade. Era o segundo casamento para um deles e terceiro para o outro, nos disseram. Ele era um viúvo rico, bem velho na verdade, e ela uma divorciada, não exatamente jovem. De todo modo, ele teve um ataque cardíaco durante a cerimônia. Foi um choque, de verdade, porque ele sempre se manteve em forma. Ela era a massagista dele, sabe, vinha e fazia nele três vezes por semana para que ele se mantivesse esbelto. Ele parecia bem, magnífico, considerando a idade; ele parecia estar absolutamente em sua melhor forma até que ele meio que ficou com a cara roxa e começou a resfolegar. Foi mesmo horrível. Bem no meio da sala de estar com todos os convidados.

Mas ela se recusou a chamar a ambulância até que o mulá tivesse falado o necessário. Ela insistiu nos versos, no espelho, e todo o negócio deplorável. Por fim, quando o básico tinha terminado, ela correu com ele para o hospital e assinou os papéis de entrada do corpo comatoso dele na emergência, ainda vestida de noiva. E, na tarde seguinte, ela presidiu o funeral como sua esposa, mesmo que a cerimônia civil tecnicamente não tivesse acontecido. Foi o casamento mais curto do qual já ouvimos falar, mas ao menos não envolveu um divórcio. Isso está ficando cada vez mais frequente entre iranianos, sabe. Eles até disseram que os advogados dela foram enviados e chegaram ao hospital bem a tempo, mas não para um divórcio. O caso na justiça ainda corre entre ela e os filhos do velho. Ouvimos também recentemente que ela está noiva de um dos advogados. Esse vai ser um casamento e tanto. E nós podemos só imaginar o quanto será gasto com o seguro. É extraordinário até onde vão alguns persas em nome das miudezas do casamento. E nem tem nada a ver com *sighehs*, aquelas esposas temporárias que se pode comprar no Irã com a bênção de um mulá pelo preço de um ingresso para ir ao estádio ver futebol. O problema é que alguns casamentos desperdiçam mais que dinheiro por aí. Houve um caso recente que nos contaram, na Espanha ou em algum lugar católico, onde o noivo entrou com os papéis do divórcio imediatamente depois do casamento, com base em sua não consumação. Ele disse que era uma maneira de provarem seu amor um pelo outro. Ele disse que uma anulação legal permitiria que ele cortejasse sua noiva e casasse com ela de novo. Ele queria mostrar o quão longe ele estava disposto a ir para demonstrar seu comprometimento absoluto à garota. Não deu certo, é claro. Ela teve bom senso o suficiente em relação às despesas e o divórcio foi definitivo.

Mas o pior caso de divórcio que ouvimos falar aconteceu em Beverly Hills. Negócio nojento aquele, caso de fraude nos tribunais, escândalo nos jornais. Eles dizem que foi tão cáustico que levou ao suicídio. Ou foi assassinato? De qualquer modo, alguém certamente morreu. Nós tínhamos ido ao casamento fazia tempo, então é por isso que soubemos do divórcio. O casamento, que havia acontecido nos velhos tempos, nos tempos do Xá, no Teerã, tinha sido uma extravagância que ultrapassava todos os outros. Três noites de banquetes e danças, uma centena de pombas brancas libertadas dos telhados e *shirin polo* o bastante para provocar diabetes em toda uma geração. Tudo isso para terminar na corte em Los Angeles, com parentes mortos na consciência, é um verdadeiro desperdício de dinheiro, na nossa opinião.

Divórcio

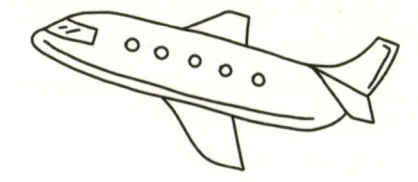

Tomou todo o espaço da casa. Quando ela entrou na sala de estar, depois de se encontrar com o advogado de Bahman, Goli viu que aquela falsa mobília branca Luís XV tinha sido empurrada para o lado para dar espaço. As fotos de garotas persas tocando seus intermináveis alaúdes haviam sido retiradas das paredes em antecipação. Mesmo os tapetes haviam sido enrolados para a área dos janelões que davam para o gramado irregular para que pudesse criar espaço no chão de parquê. O divórcio tinha chegado de muda e tomado o lugar antes mesmo que a casa fosse vendida.

Da porta da sala de estar, ela podia ver, pela janela do outro lado, a placa provisória de "Vende-se", a qual tinha sido enfiada na grama sem corte. Tinha uma aparência improvisada daquela perspectiva que não fazia nada para valorizar a construção. A face que ficava para a rua mostrava o logo do agente e as palavras "Em Casas Nós Confiamos", escritas em negrito vermelho, branco e azul. Mas, na parte de trás, a placa não parecia ser mais do que três pedaços de madeira de compensado presos precariamente por um par de pregos. Não inspirava confiança no agente nem na natureza constitucional das transações. Apenas confirmava a traição do seu marido.

Goli se escorou na jamba da porta com os saltos em colapso, olhando para a sala de estar devastada. Ela sabia que os advogados da hipoteca não poderiam ser culpados por aquilo. Nem os agentes imobiliários poderiam ser os responsáveis, mesmo que fosse a placa deles lá fora. E ela dificilmente poderia culpar a mãe, só porque Bibijan tinha chegado da França no meio da bagunça. Ela se sentiu tentada a dizer que era culpa da irmã, mas Goli também sabia, depois do que tinha recém-acontecido no escritório de advocacia, que Lili estava certa o tempo todo. Só o marido poderia tê-la tratado de maneira tão desgraçada. Só Bahman poderia tê-la traído daquele jeito. Ele até disse que o tapete seria limpo!

Seus pés queimavam, suas costas doíam e suas bochechas ardiam de humilhação. Como ele podia ter feito isso com ela? E de um jeito que não dava a ela nenhum recurso a não ser aceitar? Como pôde tê-la enganado sem que ela nem percebesse? Teria ele começado há anos, quando seu pai ainda estava vivo, tramando tudo, calculando cada coisa, não dizendo nada a ela, assim como ele fez com o green card e o dinheiro de Bibi? Ela estava pronta para infidelidade — isso era esperado —, mas não fraude. E saber disso agora por engano, diante de um advogado americano! Descobrir sua traição em tal lugar e momento e ser envergonhada desse jeito diante de um estrangeiro! Ele sabia muito bem que ela nunca perderia a calma discutindo com ele em público.

De certo modo, Goli nunca deixara o Teerã. Ela tinha crescido em uma cultura onde se esperava que ela fosse obediente, agradável, submissa como mulher, e numa família que esperava que ela fosse uma boa esposa persa, como sua mãe, aceitando sem questionar todos os modos incompreensíveis do comportamento "masculino", bem como sua mãe tinha aceitado. Então, mesmo aqui, mesmo num país onde as esposas poderiam ser homens, mesmo com todas as novelas da tarde e cabelos loiros e botox, ainda havia áreas de sua vida que estavam intocadas, preservadas ainda intactas com os bordados cheirando a naftalina, as urnas manchadas e bandejas de prata dos presentes do seu casamento guardados à chave no porão. Mas agora, depois desse episódio desgraçado no advogado, enquanto ela cambaleava pelo bulevar e se arrastava pelas interseções congestionadas e mancava ao passar pela Pizza Hut e pelos postos Texaco e academias de ginástica e bares de su-su-co e lava-a-jato fa-fa-faça você mesmo até o fim do Wiltshire Bulevar, Goli se encontrou irredimivelmente em Los Angeles. Ela tinha a sensação de ter ido morar na novela da tarde.

Ela andou por quase duas horas, sua cabeça rodopiando com perguntas sobre o que Bahman tinha acabado de fazer. Como ela pode ter sido tão estúpida? Tão burra? Por tanto tempo? Ela não tinha percebido a irracionalidade daquilo, a princípio, tentar vir até em casa na Westwood, desde a West 7th, no centro de Los Angeles, com seus saltos impossivelmente altos, mas ela não poderia vir de carro junto daquele homem depois de descobrir o que ele tinha feito nem continuar vivendo com ele. Ela não poderia aguentar nem respirar o mesmo ar. Ela estava em tamanho choque que quase não notou seus pés cheios de bolhas, suas costas torcidas, até ser abordada por um mendigo quando ela entrou na interseção na San Vicente, a algumas quadras do Museu de Arte. Era só um pobre drogado, cambaleando em sua direção com olhos molhados e um hálito que fedia, quase nem era um homem, mas, ao pensar nas moedas obrigatórias que ele estava exigindo, ela entrou em pânico. Ela não tinha uma moeda! Segurando sua bolsa falsa da Gucci bem firme embaixo do braço, ela correu para atravessar a rua mesmo com o sinal vermelho para pedestres sem nem olhar para esquerda ou direita.

Seus saltos, bem como seu coração, estavam explodindo enquanto ele se lamentava atrás delas, "Ei, olha, aonde você vai, senhora!", e ela quase foi atropelada por um táxi. Mas ela nem teve a presença de espírito para chamá-lo para uma corrida. Ela não tinha dinheiro para isso de todo modo. Quando alcançou o outro lado, ela se virou e olhou para trás onde o vagabundo estava, com o tráfego girando entre eles, e percebeu que ele a estava avisando sobre os carros que se aproximavam, não pedindo dinheiro. Pois ele estava sorrindo para ela então, fazendo sinal positivo com o polegar. Mendigos do mundo, uni-vos. Ela se sentiu deplorável.

O que o General diria? "Não alimente o hábito", ele teria bufado, como se o pobre e solícito drogadito, ao avisá-la para tomar o cuidado de continuar viva, fosse um fumador de ópio iraniano. E o que ele teria pensado de sua filha mais velha andando pelas ruas de Los Angeles? "Não fique pedindo problemas", ele teria dito, como se ela estivesse competindo com prostitutas no Teerã. Ele era muito orgulhoso, o General, muito condescendente. "Lembre-se de quem você é", ele a teria advertido, "e fique longe da ralé".

Como se ele próprio não tivesse sido a ralé, pensou a filha. Como se esse filho de um açougueiro, disfarçado de herói militar e se fazendo de sugar daddy durante toda a vida dela não tivesse finalmente a deixado cheia de dívidas. A raiva de Goli se dissolveu ao pensar no pai. As lágrimas que ela esteve segurando durante toda a tarde de repente subiram pela garganta. Que vantagem a honra familiar tinha trazido a ela naquele escritório de advocacia? Foi precisamente porque ela não conseguia se esquecer de quem ela supostamente era que terminara encurralada entre o presente e o passado, amarrada na prateleira entre o Irã e a América. Posição clássica para uma garota bem-criada se encontrar, esticada como uma galinha depenada entre o orgulho e a vergonha. Ela estava tentando manter a ilusão da honra familiar, quando ambas, honra e família, já estavam perdidas. Chamavam *ghayrat* em persa essa necessidade estúpida de manter as aparências, essa inútil e imóvel cara de paisagem, que a tinha deixado tão caída.

Goli jogou fora os sapatos de salto com um soluço e mancou na direção do aparador sobre a lareira, deixando a bolsa cair numa cadeira virada no caminho. O trabalho em ráfia tinha sido rasgado em pedaços pelo gato da filha. A lareira também era brega e falsa, o aparador construído para sustentar fotos mais do que fogo; era tão duvidoso quanto o piano branco no fim do corredor da sala da estar com suas pernas rococós lascadas, usadas como traves por seu filho na fase do futebol. O xale franjado e espalhafatoso que costumava ficar pendurado sobre ele fora embrulhado e enrolado ao redor das fotos. A imagem de seu irmão menor, Ali, com seu enorme sorriso, estava escondida em suas dobras, como uma virgem num véu, mas a fotografia de seu casamento ainda ocupava um lugar de destaque na lareira. Lá estava ela, uma noiva adolescente gorduchinha, quase vinte anos atrás, explodindo dentro de seu vestido de cetim; lá estava ela como um porco premiado em uma feira, a mão direita de seu pai apertada ao redor de sua mão esquerda. Ela estava no ponto para ser colhida. E traída.

O General tinha o hábito de manter sua mão esquerda escondida dentro do paletó em fotografias formais. Sentado, era um homem imponente, com ombros robustos e um peito largo feito para ser exposto, mas quando em pé, ele se mostrava de algum jeito diminuto, com uma bunda flácida e pés afeminados. Ele estava sentado na foto do casamento, naturalmente, com sua filha mais velha atrás dele, em seu vestido exagerado e pomposo. Ela tinha colocado seu braço direito, fofinho e revestido de cetim, ao redor dos ombros dele, como se estivesse o protegendo, enquanto ele aprisionava a mão esquerda dela contra seu peito condecorado.

Deveria ter sido ao contrário, pensou Goli, com uma pontada de autocomiseração ao se escorar no aparador enquanto olhava fixa para a foto. Seu pai deveria tê-la protegido; por que não o tinha feito? Ela deitou o porta-retratos com outro soluço. O rímel escorreu por suas bochechas até o vidro e ela deixou que as lágrimas caíssem sobre a face do pai. Ela tinha recentemente assistido a uma novela da tarde em que aquilo acontecia, exceto que a garota tinha chorado sobre o rosto do namorado. Ao pensar em si mesma, soluçou mais forte, a filha do General, chorando como a heroína da novela.

O General tinha ficado muito orgulhoso de casar sua filha com alguém da estirpe do velho Qajar. "Um garoto esperto aquele", ele confidenciou, quando ela fez um beicinho de falsa modéstia, todos aqueles anos atrás no Teerã, protestando que não queria se casar. "Não é família de dinheiro", o pai disse, "mas essa gente tem classe. Ele é formado, numa universidade. De Londres. Ele vai cuidar bem de você". O que o pai teria feito se estivesse vivo para ver o quão bem esse genro tinha cuidado de sua filha? O que ele teria dito sobre esse garoto esperto que usou sua educação de Londres para deixá-la sem casa? Tinha sido o presente de casamento do General para sua filha mais velha. Ele deixara bem claro para o marido. O supermercado persa em Los Angeles era propriedade deles juntos, um negócio para Bahman tocar, mas a casa pertencia só à garota, assim ela não teria com o que se preocupar. E tampouco seu marido, se tomasse conta dela. Foi uma barganha, selada com declaração juramentada. Mas o negócio tinha de algum modo a deixado como devedora. Bahman disse que ela devia dinheiro a ele agora.

O general sempre caçoou da ideia de gastar dinheiro com seguros. Mas quando ele fugiu para os Estados Unidos em um dos últimos aviões que saíram do aeroporto de Mehrabad durante a crise dos reféns, ele já era um homem doente e precisava de atenção médica urgente. A casa da filha serviu de garantia para os empréstimos que Bahman tão espertamente arranjou para cobrir as infinitas despesas médicas, as estadas hospitalares prolongadas, as caras cirurgias feitas num homem que estava morrendo. Quando ele chegou ao seu doloroso fim, depois de meses de cuidados em casa, sua filha estava falida.

É claro, as despesas médicas não eram todas do General. Bahman tinha também gasto uma fortuna em seus dentes. Ele lixou cada um deles até que ficassem apenas pontinhas afiadas e então pagou uma quantia astronômica para pôr novíssimos, brilhantes e chocantemente brancos dentes substitutos. E Goli fez os seios, bem como o nariz: todas as mulheres iranianas da sua idade estavam fazendo; por que ela não faria? Você tem que exercer a sua independência, diziam as amigas dela, que participavam de cursos de autoafirmação. Ela não participou dos cursos, mas se afirmou mesmo assim, exerceu sua independência. Bahman não ficou impressionado. Para ser honesto, Goli, ele disse a ela, eles parecem artificiais. Seus peitos, ele disse, apenas não faziam a sua cabeça. Ela poderia ter dado um tapa nele. Que cabeça? E o que ele sabia do assunto de qualquer modo? Seios grandes eram o furor de Beverly Hills e, além disso, as amigas disseram que ela estava uma graça. Você está realmente uma graça, querida, elas disseram, especialmente com esses saltos; você tem que usar salto para contrabalancear o busto.

Mas ser uma graça estirou o orçamento deles e também arruinou os pés dela. Eles mal puderam cobrir os custos do funeral quando o pai morreu. E logo restava tão pouco em sua conta conjunta quanto na cabeça de Bahman. Ele começou a reclamar sombriamente sobre a hipoteca. Ele falava tanto sobre as garantias no jantar que Delli parou de comer. Ele deu a Goli folhas de papel cobertas com colunas e cheias de números de cinco dígitos até que ela começou a se sentir como um país de terceiro mundo. Ou a Europa depois da guerra.

Alguma coisa tinha que ser feita. Goli não podia discordar daquilo. Eles teriam que vender a casa para pagar as dívidas, Bahman insistiu. Ela ficou chocada que não houvesse alternativa. Que tal vender o supermercado? Uma questão econômica, ele deu de ombros, o supermercado dava dinheiro; melhor ficar com ele. Mas, depois que ela concordou relutante em vender, depois que os agentes imobiliários tinham fincado a placa deles no gramado, depois que ela tinha até enrolado os tapetes que ele tinha prometido limpar e tinha afastado a mobília para que a companhia encerasse o chão, que havia sido negligenciado por quinze anos, ele de repente propôs uma solução diferente. No último minuto, ele sugeriu que eles consultassem um advogado americano, o amigo de um amigo de um ótimo amigo dele, que poderia ver alguma coisa para eles.

Ela tinha ficado tão aliviada, tão agradecida. Ela pensou que eles iriam ao escritório de advocacia para ajustar as taxas da hipoteca, para aumentar o empréstimo. É muito melhor, Bahman tinha dito, tranquilamente, manter a casa na família. Como ele era esperto! O pai dela estava certo no fim das contas. Mas quando o advogado pôs os papéis na frente dela, com seus dedos de pontas quadradas e sem pelos, Goli percebeu que havia algo errado. Aquilo não era sobre a hipoteca de jeito nenhum. Não era nem sobre uma venda. Era uma transferência de escritura. Ela estava sendo solicitada a abrir mão dos direitos sobre a casa.

"Como o acordado", disse o homem, olhando para ela do outro lado da mesa.

Aparentemente, Bahman já tinha reajustado a hipoteca diversas vezes no passado. Pelas costas dela. Sem dizer nada. Ele tinha feito isso com base na declaração juramentada assinada no dia que eles se casaram. Que ele tinha autenticado. Em inglês. Agora tinha chegado a hora de recompensá-lo por seus serviços prestados à família.

"Como eu acredito que você tenha concordado", repetiu o advogado.

Esse americano-manteiga-sem-sal não era nada como os advogados persas oleosos que Bahman em geral cultivava. Goli com frequência servia guloseimas e chá para aqueles ditos sócios dele em troca de elogios vazios e charme falso. Mas ela podia ver instantaneamente, pelo olhar pálido, amarelado e sem charme do advogado, o quão diferente ele era dos amigos de negócios de quinta categoria através dos quais seu marido se comunicava com Mehdi no Irã. Não haveria jeito de sair daquela situação. "Isso está sendo registrado para sua própria segurança; por favor, aguarde na linha". Se ela fosse fazer alguma objeção à proposta do advogado com base em que ela não sabia, não tinha sido comunicada, seu marido não tinha explicado, ela precisava de tempo para pensar, para fazer perguntas, para considerar suas opções — então ela pagaria caro por isso. "Nós damos valor aos nossos clientes; sua confiança é importante para nós". Ela sabia que o que quer que dissesse seria usado contra ela, como nas histórias de detetive, e somaria juros ao débito.

Estacada como uma vareta rígida na cadeira do advogado, Goli se sentiu ilhada num mundo estrangeiro. "Você concordou?", ele dizia. Ela não podia responder, nessa língua de ninguém. Então seu marido falou por ela. Sim. É claro que eles concordavam. Concordado. "Então, por favor, assine aqui e aqui", o americano indicava com suas unhas quadradas feitas na manicure. Ela não conseguia olhar para Bahman, sentado ao lado dela em outro planeta, enquanto a caneta dela perambulava. "Em todas as páginas, por favor, e suas iniciais no canto inferior direito", concluiu o advogado, apontando para a fileira de pontinhos, e Goli escreveu o nome dela lá, como se fosse o de outra pessoa. Ela se sentiu seca e velha e ártica. Havia gelo em sua cabeça onde as palavras deveriam estar; havia uma bruma fria em sua mente que congelou sua língua, mas seu ouvido direito, o mais próximo a Bahman, queimava. Lá estava ele, sentado com seu tranquilo bronzeado do Pacífico, sorrindo largamente para o advogado, conversando sobre surfe e festas e a mudança para Malibu. O que ela poderia dizer?

Ela com certeza não discutiria em público. Ela não iria contradizer o marido na frente de um estrangeiro que provavelmente não sabia a diferença entre iranianos e talibãs, gatos persas e galgos afegãos. Bahman contava com o comportamento de boa garota dela. Talvez ele não tivesse orgulho nacional, nem lealdade por seu país, mas ela ainda era a filha do General. Ela se manteve firme e fez a única coisa que poderia fazer naquelas circunstâncias: abriu mão dos direitos da casa em completo silêncio, negou o aperto de mãos e então se virou e foi andando para casa. O que mais uma bem-criada garota persa poderia fazer?

O esperto golpista do Qajar não a seguiu de imediato. Ele tomou seu tempo, apertando a mão de dedos pálidos, feita na manicure, do estrangeiro, sem dúvida, lambendo sua palma sem sal. E ela tinha caminhado uma distância considerável pelo bulevar antes que ele a alcançasse. Ele mandou-a entrar no carro de uma vez. Ela se recusou. Ele começou a tocar a buzina, gritar nos semáforos, xingando-a por ser uma idiota. Ela o ignorou. Ela mal podia olhar para ele, seu rabinho de cavalo, sua bermuda de "mano". Ele gritou algo sobre Bibi também, como se não fosse suficiente arrastá-la na sarjeta: ele também tinha que trazer a mãe. Ela não registrou exatamente o que ele dizia até que ouviu o nome de Bibi. Então ela se deu conta de que outros pedestres estavam olhando para ela de um jeito estranho, e Bahman dizia ao mundo que ele não aguentava mais nem ela nem a mãe e a irmã e toda a desgraçada família, que seu pai era um pé no saco e que sua mãe era uma idiota, que a desgraçada da irmã sempre fora uma inconveniente, e que ele desejava que o santo do irmão dela, que fora um fardo nas suas costas por anos, estivesse muito bem morto. Não suportava mais nenhum deles, disse; e iria para Malibu para não voltar mais.

Já vai tarde, ela gritou de volta.

Foi só quando ela se encontrou encarando a própria foto de casamento sob os pingos de rímel que ela percebeu o que tinha acontecido. Seu pai não a tinha protegido de jeito nenhum. Sua barganha tinha permitido que o marido desviasse o valor da casa por décadas. E sua mãe não tinha ajudado em nada; ela tinha deixado que o General a enganasse também. Na verdade, Bahman havia sido bem honesto, dizendo que vender a casa era a única solução: era verdade, porque ele já tinha hipotecado a casa a um ponto sem retorno e agora o supermercado e seu apartamento era tudo o que tinham. Era por isso que os tapetes tinham sido enrolados na área do janelão e a mobília estava revirada, e a placa "Em Casas Nós Confiamos" estava no meio do gramado. Era apenas sua duplicidade sobre as escrituras que foram a última gota. Ele a tinha deixado à mercê daquele advogado americano, tinha feito dela refém de um sistema que ela não compreendia, tinha colocado em uma situação onde peitos não tinham serventia alguma quando se tratava de autoafirmação. Aquilo era pior do que deixar o Irã, pior do que qualquer mudança de regime.

Goli jogou sua foto de casamento do outro lado da sala como faziam nas novelas da tarde. Mas não foi o herói da série que veio correndo para tomá-la em seus braços naquele momento crítico. Foi Delli, acordada de um de seus filmes de vampiro pelo som de vidro quebrando. Foi sua filha desajeitada e sem graça, em sua negligente camiseta preta e chinelos quem veio ao resgate. Ela subiu as escadas correndo, "Oquefoimãevocêestábemnãochoremãenãochore!", bem como uma americana. E Goli, soluçando no seu ombro, voltou em choque à realidade. Porque Delli sabia. Estava escrito em toda a sua cara pálida e escondido em seus olhos amendoados. Ela sabia que aquilo não era uma casa em que se podia confiar, que o divórcio de seus pais tinha feito morada havia muito tempo e que não haveria lugar para viver a não ser o apartamento em cima do supermercado persa.

Deveria ter sido ao contrário, pensou Goli, em agonia, enquanto Delli a balançava em seus braços finos e ela chorava nos ombros dessa adolescente esquelética e sabida. Deveria ter sido a mãe protegendo a filha, deveria ser ela defendendo Delli, e não o reverso. Seguindo os passos da própria mãe, ela tinha traído sua filha. E se lamentava, não pela falta de noção do pai ou pela declaração juramentada que ela tinha assinado no dia do casamento ou pela traição de Bahman durante todos esses anos ou por seu último truque ganancioso da escritura da casa, mas por sua própria fraqueza, sua estupidez.

Imóveis

Nós achamos que ela morreria depois de perder a casa no Irã. Era tudo para ela, aquela casa nas colinas bacanas de Damavand, norte da capital. Ela era muito apegada à casa, tinha sido sua casa dos sonhos. Ela não tinha filhos, mas tinha decorado tudo com muito carinho. Abrir mão da casa fora mais difícil do que deixar o país. Ela passou por uma depressão grave, sem dúvida. Soubemos que houve até uma tentativa de suicídio em algum momento. Tudo por causa de uma casa.

Naturalmente, nos preocupamos com ela. Ela era só mais uma mulher iraniana muito atraente e com uma educação limitada e um bom tino para se vestir, mimada até o talo por um pai e agora se provando uma irresponsável para o marido. Comprar e vender podia estar em seus genes, como está no nosso, mas ela não tinha ideia de como era ganhar a vida, sem qualificações reconhecidas quando chegou a este país. Tudo o que ela podia pensar era sobre casas, sem ter dinheiro para comprar uma. Ela também não sabia nada sobre o mercado de imóveis em Londres, o quão complexo era, o quão arriscado; ela não tinha ideia sobre o imposto residencial ou sobre empreiteiras. Precisava mais do que gosto pelo luxo e roupas elegantes para adquirir um teto sobre a sua cabeça aqui, sem falar em adquirir um trabalho lucrativo. Nós tentamos ajudar, é claro. Nós a apresentamos para amigos, para gente que ela pudesse consultar. Nós sugerimos soluções: aulas de datilografia e de direção, de língua e cursos de secretariado. Nós oferecemos a ela nomes de grupos de apoio, endereços para aulas de ioga. Muitos de nós enfrentamos os mesmos apuros quando chegamos aqui. Como nós, ela tinha passado os últimos anos do velho regime vivendo em sua mansão de mármore no norte do Teerã, fazendo compras na Hermes em Paris, comprando Gucci em Milão. Como nós, ela tinha fugido para o ocidente para se juntar aos parentes espalhados quando a Revolução começou, deixando para trás os banheiros de banheiras fundas, com os cisnes dourados para água quente e fria e lustres tilintantes. Mas, enquanto alguns de nós nos reuníamos e alguns de nós até nos recuperávamos de nossas perdas ou ao menos nos reconciliávamos com o fato de viver sem tanto, ela não fez nenhuma dessas coisas. Mesmo quando as projeções dos negócios do marido diminuíram e seu casamento se deteriorou, ela continuou a sonhar com a casa ideal da qual ela tinha aberto mão e nunca poderia bancar em Londres.

Em dois anos, ela se divorciou. Era inevitável, dissemos entre nós, dado que o canalha tinha casado com ela apenas pelo dinheiro. Vai tarde, nós dissemos a ela; você vai ficar melhor sem aquele sanguessuga. Ela fez o luto então, o que também era inevitável, dada a nossa propensão nacional de exagerar no luto em caso de perda ou morte. Mas quando ela também se encontrou desempregada, suicida e a ponto de virar uma sem-teto, não era nem um pouco inevitável. Nós ficamos em choque quando soubemos. Onde estava seu respeito próprio, seu orgulho? Uma mulher como aquela podia estar mal preparada para se sustentar, mas onde estavam seus parentes para se reunirem e protegê-la?

Ironicamente, isso foi a salvação dela no final. Se ela não estivesse tão desesperada para escapar do apartamento minúsculo em cima da lanchonete de kebab em Barnet, ela poderia nunca ter conquistado o que ela tem agora. Se ela não tivesse começado a visitar agentes imobiliários em Belgravia, muito bem vestida, para a consternação de sua família e amigos, se ela não tivesse começado a vagar por Eaton Place e Sloane Square obcecada pelas placas de "Vende-se", ela poderia nunca ter encontrado um emprego no ramo imobiliário. E ela aprendeu rápido uma vez que começou. Só precisava de poucas olhadas, só algumas visitas e estava apta a se distinguir da população russa e sauditas e gregas. Ela logo estabeleceu que não era do tipo compradora, mesmo que fosse do Oriente Médio. Ela estava mais interessada em vender do que em comprar.

Primeiro, ficamos em choque. Era um escândalo saber que ela tinha fingido comprar só para poder vender. Mas nós a julgamos menos severamente agora, sobretudo porque ela começou a se sair tão bem. Você tem que admitir, é preciso mais do que um mero incentivo para alcançar tal sucesso, dado o tipo de fofoca que estava circulando nas comunidades iranianas já que nós temos, reconhecidamente, uma inclinação a caluniar. É preciso mais do que estômago, até. Francamente, é preciso desespero. Ela com certeza teve sua cota disso.

Quando se trata de usar o sofrimento como estímulo, mulheres iranianas são incomparáveis. Você precisa reconhecer: elas são únicas a esse respeito. Quando não há razão para se preocupar, elas simplesmente imaginam desastres como um estímulo para sobreviver. Mas dê a elas um motivo concreto para angústia e elas poderiam construir uma civilização inteira, nem se fala de uma casa. Forneça a elas boas razões para ficarem melancólicas, e elas poderiam gerar energia nuclear a partir disso. Nossas senhoras são os ossos da nossa sociedade, nós podemos dizer isso sobre elas; o desespero delas se tornou nossa espinha dorsal, não há dúvida disso; é o verdadeiro bastião e pilar de nossas vidas desde que deixamos o Irã. Ora, onde a maioria de nós estaria não fossem suas misérias? O que poderíamos ter feito sem o tormento sofrido por nossas irmãs, nossas filhas e nossas esposas? Mulheres iranianas como esta têm uma capacidade assombrosa de reinvenção em situações extremas. Não demorou muito até ela começar a fazer todas as perguntas certas enquanto mostravam a ela propriedades de preços multimilionários em libras em Mayfair e Park Lane. Ela já tinha se graduado para além de cisnes dourados e banheiros que pareciam pistas de skate naquela época e queria saber sobre encanamento e o aquecedor, o estado das telhas no telhado; ela caçoava dos cassinos internos e das piscinas no porão e pedia informações detalhadas sobre o isolamento e os pisos aquecidos. Ela sabia exatamente como dinheiro velho e novos modismos poderiam ser combinados, especialmente quando visitava imóveis isentos de encargos em exclusivas ruas sem saída, a minutos de distância das residências de diversos condes e duques de Cadogan e Buckinghamshire. Os bambus que brotavam na extensão das escadarias de vidro eram orgânicos ou botânicos? A pintura era a variedade de melhor qualidade misturada à mão ou não? E alguém poderia garantir que os painéis solares não eram feitos com trabalho escravo em porões na China? Ela logo estava se recusando a ver casas que não tivessem recebido diversos prêmios ambientais e humanitários pelo design interior. Não demorou muito, os agentes que mostravam a ela, com crescente desespero, casas com grandes terraços em Sloane Square, Grosvernor Gardens e Regent's Park perceberam que ela tinha as mais altas qualificações possíveis para minar, senão destruir completamente, suas carreiras.

Foi aí que uma das melhores empresas ofereceu a ela um trabalho. Se não pode vencê-los, junte-se a eles, como os americanos dizem. Nesse caso, já que era um clube britânico privado, era mais: convide-os a se associarem, em certos termos de exclusividade. Eles não são estúpidos, essa gente. Eles reconhecem um talento quando veem. E sabem como explorá-lo também. Foi assim que construíram seu império e foi isso que a salvou, ironicamente. Foi isso que deu a ela filiação ao clube. Melhor vender imóveis do que o corpo, ela disse. E nós concordamos. Melhor do que possuir propriedades luxuosas, ao lado de todos os russos, sauditas e gregos, era viver disso indiretamente. Já que ela não poderia mais dar conta de fazer a primeira coisa, ela fez a segunda. E fez muito bem.

É claro, ela tinha que polir o sotaque bem como as unhas antes que pudesse aceitar o cargo; ela tinha que melhorar as sutilezas bem como as ondas do cabelo. Ela tinha que abreviar seu nome também e inventar um equivalente em inglês: o sucesso depende da assimilação bem como da classe neste país. Mas ela já possuía a maior qualificação de todas. Inveja. Ela sabia que seu tipo de clientela não precisava ser persuadido, mas esperava incentivos mais sólidos. Como cobiça. Não se interessavam por lábia, respondiam melhor a outros estímulos. Como ganância. E ela sabia exatamente como provocar essas reações. Ela os fez acreditar que ela era uma deles, que seu sangue era azul e sua nobreza tão verdadeira quanto a deles, porque seus instintos de investidora eram tão bons quanto. Ela fez isso os convencendo de que ela não queria vender a casa de jeito nenhum: ela queria a casa para si própria.

Sua performance era simples. Ela somente colocava propriedades em seu portfólio que estivessem de acordo com os seus próprios critérios de gosto. O melhor do mercado de luxo, é claro, e em milhões — adoráveis terraços neoclássicos em Eaton Square, construções Adelphi elegantes e prédios estilo georgiano perto da costa, mansões enormes em Mayfair —, ela recusava qualquer coisa abaixo da marca dos dois dígitos. Não havia alternativa para uma mulher com seus gostos que era movida pelos sonhos. Então, quando pressionada, quando repetidamente solicitada pelos clientes, ela enfim mostraria aquelas casas elegantes com sincera relutância. Ela apontaria os benefícios do design a contragosto, descreveria as vantagens da localização e da posição solar com má vontade evidente, identificaria as variedades de arbustos no jardim privado dos fundos, a adorável velha árvore no parque das redondezas, a vista espetacular de St. Paul ou Westminster com um ressentimento debilmente disfarçado. A fórmula era mágica.

Potenciais proprietários ficavam instantaneamente atraídos por sua avidez, estimulados por sua cobiça. Se a casa atendia suas necessidades ou não, eles a compravam porque sentiam o quanto ela a queria para si mesma.

As pessoas gastavam fundos fiduciários inteiros nos desarticulados desejos dela. Em menos de três anos, ela era a melhor vendedora da empresa. Da última vez que soubemos, ela estava vencendo prêmios e ganhando milhões em comissão. Aquele marido dela devia estar morrendo de inveja.

Ela se veste com o melhor que a Bond Street pode oferecer e nem precisa ir a Paris para ter seus Hermes agora ou esperar para comprar seus Guccis em Milão.

Mas ela mesma nunca comprou uma casa. Ela precisa continuar procurando.

Nós compreendemos.

Tapetes

Os tapetes tinham sido um mau presságio desde o início. O General costumava dizer que desde que uma garota tivesse tapetes, estaria tudo bem. Mas podíamos ver que aquele não era o caso assim que entramos pela porta. Onde ela os colocaria quando se mudasse desse lugar para o pequeno apartamento em cima do supermercado persa? Era sua única alternativa e seu único bem uma vez que a casa de Westwood estivesse vendida.

Tínhamos chegado sem avisar. Assim que soubemos, fomos para lá, oferecer apoio. Não se pode deixar uma garota passar por esse tipo de coisa sozinha, especialmente quando você conhece a família por tanto tempo. É claro, ela não estava completamente sozinha. Ela tinha a mãe. Nós estivemos perto por décadas, tínhamos amizade com o General e sua esposa muito antes dele vir para a Califórnia. Na verdade, a nossa visita era principalmente para dar as boas-vindas à sua mãe à cidade. Ela tinha chegado fazia algumas semanas e nós nos descuidamos, dissemos, em não ter vindo cumprimentá-la até agora. Tínhamos sido vizinhos há tempos, na mesma época no Irã. Ora, alguns de nós até estivemos presentes no casamento da filha. Nós sabíamos tudo sobre aqueles tapetes.

E no mesmo minuto em que pisamos na sala, os vimos enrolados na área do janelão: o desbotado celeste de Tabriz e o antes dourado de Caxã; os dois Balúchis vermelho-sangue sob o da Carmânia cor de marfim; o fino tapete de seda de Herat esmagado sob o peso daquele enorme, cheio de flores extravagantes de Isfahan. Havia algo de promíscuo neles, enrolados daquele jeito, alguma coisa obscena quase, no modo como estavam jogados um em cima do outro. Tinham sido empilhados num desajeitado monte no canto da sala, como crepes gigantes empoeirados, e seu filho estava plantado em uma das pontas flácidas do azul de Isfahan, jogando no celular.

Seu marido tinha prometido levar para limpar, ela nos contou, alegremente, nos apressando até a cozinha mais adiante. Outra das mentiras dele, supomos. A menos que fosse uma das dela. E sua mãe infelizmente estava fora, em visita, em San Diego, ela completou com um barulho de pratos na pia. Notamos que a louça do almoço ainda não tinha sido lavada, o lugar estava nojento. Uma lástima que Bibijan não esteja aqui para dar as boas-vindas a alguém de longa amizade; ela espera que voltemos quando do seu retorno, ela disse. Não gostaríamos de sentar?

Ela desaprovava a ausência da mãe, disse que precisávamos mesmo vir de novo. Ela deve ter mandado a velhinha para San Diego de propósito, pensamos. Teríamos feito o mesmo, se fôssemos ela; teríamos tido vergonha de receber amigos que veriam a casa em tal estado com nossa mãe por perto. Embora alguns digam que a mãe esteja ficando gagá e não notava mais essas coisas. Talvez seja por isso que ela a tenha mandado para San Diego; ela não queria que víssemos o quão senil a pobre velha tinha ficado. Seu filho estava obeso. Pensávamos que ela ficaria com vergonha de que as visitas o vissem também. Sua filha tinha o outro problema: não comia, era magra como um ancinho.

Não, com certeza não haveria espaço para aqueles enormes tapetes no apartamento em cima da loja persa. Seu marido tinha ficado com a casa, assim ouvimos, mas como ele pôde fazer isso e como ela pôde deixá-lo fazer isso, nos tempos em que vivemos, na América, nós não sabíamos. Mas é claro que teria sido igualmente ilógico lutar contra ele no processo do divórcio: nós não aprovamos esse tipo de coisa, sabe; não gostamos que nossas mulheres se comportem como essas americanas gananciosas. Ao menos, ela manteria sua dignidade, mesmo que perdesse a casa. Mas ela perderia a dignidade também, é claro, administrando a loja. Como é que alguém pode ser digno vendendo *shambeh lileh* fedorento? E o que ela iria fazer com a mãe naquele lugar minúsculo? Do jeito que estava, ela teria que espremer as crianças em um quarto. Mas eles certamente não concordariam em dividir o espaço com aqueles tapetes sufocando o ar, como prostitutas em decomposição.

Bem, apenas olhe para aqueles adoráveis tapetes, suspiramos. Nós sentimos pelo barulho que ela fazia preparando o chá que ela queria mudar de assunto, queria evitar a questão. Mas nós perguntamos de qualquer jeito. Para onde, nós inquirimos, eles iriam quando ela se mudasse?

Ah, ela respondeu brilhantemente, haveria sempre lugar na vida dela para tapetes.

Quem ela queria enganar?, pensamos, assistindo a ela se agitar com a chaleira. Ela pensava que éramos americanos para tentar puxar o nosso tapete persa? O de Caxã dourado mal cabia na sala da casa de Westwood, e o de Isfahan também era grande demais para qualquer lugar. Havia sido particularmente encomendado durante os dias do Xá, especialmente trançado para a grande mansão de mármore no Teerã da qual o General tinha fugido depois da Revolução. Quando chegou aqui, com suas rosetas vermelhas, suas palmetas azuis e suas guirlandas beges, eles tiveram que espremê-lo na saleta da tevê, com suas pontas enroladas contra a parede. Onde mais poderia ir? Mais tarde, mesmo quando eles trocaram o sofá e a tevê de lugar, nos últimos dias de seu pai, o tapete não poderia ser movido. Pode acreditar, a visão daquelas bulbosas rosas e salientes guirlandas, trepando incongruentemente pelas paredes de casa ao lado da cama de hospital, nos oprimia toda vez que visitávamos o velho. É claro, nós sempre visitávamos, até o amargo fim. É hábito fazer isso. Nós visitamos tempo suficiente para notar que sua mãe nunca vinha do Irã para cuidar do marido enfermo. Nós visitamos logo depois também e vimos que a irmã dela nunca foi ao funeral. Nós, iranianos, temos a natureza do cuidado; nós não deixamos as pessoas sozinhas em apuros. Ela estava fazendo o fuzuê normal por causa do chá, insistindo em cheesecake, chamando o filho para que largasse o jogo no celular e viesse para o "lanchinho", como ela mesma disse. A última coisa que o menino precisava era de um lanche, na nossa opinião. Talvez ela esperasse que nós não fôssemos falar sobre o divórcio com ele por perto. Ela tinha mesmo que perder peso também, pensamos, dando uma olhada nela enquanto recusávamos o bolo. Ela tinha se descuidado nos últimos meses. Já tínhamos notado o brilho do branco entre o preto das raízes de seu cabelo loiro. Ela estava envelhecendo mal, pensamos, acenando com a cabeça docemente enquanto ela falava sem parar. Como sua irmã, a artista decadente. Como sua mãe, que estava ficando gagá. Como seus tapetes.

O de Isfahan de tamanho exagerado tinha sido o último presente de pai para filha, o último dos tapetes que ele tinha enviado do Irã. O General tinha seus contatos especiais no mercado, pois ele tinha se dado melhor lá do que em qualquer outro campo de batalha; ele tinha prosperado em lucrativos monopólios sob o controle dos Aliados. Ele tinha subido para a patente de coronel sob o regime do velho Xá, mas lhe foi oferecido o título de General pelo novo, com a condição de que se aposentasse do exército, eles disseram, como uma concessão aos britânicos. E se provou vantajoso o bastante, pois ele se tornou um grande empreendedor no Irã dali em diante. Ele ainda vestia seu uniforme e suas medalhas para ir ao palácio, mas era só porque ele estava lidando com refrigerantes e meias de náilon para mulheres. Enfeitado até não poder mais e com sua mão esquerda no paletó, ele parecia a própria imagem do herói militar que estava emulando. Exceto que Napoleão nunca tinha lidado com pistache nem tinha o monopólio dos rádios da Telefunken. Nem era dono de metade da quantidade de tapetes que ele possuía.

Embora fosse muito solicitado, havia um específico vendedor de tapetes que o General tratava com indulgência. O camarada tinha uma pequena loja em um dos cantos menos frequentados do mercado, mas seu distinto cliente só tinha que apontar para um cor-de-rosa da Carmânia ou para o azul-piscina de um Tabriz, ele somente precisava dar uma olhada na direção de um Balúchi ou enrolar uma pontinha de um de Bucara, e o homem arrastava os tapetes para fora do corredor e os desenrolava, um por um, bloqueando a passagem em ambas as direções em benefício do General. Ele sabia que eram para a filha dele. Ela era a filha mais velha, a primeira a se casar, a primeira a deixar o Irã. E quando ela deu à luz o primeiro cidadão americano da família, o mercador foi o primeiro a saber. Pelo jeito que ele ficou em pé, mão apertada no coração, sem ar e suando, esperando pela decisão do General, você pensaria que os tapetes eram para sua própria filha.

Nós soubemos que os dois homens eram parentes distantes, por uma avó em comum. Suas famílias tinham se dividido por controvérsia religiosa há muito tempo, embora o General negue isso, é claro, e o vendedor de tapetes nunca tenha alegado nenhuma conexão. Ele era apenas grato pela preferência de compra, supomos, mas suas vendas ao General não eram sinecura. A compra final estava condicionada a toda a limpeza adicional e despesas com seguro, pelas quais o mercador, naturalmente, pagava. Depois que os tapetes estivessem enrolados em papeis de cera pesados e marrons, os custos de envio para a Califórnia tinham que ser incluídos no preço também. Ele também esperava que o homem se ocupasse com os impostos ainda por cima, a menos que fossem isentos, por meio de contatos do cliente na embaixada. Esse era o jeito do General até os últimos dias do Xá.

Nós lembramos das fofocas naquela época, os rumores. Eles diziam que o vendedor de tapetes estava indo à falência. Nós ficamos sabendo que a mulher do General era contra as compras do marido e tinha chamado aquilo de uma traição de princípios, exploração até, uma forma de escravidão. No fim, o General comprou a loja de tapetes e fez do dono seu empregado. Logo depois, aconteceu a Revolução e ele teve que fugir do Irã. Mas o vendedor de tapetes estava condenado, o pobre infeliz. Ele teve o pior dos dois lados. Ele foi punido, disseram, por associação com o antigo regime.

Agora, enrolados em suas próprias poeiras na sala de tevê, os rolos ofensivos pareciam provar uma outra traição, um outro tipo de exploração, e nós podíamos senti-la no jeito que a filha do General estava distraída quando nos ofereceu chá. Embora não quisesse discutir os tapetes, ela começou a falar sobre os custos da limpeza quando mencionamos o divórcio. E quanto custaria para que seus tapetes persas fossem limpos, nós sabíamos?, ela inquiriu. Onde nós recomendávamos que ela os levasse?

Nós não a lembramos de que seu marido era quem devia resolver esse problema. Não opinamos que aqueles tapetes deveriam ter sido limpos há anos. Nós evitamos dar a ela uma resposta direta. Nós dissemos que dependia de quem ou onde ou o quê. Nós dissemos a ela que avisaríamos. E nós a olhamos de soslaio enquanto ela servia o chá.

Como ela era jovem quando chegou à América, como uma noiva. Jovem demais para se casar, jovem demais para ficar grávida. O quão iluminados os tapetes pareciam e o quão cheio de mágica. Eles a tinham tornado uma princesa persa. "Eles são meu fundo de garantia", ela costumava rir para os amigos americanos. "São a minha aposentadoria quando eu ficar velha!".

Costumávamos rir com ela e deles ao mesmo tempo; nós também gostávamos de tirar sarro dos americanos. Imitávamos seus óóós e aaas perante o tumulto de medalhões e botões de rosa feitos com linhas sob os pés; nós zombamos de sua crença ingênua de que os tapetes dela eram antiguidades. Era perfeitamente mentira, é claro, mas esses *farangis* não sabiam de nada. Além disso, fingir a riqueza que ela costumava ter era a única maneira de se manter em Westwood. Nós entendíamos aquilo. A América era boa desde que você tivesse dinheiro para gastar nela. Ela era convidada para chás de bebê e festas de mulheres pela força de seus tapetes. Ela até tinha posto um na cozinha.

E lá estava o trapo de Bucara. Estremecemos de leve ao avistar o naco vermelho sob nossos pés, coberto de manchas de chá, óleo derramado, iogurte. Seu pai costumava dizer que uma garota nunca passaria fome enquanto tivesse tapetes sob os pés. Francamente, não faria mal nem a ela nem ao filho passar um pouco de fome. Mas sim, nós concordávamos, uma garota precisava de tapetes. O que poderia ser mais importante depois da queda do regime, ante um divórcio impeditivo, do que tapetes? Eles eram a prova de sua identidade, que todo aquele cabelo loiro, aquela plástica no nariz e sua parcimônia de vocabulário persa tinham erodido desde que ela tinha deixado o Irã. Eles simbolizavam seu passado, eles protegiam seu futuro.

O vendedor de tapetes tinha provavelmente concordado com o General também, de todo o coração. Valia mais isso do que questionar, que dirá barganhar com tão importante cliente. Mas, para ser honesto, nós ainda pensamos que um tapete de cozinha era uma ideia meio boba. Esse que ela não tinha enrolado para mandar limpar; já estava acabado demais.

Quanto o General tinha pago por eles na época?, perguntamos. Ela não sabia dizer. Ela olhou para o relógio. Seu filho ainda estava comendo. Sua filha estava atrasada da escola. Ela estava provavelmente pensando no quanto mais nós ficaríamos por ali sem a mãe dela, mas como poderíamos abandoná-la em tal estado? Nós estivemos no casamento, afinal, então era mais do que apropriado que estivéssemos por perto no divórcio.

O quão zeloso tinha sido o velho ao demonstrar sua sagacidade nos negócios ao noivo educado no ocidente naquele dia, o quão determinado ele estava para provar que ele sabia uma coisa ou outra sobre economia, mesmo que não tivesse estudado em Londres. Ele tinha se vangloriado sobre quanto ele tinha pagado pelos tapetes. Era uma quantia risível, um sinal de seu astuto tino para os negócios, sua esperta habilidade de barganha.

"Mas quando uma garota tem seus tapetes, ela precisa de uma casa para pô-los, não precisa?", ele tinha concluído, virando o brilho de seus caninos para o novo genro.

Nós lembrávamos daquele momento; reconhecíamos o suborno. Nós adivinhamos que o noivo havia sido comprado, tinha se casado para não ter que trabalhar. O General providenciou a casa em Westwood também; era parte do contrato de casamento. Tapetes para ela, casa para ele. A menos que seu marido estivesse mentindo. Nós não nos surpreenderíamos se ele fizesse algo ruim. O telefone tocou e ela pulou em pé. Para a filha. Onde você está? Aula de direção? Quanto tempo? Então nos levantamos para ir embora. Aquelas crianças dariam trabalho. Já davam trabalho. Com certeza não seria fácil para ela num apartamento minúsculo em cima do supermercado. Longe de ter os tapetes limpos, ela teria que pagar para se livrar deles agora, depois de jurar que preferia morrer a vendê-los durante todos esses anos. Talvez ela pudesse leiloá-los? Sabíamos que ela estava precisando de dinheiro. Eles bem disseram que ela estava tentando contrabandear dinheiro do Irã. Bem, ela não seria a primeira a fazer isso. Eles falaram mesmo sobre algum negócio que tinha sido feito para conseguir fundos no nome da mãe. A sacanagem comum.

Quando o pai dela chegou à Califórnia, mal barbeado, só pele e osso com uma cara cor de giz, ela não poderia tê-lo questionado sobre dinheiro. Mas quando os tapetes enormes de Isfahan rolaram em sua porta, meses depois da crise dos reféns, nós ouvimos que ela tinha perdido a cabeça com o homem moribundo. Ela estava furiosa de ter que pagar ultrajantes taxas de alfândega por eles.

Como ele tinha conseguido pagar para enviar para fora do país uma coisa a qual ela não tinha o menor desejo de possuir naquele momento?, ela perguntou. E por que diabos ele tinha pagado pelos custos de empacotamento e transporte, quando ele podia ter trazido dinheiro com ele ao invés disso?

Seu pai disse a ela que ele tinha um negócio especial com o vendedor no mercado no Teerã. "Foi tudo ele que fez", ele disse azedo e então amaldiçoou o camarada. "E pensar que eu dei a ele um bom negócio por todos esses anos", ele completou, amargo.

Não muito tempo depois, nós soubemos do incêndio no mercado. O vendedor e todas suas mercadorias tinham virado fumaça. Incêndio criminoso, alguns disseram. O braço longo do Grande Satã, outros disseram. Mas talvez os tapetes tenham enfim tido sua vingança.

Quando estávamos dando tchau, nós repetimos o elogio e desejamos o melhor à mãe dela. Nós dissemos que viríamos assim que ela voltasse de San Diego. E murmuramos que, quanto aos tapetes, ela provavelmente não conseguiria nada a não ser fofocas na comunidade iraniana se tentasse leiloá-los. Mas talvez nós pudéssemos mandar limpá-los, se o preço de venda fosse razoável?

Diga o que quiser, mas nós persas sabemos o significado da amizade. Nós permanecemos juntos. É parte da nossa cultura nos reunirmos quando as coisas estão difíceis.

Economia

Você não sabe em quem ou no que acreditar hoje em dia. As fofocas mais ultrajantes circulam por aí. Dizem que o tráfego está pior do que no centro de Los Angeles. Dizem que o sistema de metrô é melhor do que em Moscou. Dizem que há mais mulheres do que homens se graduando em universidades, mais médicas do que médicos, mais operações de mudança de sexo no Teerã do que botox em Beverly Hills, e mais bebidas alcoólicas fortes sendo engolidas em festas particulares do que sendo vendidas nos mercados das capitais do mundo ocidental. Também dizem que há tantas pessoas condenadas por suas opiniões dentro das prisões quanto as que estão andando por aí impunemente, livres para serem mortas pelo crescente número de carros nas ruas. Então o que é verdade e o que não é?

E tudo bem que ninguém tenha mesmo certeza. Nós somos um povo que não desperdiça o dinheiro que não podemos ganhar. Houve um tempo que a mera menção de Roosevelt, Stalin e Churchill assegurava um faturamento grande, quando teorias da conspiração sobre Mossadegh estavam em alta. Nós acreditávamos em qualquer coisa naqueles tempos. Nós comprávamos a ideia de que os russos estavam nos espionando de Sputniks, sem parar para pensar no porquê. Nós promovíamos suspeitas sobre os britânicos em Suez, sobre os americanos em Ahvaz, sem checar os fundos dos nossos próprios bolsos. Mais tarde, amplificamos rumores sobre o serviço secreto da Savak, mas convenientemente ignoramos o crescente poder do establishment religioso. A articulação de uma ideia era o suficiente para subir seu preço no mercado, mas não questionávamos o valor da informação que talvez estivéssemos suprimindo.

No fim, era tudo sobre a economia. Quando há tempo suficiente para ceticismo, por que não ceder? Mas, se custar demais investigar tudo, então a confiança faz mais sentido, comercialmente falando. É bem simples e mais barato. Contanto que a ingenuidade fosse a moeda corrente, nós comprávamos e vendíamos o falso junto com o real e ainda dávamos um jeito de manter as despesas gerais baixas. Parecia uma boa prática de negócios na época. Mas, quando acabamos acreditando que havia uma módica quantia de verdade no que as pessoas diziam, nós ficamos para trás com todo mundo e ludibriamos a nós mesmos na barganha.

Então a falência nos deu cautela. Desde a queda no índice de credibilidade, nos forçaram a nos tornarmos moralmente desconfiantes, mas só por razões financeiras. Nós entendemos agora que segurança é insustentável, um investimento arriscado no mercado internacional bem como no doméstico. E já que a confiança se provou ser a mais duvidosa de todas as moedas, nós não acreditamos em nada mais. Tendo sacrificado tudo pela confiança em negócios prévios — filhos, filhas, credibilidade internacional, respeito próprio —, nós investimos sob suspeita agora, nós negociamos com ceticismo. E nós descobrimos que a ambiguidade vale a pena.

Persas sempre favoreceram a ofuscação. Nós preferimos a evasão à sinceridade, as metáforas aos fatos; nós evitamos a face real da verdade e preferimos mantê-la velada. Mas nunca tínhamos nos dado conta de que fazer isso tinha um enorme potencial para negócios. Embora lidássemos com paradoxos e ironias bem como com tapetes e pistaches por décadas, nós nunca soubemos que poderíamos fazer dinheiro com equívocos. Isso se provou uma fonte mais rentável do que petróleo. A opacidade é muito mais estável do que a veracidade, em última análise; é menos caro produzir e mais fácil exportar do que a perecível verdade. E já que a taxa de câmbio nesse tipo de comércio é bem baixa e as despesas iniciais insignificantes, nós podemos manter altos índices de lucro e cobrir nossas perdas. Contradições, que são coisas naturais da nossa cultura, transformaram nossa economia.

É por isso que capitalizamos com fofocas agora, tiramos vantagens dos rumores. O faturamento é sempre alto. Todos amam histórias, especialmente de mistérios, e o Irã tem um potencial promissor quanto a isso, porque a inconsistência é inerente à nossa personalidade nacional e nossos suprimentos de prevaricação são infinitos. Como as várias décadas passadas têm provado, nós temos abundantes reservas de evasão só esperando para serem canalizadas e descobrimos que a incerteza pode alimentar assim como estimular um mercado emergente.

O truque é se certificar de que ninguém saiba exatamente o que é verdade e o que não é. Desde que não haja estatística concreta para provar que o tráfego no Teerã é pior do que no centro de Los Angeles ou que o sistema de metrô é realmente melhor do que em Moscou, nós podemos manter todas as opções em circulação. Contanto que o número real de plásticas no nariz e operações de mudança de sexo não seja especificado em nenhum momento, ou que o número preciso de votos para a campanha presidencial seja incerto em todas as circunstâncias, ou que a porcentagem exata de ações que a Guarda Revolucionária possui nas importações de uísque ou na indústria da energia nuclear seja indeterminada e que as datas para o colapso iminente do governo ainda estejam indefinidas, ou quem precisamente são nossos aliados ou inimigos permanentes, quem contamos como fiéis ou quem são exatamente os hereges, nós podemos manter todas as possibilidades abertas. Nós podemos evitar situações embaraçosas de inconsistência ou oportunismo político. Na verdade, a saúde da nossa economia, a estabilidade de nossa moeda, a segurança do nosso sistema financeiro está baseada na pergunta de um milhão, que está acumulando juros a cada dia, notadamente: quantas pessoas no nosso país evitam acreditar em qualquer coisa que seja hoje em dia por medo de ser preso por causa disso?

Se nós pudermos manter todos tentando adivinhar por tempo o bastante, podemos nos tornar uma das mais fortes economias no mundo. Se mantivermos o faturamento da incerteza alto, nós poderemos nos tornar verdadeiros bilionários com base em revolver versões da realidade. Tendo falhado na exportação da nossa marca de fé no passado, nós poderíamos controlar o mercado de ações de dúvidas dentro de poucos anos, e possivelmente socorrer o Euro, se preciso fosse.

Cabeleireira

É uma mulher simpática, a cabeleireira de Erevan. Nós sentimos que ela compartilha dos nossos valores culturais, mesmo que ela seja cristã. Jovem e bonita, com uma cara aberta e um sorriso acolhedor, ela nos faz querer manter nossos horários com ela. Ela nos faz vir com frequência, mesmo que se seja inconvenientemente longe de casa. Nós chegamos mais cedo do que o necessário às vezes, só para poder papear com ela. Ela parece da família.

Há muitos armênios no Irã também, confessamos a ela. Então lembramos que aquele era o tempo verbal errado. Fazia tempo que não estávamos no Irã. Fazia décadas, na verdade. A maioria da nossa família estava espalhada pelos cinco continentes depois da Revolução. Como os judeus. Como os cristãos. Talvez todos os armênios tenham deixado o Irã agora. O que sabemos disso? Nós ficamos longe dos círculos iranianos para evitar saber das fofocas, para evadir perguntas sobre a nossa filha. Ah! Ela conhecia outros iranianos aqui também, a cabeleireira armênia nos disse. Tem uma mulher que vem regularmente. Você precisa conhecê--la, ela nos diz contente, ignorando nosso desânimo. Compatriotas! Ela vibra. Em Perth. Imagina só! Particularmente, não gostamos de imaginar. Desde que nos estabelecemos na Austrália, nós temos desviado nossos caminhos para não encontrar nossos compatriotas. Nós francamente não confiamos naqueles que deixaram o Irã depois da Revolução. Metade deles são monarquistas, vivendo a fantasia da restauração. A outra metade é provavelmente de espiões, subversivos da quinta coluna, cristãos, Bahi'is, pagos pelo governo atual. Estávamos por aqui de iranianos. Talvez não devêssemos confiar nessa cabeleireira armênia também. Ela poderia ser um de seus informantes.

Estamos um pouco desapontadas. Tentávamos encontrar uma cabeleireira longe do Centro Cultural Iraniano só para fugir dos encrenqueiros, dos arruaceiros, dos agitadores políticos, e aqui está ela, já requisitada por uma. Nós nos retiramos para nossa solidão, nos concentramos no cabelo, demos a ela instruções sobre o que deveria fazer. Sofremos com muita frequência nas mãos de cabeleireiros.

A cabeleireira armênia recentemente comprou essa casa meio feia nos subúrbios com o marido dela, que é encanador. Ele está supervisionando a reforma para que ela possa usar a sala de estar como salão de beleza. Vai ser elegante e moderno, ela nos diz contente; vai ser chique e todas as cadeiras vão ser novas. Ela vai ter alguma decoração sofisticada também. O marido está fazendo o trabalho para ela com alguns amigos. Mas ele já fez uma bagunça com os canos na cozinha dos fundos, ela completa, fazendo uma careta bonitinha. Ficamos satisfeitas que ela nos tenha como confidente.

É porque você é como um membro da minha família, quase, ela completa, com um sorriso derretendo. Quase, porque ela está pensando na mãe, presumivelmente. Da primeira vez que viemos para cortar o cabelo, ela nos contou sobre sua mãe recentemente falecida. Não somos a mãe dela; não somos sua tia ou irmã nem avó. Embora nós não tenhamos certeza sobre a parte recentemente falecida, que talvez nós possamos ser. Mas nos sentimos um pouco maternais com ela; temos sentimentos maternais sobrando, especialmente depois do que aconteceu com a nossa filha. Nós imaginamos se a outra iraniana também tem.

Isso seria bem típico, achamos, nos sentirmos insensatamente chateadas muito de repente, embora possa ter alguma coisa a ver com o fato de que a cabeleireira armênia esteja empunhando aquelas coisas com navalhas nojentas que elas usam para raspar a nuca. Por favor, não use isso, dizemos, abruptamente; não gostamos de navalhas. Também gostaríamos de alertá-la sobre essa mulher iraniana. Gostaríamos de dizer a ela que é um hábito persa bem tipicamente intrusivo, minhocar o caminho até a confiança de alguém, assumindo um tom familiar, um papel maternal. Ela devia tomar cuidado.

Ela mesma é uma boa mãe, até onde podemos dizer. Os sinos tocam de felicidade quando o seu mais novo trota de volta da escola. Agora diga oi para as senhoras, ela diz a ele, fingindo afetuosamente ser severa. Mas nós sabemos que ele sabe que ela quer que acreditemos o quanto ela o idolatra. Ela o adora. Mas ela tem que ser dura para que a criança não fique mimada. Ele tem por volta de dez anos. É assim que ela trata o marido também, provavelmente. Depois que o menino sorri seus cumprimentos, ela o manda para os fundos para lavar as mãos e, antes de ir fazer o dever de casa, comer a galinha que ela preparou. Nós podemos sentir o cheiro dos temperos que ela usou em sua cozinha nos fundos; eles se misturam bem com o xampu. É um tipo de lugar bem caseiro o dessa cabeleireira, nessa parte suburbana da cidade.

Como você faz a galinha, perguntamos, e ela de pronto compartilha a receita. É bem parecida com as nossas receitas de galinha, que nós naturalmente também damos a ela de imediato. Nós somos gratas por saber que a outra mulher iraniana não fez isso. Ainda. Ela não comentou, como nós fizemos, sobre o cheiro delicioso da galinha. Isso nos faz diferente, mais armênia, menos iraniana. A cumplicidade é restaurada entre nós: antropologicamente falando, nós repartimos o pão juntas. Um tipo de comunhão.

A maioria das outras clientes da cabeleireira são locais. Ela tem poucos cortes estrangeiros, exceto presumivelmente aquele da outra iraniana. Os montes de tufos grisalhos e castanhos e loiros que ela varre do chão pertencem a donas de casa que podem ter sido em algum momento gregas e libanesas ou mesmo sírias e chinesas, mas agora são todas definitivamente australianas. A nova decoração elegante na parede, de fotos em preto e branco de garotas em tamanho real nos encarando através de cabelos escovados e jovens rapazes nos espiando entre cachos oleosos é sem dúvida para atrair adolescentes australianas também, embora, verdade seja dita, não temos visto muitas pessoas jovens nesta parte da cidade. Apesar do revestimento cor-de-rosa e laranja por toda a parte, os modos da cabeleireira fazem mais o gosto da clientela idosa, como nós, mesmo que não sejamos tecnicamente australianas.

Nós somos calorosas com ela. Nós desejamos que nossa filha tivesse sido como ela, mais normal, menos — como podemos dizer isso? — diferente. Ela está sempre sorrindo e flutuando por aí, oferecendo café e revistas. É só com o marido que ela fica zangada.

Ah, ele não tem jeito, ela faz careta, passa a tesoura forte. Homens são todos preguiçosos. São, nos perguntamos? Nós realmente gostaríamos que ela não passasse a tesoura tão perto. Ficamos nervosas quando ela passa assim perto demais. O marido dela é bonito e, para nós, não parece de modo algum que não tem mais jeito. Nós o conhecemos um dia, colocando um novo vaso sanitário na salinha dos fundos. Ele estava coberto de poeira da cabeça aos pés, suando muito, mas não parecia particularmente preguiçoso. Nós pedimos que ela não faça aquela coisa frisada com a tesoura, por favor. Nós podemos sentir que ela está zangada e começamos a nos sentir assim também.

Ele e seus amigos estúpidos, a cabeleireira fez um bico, eles nunca terminam o trabalho, tem sempre mais alguma coisa, sempre uma outra coisa que ainda não funciona, sempre tem erros, e aqui estou, perdendo clientes na bagunça que ele faz.

Mas não parece que ela esteja perdendo qualquer coisa; o lugar está cheio de clientes, muito mais, na verdade, do que da outra vez em que viemos, há diversas pessoas na minha frente. Ela parece distraída, mal organizada; ela nos deixa esperando mais do que gostaríamos, lendo revistas estúpidas. Isso é irritante. Ela não está nos dando valor, presumindo que temos tanta familiaridade? É assim que ela trata a outra iraniana? Ou é porque ela teve outra briga com o marido? Nós a ouvimos gritar com ele às vezes.

Mas talvez esse rancor público seja para mostrar ao mundo o quanto seu marido a ama. Ele está disposto a aguentar muita coisa por ela: ele fez toda essa reforma; ele colocou o vaso sanitário sozinho. Tudo para ela. Mas é a vez dele de fazer cara feia da próxima vez que chegamos para cortar o cabelo. Ele não responde quando o cumprimentamos e nos despreza enquanto passa batendo os pés com o material de construção. Talvez nós tenhamos expressado simpatia desnecessária. Talvez a outra iraniana seja amigável em demasia também e ele esteja cansado disso. Ele claramente não vê razão para nos tratar como parte da família. Ele machucou as costas agora e não pode mais continuar, nossa cabeleireira esbraveja. Quando ela faz careta, seu bonito rosto escurece, ela fica velha. Ela passa a tesoura com mais força, mais perto. Há quanto tempo esses dois estão casados, nós imaginamos. Quantos anos ela tem mesmo? Talvez todo esse mau humor seja por causa da pré-menopausa. Nós ficamos preocupadas com ela, mas decidimos não tocar no assunto. Não agora. Não enquanto ela tem a tesoura na mão. Mas nós podemos bem imaginar a outra iraniana dizendo alguma coisa meio presunçosa como aquilo para ela, alguma coisa pessoal demais. É por isso que o marido mal nos cumprimenta. Ele provavelmente acha que todas as iranianas são iguais. Desagradáveis. Intrusivas. E quem pode culpá-lo?

Um dia, enfim conhecemos nossa compatriota. Ela não tem hora marcada, mas veio só para bater um papo porque ela gosta muito da armênia. Como nós. Ela mora na mesma vizinhança que a armênia. Nós não. Ela vem com frequência, mas nós nunca nos encontramos até agora, por coincidência. Que sorte! Imagina só! Ela está aqui desde a Revolução. E nós? Nós nos esquivamos das perguntas, nós evitamos responder. Ela pega o sinal imediatamente e recua, se esconde sob fofocas.

Mulher querida, ela murmura para nós em confidência,

com um olhar e uma balançada de cabeça e um sorriso totalmente falso para a cabeleireira, que vai e volta sob os garotos e garotas em preto e branco com seus batons cor-de-rosa ou laranjas olhando para baixo da parede do que era antes uma sala de estar suburbana. Família decente, mas tipicamente armênia. Bons trabalhadores, essa gente, mas ambiciosos demais. Seu marido se esmerou até gastar os dedos para deixar o lugar pronto, mas ela nunca está satisfeita. É a casa dele também, afinal de contas, que ela tomou conta.

A iraniana que mora do outro lado da rua fala e fala, comparando armênios e iranianos, nós e eles. Eles são mais trabalhadores, mas nós somos mais inteligentes; eles são mais ambiciosos, mas nós somos mais talentosos; eles fazem banheiros e nós miramos na educação superior. Eles mais insatisfeitos. E ela provavelmente acha, já que fomos cautelosos em responder, que nós trabalhamos para o governo ou algo assim; ela provavelmente acha que somos traidores da quinta coluna. Nós nos sentimos traidoras ouvindo-a fofocar.

Ah! Eu estava esperando que vocês duas se conhecessem há tempos, a cabeleireira se anima, quando ela enfim chega onde nós estamos conversando sob as moças arrepiadas e os rapazes lambuzados. Como se a situação não fosse estranha o suficiente. Como se não estivéssemos falando dela pelas costas e em sua própria casa. De algum modo, tudo tinha mudado na presença da compatriota. Não confiamos nas confidências dessa mulher iraniana. Não. A palavra certa é difamação. Não confiamos nas calúnias da nossa compatriota.

Depois daquele encontro, nós evitamos ir à nossa cabeleireira suburbana por algum tempo. Não queremos dar de cara com a outra iraniana de novo. Uma vez que os cumprimentos iniciais e a fofoca terminaram, ela se mostrou inquisitiva. Muito desagradável. Ela ficou perguntando coisas para nós: de onde viemos? E quem são nossos parentes? Onde? Conhecemos tal e tal que eram vizinhos do General e da sua mulher, no Teerã, tantos anos atrás. Quando nós chegamos aqui na Austrália? E se moramos com alguém agora? Sem filhos?

Quando nós inquirimos brevemente algo sobre ela, descobrimos que ela é a tia de alguém que nossa filha uma vez conheceu e que é parente por casamento de membros da família com os quais não temos mais contato desde que eles fugiram do Irã para se estabelecerem em Paris e Los Angeles. Ah, mas nós precisamos nos reunir e ter uma conversa de verdade, ela insiste; você tem que ir me visitar da próxima vez e me contar tudo sobre a sua filha. Nós não podemos pensar em algo pior.

Ela também se mostra ser a única iraniana na cidade que está qualificada para fazer a tradução juramentada de todos os documentos persas oficiais. É assim que ela tem ganhado a vida todos esses anos desde a Revolução. Tradutora juramentada oficial do persa. Nós nos damos conta de que, se um dia quisermos nossas certidões de nascimento, nossas certidões de casamento e nossos documentos do divórcio traduzidos, é melhor irmos a outro lugar. Talvez tivéssemos que deixar Perth de uma vez. Não queremos que ela meta o nariz nas nossas coisas particulares. Nós não a queremos perguntando sobre nossa filha e suas crenças.

Quando por fim voltamos à cabeleireira armênia, alguns meses depois, foi ela quem fez a fofoqueira. Ela nos conta sobre nossa compatriota. Que ela é divorciada. Que ela tem trabalhado demais e sacrificou tudo para criar sua única filha. Que a filha ficou completamente maluca. Como aquela mulher sofreu com a filha, a cabeleireira nos conta. Drogas e anorexia. Tentou tirar a própria vida no ano passado, sabe. Vocês e sua gente também não podem aceitar esse tipo de comportamento de seus filhos, podem? Vocês são como nós. Mesmo que tenhamos religiões diferentes, nós compartilhamos os mesmos valores, ela concluiu, inepta.

Ela dispersa. É um desejo, não uma afirmação dessa vez, porque passamos de chorar o luto por mães mortas para nos angustiarmos com filhas que estão muito vivas, filhas que têm que ser como nós, mas têm valores diferentes. Pois eis que a filha dela vai à discoteca todas as noites, sai com garotos bobos todo o tempo e não está se dedicando o suficiente na escola. Aquela garota não tem moral, ela nos diz, sua face endurecendo como quando ela se refere ao marido. Diferente de seu filho pequeno, que ainda não pode fazer nada errado, mesmo que ele tenha quase onze anos agora, a filha adolescente da cabeleireira é uma fonte de preocupações permanente. Ela é uma vagabunda, uma esbanjadora. Aquela garota vai tomar bomba nos exames, ela profetiza, fazendo careta para o espelho. Então, amargamente: "Se ela não estudar direito, vai acabar cortando cabelo como a mãe". Paramos de ir à cabeleireira armênia depois daquilo. O subúrbio onde ela mora é muito longe e inconveniente para nós. E ela fala demais e não ouve o que queremos. Da última vez que fomos, ela fez uma verdadeira bagunça no nosso cabelo e levou uma eternidade para ele crescer. E o cheiro de galinha frita pairando da cozinha nos fundos da loja é francamente enjoativo depois de um tempo. E mais, o gurizinho é um pentelho, bem honestamente, o marido faz com que nos sentimos intrusas, e não queremos conhecer a filha. Quando cabeleireiras ficam muito próximas, quando nós começamos a saber demais sobre elas e no que acreditam, fica muito difícil. Ela deve ser de Erevan, mas nós poderíamos pensar que ela era uma iraniana pelo jeito que levava as coisas. E nós com certeza não queremos trombar com nossa compatriota intrometida em sua casa de novo. Umas semanas atrás, nós trombamos com ela na rua, no meio da cidade.

Você sabia que eles estão se divorciando, ela diz para nós em persa, falando sobre a cabeleireira daquele jeito confessional irritante, como se nos conhecesse há anos.

Nos sentimos presas. Nós queremos fugir. Não queremos falar com iranianas sobre armênias. Nós não temos nada em comum com nenhuma delas. E nós não temos desejo algum de ouvir sobre as profecias cumpridas. Já chega delas.

Aquela mulher boba enfim perdeu o marido bem como eu disse que ela ia perder, nossa compatriota continua. Ela reclamou tanto com ele que ele se divorciou dela. Que pena. Ela vai se arrepender, sabe. Ela nunca vai encontrar outro como ele, bonito, trabalhador, disposto a enfiar a cabeça num vaso sanitário por ela. Essas pessoas não se divorciam tão fácil. Elas são como nós, mesmo cristãs. Não gostam de ficar sozinhas.

E podemos dizer, pelo jeito que essa iraniana se agarra em

nós e continua nos convidando para chá e implorando nossa visita, que ela é tão sozinha quanto nós, bem solitária. E podemos adivinhar que ela preferiria que sua filha tivesse voltado para o Irã, e tivesse sido presa por tentar fazer funcionar uma universidade clandestina, e tivesse sido presa por suas opiniões, como a nossa tinha feito, do que ser livre para se matar com drogas, como a dela faz.

Nós temos vergonha de dar um chega para lá nela. Temos vergonha de condenar nossa própria filha. Mas nós não temos desejo algum de conversar sobre o assunto. Nenhum.

Telefonema

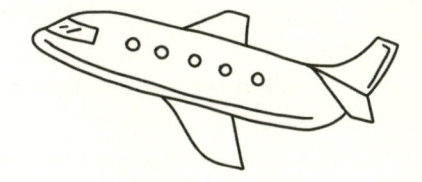

Quando Bibijan disse que ela iria a Paris antes do que o esperado, Delli teve certeza de que era culpa sua. Seu irmão disse que era porque ele se recusava a falar farsi e preferia Big Macs a *khoresh*. Sua mãe disse que era por causa da mudança e da venda. Mas Delli suspeitava que sua avó tinha visto suas calcinhas pretas na lavanderia e concluído que ela tivesse perdido a virgindade. Bibijan estava partindo por desgosto.

Sua mãe não tinha mencionado a calcinha preta quando ela falava com seus amigos americanos sobre a partida prematura. Delli se certificou de que ela não o fizesse e ficou orbitando a cozinha enquanto eles visitavam. Ela odiava estar na cozinha. Ela odiava o jeito com que sua mãe ficava para sempre esvaziando a lava-louças só para enchê-la novamente, enchendo os pratos com bolos só para ter que esvaziá-los de novo. Ela odiava seus amigos sentimentais. Mas uma garota precisa manter o orgulho; ela tinha que ficar com eles e garantir que sua mãe não dissesse algo estúpido sobre sua virgindade para os amigos.

Ela não disse dessa vez. Mas Delli não podia impedi-la de dizer coisas estúpidas sobre Bibijan. Ela desejou que pudesse proteger seu pequeno punhado de avó das mentiras de sua mãe. Sim, a velhinha voltaria a Paris mais cedo do que o planejado por causa do divórcio, Goli estava dizendo a eles, naquele jeito pesado e ofegante que ela tinha toda vez que sua mãe era mencionada. Sim, ela sentiria sua falta terrivelmente, é claro. Como ela sentiria saudade. Como ela desejava que pudesse ficar mais. Em especial nessa hora difícil, ela completou antes de empilhar a louça suja na lava-louças pela enésima vez. Mas já era difícil demais ter que lidar com os advogados do divórcio e agentes imobiliários e a empresa de mudança sem se preocupar com uma pessoa mais velha, ela contou a eles, endireitando as costas ainda com outro suspiro, enquanto botava a máquina para funcionar. A velha lava-louças deu uma tossida e soluçou com uma sacudida e então seu murmúrio preencheu a cozinha com compaixão e consternação.

Seus amigos americanos todos concordaram com ela, é claro; eles sempre concordavam, eles sempre tinham compaixão, embora nunca fizessem nada de realmente efetivo. Ela estava bem certa, eles disseram. Sem dúvida. Não dá para você cuidar de alguém a não ser Você neste momento, eles disseram, sabiamente. Você tem que se preocupar com Você, eles disseram, com sorrisos filtrados. Você é importante, eles acenaram com a cabeça. O que Delli pensou ser um monte de Você Sabe o Quê.

Sua mãe enviou uma mensagem de texto para Lili naquela mesma noite, pedindo a ela que comprasse a passagem para que Fatty fosse a Paris de imediato. Delli sabia que isso causaria problemas. Sua tia ficaria furiosa ao saber que Fatty apareceria em sua porta antes do tempo previsto; ela ficaria absolutamente furiosa ao saber que Bibijan também estaria sendo enviada de volta três meses antes do combinado. Não ser mandada de volta exatamente, porque Goli insistiu que Bibijan ia por sua própria vontade. Mas não, porque ela provavelmente estava tão em choque com as calcinhas que não teve escolha; Delli estava certa de que era sua culpa. Ela ficou com vergonha. Ou era culpa sua ou do pai.

Delli sabia que sua tia não gostava muito do pai. Se a partida de Bibi tinha algo a ver com ele, Lili certamente teria algo a dizer. Ela em geral tinha muito a dizer sobre Bahman, que sua mãe insistia chamar de "Baba" para o seu desgosto. Seus amigos o chamavam de "Batman", o que era marginalmente pior. Primeiro foi uma piada, porque nunca acertavam a pronúncia. "Não é 'Baa-man'", ela corrigia, quando eles saíam com um "a" longo como se fossem ovelhas. "É Bah-man, como Batman, mas com um 'ha' no meio". Foi o que bastou. Eles pararam de balir como ovelhas e o transformaram em um super-herói. Delli tinha bem gostado da ideia até que ela ouviu a observação da tia, meio lacônica, de que ele era gordo demais para voar. Então, quando o telefone começou a tocar naquele dia, ela se contraiu com medo do que sua Khaleh Lili pudesse dizer dessa vez. Ela tinha uma lâmina no lugar da língua.

Era o treinamento da tia em métodos diabólicos, Goli disse, na universidade em Paris, na França; foi assim que Lili ficou tão crítica. Ela tinha ido para algum colégio especial que Goli chamava de "Ciência em Pó", embora até onde Delli soubesse, Lili estudava sociologia e não arqueologia. Mas ela estava sem dúvida bem-dotada de garras e sabia exatamente quem arranhar e onde doía mais. Ela nunca telefonava do próprio celular porque era muito caro. Ela enviava à irmã mensagens bem ácidas, exceto quando era importante. Aí, ela ligava do fixo, que ninguém usava exceto vendedores, por volta do horário da janta, mas — Delli deu uma olhada para o relógio do DVD — dessa vez era à tarde. Ela tinha recém acordado, depois de ter ficado assistindo filmes de vampiro até as três da manhã, e agora eram três da tarde na Califórnia e meia-noite da Europa. Lili estava enfurecida. Deli imaginou que a chegada de Bibijan e a ida de Fatty a Paris eram mega importantes para sua tia.

Ela estava sentada no sofá de couro na sala de tevê, pintando as unhas dos pés com esmalte preto, quando o telefone do corredor tocou. Delli gostava de esmalte preto nas unhas dos pés porque parecia descolado com suas sandálias, e ela queria parecer descolada porque ia fazer a carteira de motorista assim que completasse dezesseis anos. Sua mãe ficaria furiosa se soubesse, por causa do tapete branco, mas Delli não estava nem perto do tapete branco. Além disso, o sofá era feito de couro preto falso. De todo modo, ela estava sendo ultra cuidadosa e tinha uma caixa inteira de lenços bem ao lado dela, mas, quando o telefone tocou, sua mão balançou um pouco, e foi isso. Um respingo. Nenhum problema. Ainda bem que o sofá era preto.

O telefone do corredor era o único fixo da casa. Era um daqueles velhos telefones dos anos 70, bege encardido com teclas grudentas e uma extensão de cabo toda embolada e cheia de sujeira de ser arrastada para todos os quartos. O toque também era velho e, para Delli, soava como o de um filme de assassinato no qual você sabe que o assassino está atrás da porta e que a porta não está trancada e que a heroína está no chuveiro. Ou como um daqueles filmes franceses em preto e branco, dos anos 50, no qual todos fumam ao telefone e lançam olhares longos e cheios de significado em direção ao lado direito da tela, antes de cruzarem a sala para abrir a porta e fechá-la à esquerda. O bocal era graxento e fedia a vômito; Delli podia quase sentir o cheiro no som da campainha. Então ela abriu o vidrinho de esmalte com um lencinho e deu uma boa cheirada no acetato de isoamilo para banir o fedor de seu nariz. Mas ele ficou em sua cabeça, apesar das várias inalações. Engraçado como o cheiro faz essas coisas, ela pensou vagamente, como em um sonho.

Delli presumiu que sua mãe tivesse também adivinhado por que sua tia estava ligando, porque Goli levou um bom tempo para atender o telefone. As duas irmãs raramente conversavam. Elas brigavam, elas reclamavam, elas às vezes gritavam uma com a outra e com mais frequência enviavam mensagens de texto monossilábicas, mas elas evitavam conversas reais. A única vez que Delli se lembrava delas conversando mesmo foi sobre o irmão delas: o tio que ela nunca conhecera. Ela era pequena quando aconteceu e tudo o que recordava era que Khaleh Lili estava visitando, usando roupas como as de Fatty e chorando muito. Ela lembrou que sua mãe chorava também e que ambas estavam abraçadas e falaram até tarde da noite. Elas esqueceram de colocá-la na cama naquela noite, então ela ficou acordada, assistindo filmes de terror na tevê. Depois os policiais bateram na porta no outro dia e Delli ficou histérica porque eles eram iguais aos homens do filme. Mas eles não eram policiais de verdade, sua mãe tinha dito; eles só estavam conferindo se Khaleh Lili tinha mesmo ido embora. E ela tinha. Assim que amanhecera. Daquele dia em diante, Lili disse coisas nojentas sobre Batman para a mãe no telefone, e a foto no aparador da lareira, que mostrava seu tio Ali quando menino ao lado da avó, Delli associou a carros cheio de luzes, lágrimas e tiroteios.

O telefone tocava e tocava e Goli ainda não tinha atendido. Problemas, Delli pensou com um bocejo, lançando um olhar para os dígitos mudando inexoravelmente no painel no DVD. 3:02:52—3:03:00. Um problema bem grande, ela pensou, apertando o resto de esmalte para fora da embalagem. O acetato tinha um cheiro doce de bala, um cheiro feroz de pera; ela adorava, mas queimava os olhos.

As duas irmãs estavam dividindo o tempo de Bibijan, como disse Batman, desde que a velha senhora fugiu do Irã. Era sua tia Lili que a chamava de "velha senhora", mas Goli quem dizia "fugiu", porque ela achava que isso fazia Bibijan mais interessante. "Minha mãe teve que fugir do país, sabe", ela ficava dizendo aos amigos americanos, depois que Bibijan chegou em Los Angeles com sua criada. Delli tinha vergonha de ouvi-la falar daquele jeito, como se essa velhinha, com seus abraços macios que cheiravam a rosas e sua dentadura e seus óculos de fundo de garrafa fosse algum tipo de espiã internacional. Mas ela achou que Fathiyyih dava medo no começo, porque ela usava um lenço com uma ponta, tinha buço e parecia com o talibã ou algo assim.

O telefone tocava, irritado. Lili não desistiria. Delli se preparava. Ao pensar na criada adotiva da avó, teve arrepios nas costas. Não era só o fato de ter pelos, mas é que o cheiro de alho de Fatty a deixava indisposta, a cebola no seu hálito e aquele insuportável fedor que ficava nas roupas dela. Feno-grego. A palavra persa para isso — *shambeh-lileh* — soava melhor do que cheirava, e servia a Fatty melhor do que a grega, porque ela andava meio songamonga, troncha dos pés.

O telefone ficou histérico. Seu toque incessante rasgava pedaços do papel de parede marrom e feio, fazia o couro do sofá parecer grudento e ameaçava estraçalhar o espelho entalhado de ouro na parede acima da tevê. Os nervos de Delli ressoavam, sua mão tremia e seus olhos embaçavam enquanto ela agarrava um pincel lustroso de esmalte. O acetato a deixava um pouco zonza. Ela coletou a gota escorrida ao lado da embalagem enquanto o som estridente reverberava pela casa. Se pelo menos isso parasse. Se sua mãe fizesse algo a respeito. Então a porta da cozinha se abriu enfim, acompanhada de chocalho de talheres, e bateu se fechando enquanto o clique dos saltos da mãe se aproximava pelo corredor.

Goli tirou o telefone do gancho. "Oi, Lilijan! Há quanto tempo!".

Delli começou a aplicar o esmalte no seu dedão esquerdo com alívio enquanto o carinho falso da mãe se esvaía. Foi tão reconfortante quanto o silêncio que se seguiu espalhar a escuridão luxuosa pela primeira unha do dedo. Kahleh Lili deve ter atacado primeiro, Delli pensou; ela não tinha paciência para o *taarof* persa, especialmente para a versão americana de Goli. As duas irmãs falavam numa espécie de persa quebrado, sua mãe jogando palavras em inglês e Lili jogando algumas em francês. Delli podia imaginar as palavras da tia como torpedos cruzando o Atlântico, queimando uma trilha com cheiro de éster e pera em sua esteira. O cheiro cortante do esmalte a fez piscar; ele corroía sua cabeça, limpava o cheiro enjoado do telefone de sua mente. Sua mãe estava terrivelmente quieta. Delli ficou pensando se Lili teria levantado o assunto Fatty.

A primeira visita de Fatty aos Estados Unidos foi para a festa de Naw Ruz, que acabou sendo uma decepção, até onde Delli sabia. Ela não gostou da comida. Ela não podia suportar que Bibijan esperasse que ela comesse tanto. E seus amigos da escola que vieram depois para tomar chá implicaram com ela por causa de Fatty — "Peluda-carrancuda-irani-uda!". Mas a criada de Bibi não ficou muito tempo. Depois de um mês, ela voltou para o Irã, com uma declaração oficial e especial de Batman. Delli pensou que se soletrava *delacração*, como o DJ Lacração, cujo rap ela achava descolado. Mas quando Bibi voltou para Los Angeles algumas semanas depois, acabou que era só dinheiro. Seu pai virou bem menos que um super-herói então. Ele passava o tempo todo em Malibu e não tinha nem mandado limpar os tapetes. Já que Goli e Lili compartilhavam a responsabilidade pela mãe, elas dividiam também o dinheiro da *delacração*, mas aquilo significava que elas também tinham que dividir Fatty. Lili disse que ela estava no limite da paciência.

"Eu entendo, eu entendo de verdade", começou Goli, lisa como esmalte. "Mas ponha-se no meu lugar. Você não acha que eu estou no fim da minha força de vontade, Lili?". As condições da mãe estavam bem além dos limites da paciência, aparentemente. Houve um outro silêncio, enquanto Lili soltava uma segunda torrente.

A unhona de Delli ficou estranha sob a grossa camada de esmalte, como se não fosse dela. Ela se perguntou se unhas respiravam. Quando Fatty tinha chegado da primeira vez, ela a tinha tragado para dentro de seus braços com tanta força que Delli mal podia respirar. Ela estava meio apavorada com a mulher baixa e atarracada, que falava farsi sem parar. A compreensão do persa de Delli não era lá essas coisas e não ajudava que seus amigos perguntassem se iranianos usavam desodorante. Mas acabou que Fatty era terrivelmente gentil e lavou toda a louça então ela começou a sentir um amor muito curioso pela mulher peluda-carrancuda-irani-uda. Ela estava ligada à família de um jeito esquisito que Delli nunca entendeu: um dia postiça, uma semiempregada, meio da família, meio não. E Delli, que se sentia meio desconectada de sua família às vezes, pensou vagamente se ela e Fathiyyih eram parentes. Quando Fatty foi embora um mês depois, ela ficou inconsolável e chorou no aeroporto.

"Eu disse a ela, Lili", sua mãe dizia naquela voz de sofrência e sensatez reservada para Bibijan. "Mas você sabe como ela é. É Paris ou —"

Delli começou o segundo dedo quando Lili interrompeu de novo. Ela sentiu um caroço subindo pela garganta ao lembrar de

Fatty Talibã desaparecendo no portão de embarque. Ela não sabia por que estava tão chateada de vê-la partir. A cozinha nunca esteve tão limpa como quando ela estava ali e tudo desmoronou depois que ela foi embora. Lili começou a ligar todas as noites. Sua mãe ficou irritada com dinheiro e seu pai ficava perguntando se ela tinha algo melhor para propor. Isso levou a cenas horríveis entre seus pais, com toda a louça suja da janta deixada na pia até o dia seguinte. Depois daquilo, a situação se deteriorou rápido. Ao invés de Batman sair ao resgate, ele só saiu permanentemente, para Malibu. Não, eu não posso fazer as compras, Goli, porque eu estou indo para Malibu. Eu não terei tempo para ir à reunião de pais e mestres porque eu vou levar o Volvo para Malibu neste fim de semana. Sinto muito quanto a Delli, mas eu não posso lidar com ela neste momento, para ser honesto; estão me esperando em Malibu.

Agora Bibijan também estava partindo. E Delli estava com medo que fosse tudo culpa sua e desejou que a mãe não mentisse sobre isso para a tia também. "Meu coração dói por ela", Goli gemia no telefone fedido. "Eu sei que ela não quer ir".

Delli não podia suportar como a mãe se doía com a menor das provocações. Mas sua tia Lili, que era à prova de dor, interrompeu-a de novo e a salvou, sem dúvida com fumaça saindo pelas narinas. Mesmo que elas só tivessem se encontrado uma vez quando ela tinha sete anos, Delli era fascinada por sua tia-dragão que lhe enviava calcinhas pretas pelo correio e falava francês. Ela gostava da mulher magra e grisalha que fumava e fotografava mulheres nuas e não se dava o trabalho de usar maquiagem. Lili tinha até raspado a cabeça uma vez, Goli contou a ela, em solidariedade às pessoas com aids ou aos prisioneiros do Irã. Delli pensou que era terrivelmente consciente da parte dela. Radical, Lili disse, com um sotaque francês.

Delli praticou a palavra maciamente sob sua respiração: "Radical". Ela tentou dizê-la com sotaque francês, enfatizando a última sílaba: "Radicale!". Um pé feito, o outro ainda por fazer. Ela olhou com orgulho para suas cinco unhas antes de mergulhar o pincel de volta e mexer o esmalte. Sua tia estava falando muito dessa vez.

"É impossível, Lili", sua mãe enfim interrompeu. "A Bibi tem falado disso há semanas, mas é muito pouco prático. Até Bahman diz isso. Eu fiz de tudo pra evitar, mas ela insiste. Então agora é a sua vez; você tem que fazer a sua parte".

A qualquer minuto agora, pensou Delli, Fatty estava prestes a aparecer na conversa: quando Fatty chegava, quanto tempo ficava, onde dormiria e, acima de tudo, quanto dinheiro trazia dessa vez? Radical.

Delli sentiu sua cabeça rodar enquanto retirava outra bolha de esmalte do vidrinho. Ela hesitou, incerta de qual unha atacar agora. Ela deveria tomar o café da manhã, pensou, assistindo a bolha tremer perigosamente no final do pincel. Mas aquilo significava abrir a porta da cozinha e encher a casa com o cheiro de cebola frita e *ghormeh sabzi*, que seu irmão chamava de gosma de losna. O bastante para fazer você vomitar.

"Você está sendo totalmente injusta", começou a mãe, sua voz subindo aguda. Exceto que ela disse "todalmente", como sempre, em inglês com um grosso sotaque persa. Isso matava Delli. Ela tinha parado de levar os amigos em casa porque sempre cheirava a comida persa e sua mãe não conseguia falar direito como uma americana. "É claro que não foi ideia minha!", ela dizia. "Ela que quer ir. Eu acho que deve ter te fugido à memória", ela concluiu, com toda a formalidade linguística que ela poderia exibir em seu persa de longa distância, "que eu esteja no meio de um divórcio?".

Houve outra pausa, grande o bastante para que o esmalte pingasse pelo cabo do pincel de novo. Delli o mergulhou de volta dentro do vidrinho bem na hora e bateu com cuidado para cima e para baixo, cheirando-o profundamente.

"Dá um tempo, Lili!", reclamou Goli. "Por que você tá me estressando desse jeito?". Exceto que ela disse "es-estressando", como ela sempre dizia "es-sexo" para sexo, como se fosse um lugar idiota na Grã Bretanha, pelo amor de Deus. "Você só sabe falar de dinheirodinheirodinheiro e eu estou no inferno aqui. A casa, os tapetes, o advogado. É o inferno".

Mas sua tia, falando à meia-noite em Paris, sobre dinheirodinheirodinheiro, não afrouxava.

"Lilijoon!", sua mãe por fim estourou. "Juro por Deus, ele me disse que era o dinheiro da pensão dela. Se não acredita em mim, pergunte pra ele você mesma. Eu não vou. Eu me recuso a falar com aquele homem de novo!". E ela começou a chorar. Goli se doeu e chorou "até não poder mais", como ela disse a seus amigos americanos. Depois suou, pensou Delli; dor, lágrimas e os sovacos de Fatty. Tinha alguma coisa na Fatty além do suor, algum segredo que ela escondia, como o cheiro macio e enterrado do óleo de rosas de Bibi. Ela desejou que sua mãe e sua tia falassem daquilo. Mas quando Goli finalmente interrompeu o monólogo da irmã, foi do divórcio que ela falou, não de Fatty. Foi de fraude e tribunais e taxas de advogados, não de Fatty. Era sobre o que Batman tinha feito e estava fazendo e iria fazer, e Fatty não tinha nada a ver com nada disso, coitada. Delli bocejou. Ela achava que conversas sobre divórcio eram muito chatas. Era o tema que ganhava prioridade sobre todos. Goli se repetia no assunto da casa e da escritura e do divórcio de novo e mais uma vez, reiterando a mesma coisa para cada um de seus amigos. Delli sabia o roteiro de cor.

"Bibi é impossível. Ela acha que nós precisamos fazer as pazes com beijos", ela estava agora dizendo. "Juro por Deus, Lili! Eu prefiro morrer do que beijar aquele homem depois do que ele fez!".

Delli desejou que não estivesse em Los Angeles. Ela desejou morar em Paris. Ela queria tirar a carteira de motorista e dirigir até a França agora mesmo. Sua Khalehjan era descolada. Ela não usava palavras como "beijo". Ela não dizia "es-sexo". Ela soava francesa quando falava inglês, o que era muito melhor do que soar persa. Delli se imaginou morando no apartamento de Lili, bem acima dos terraços, com gatos que uivavam e faziam amor nas latas de lixo. Ela acariciava o último dedo meditativamente. "Meia-Noite em Paris" seria um bom nome para um esmalte preto.

"Ela diz que eu tenho que perdoar e esquecer pelo bem das crianças", Goli estava cochichando no telefone graxento. "Pelo bem das crianças! Acredita nisso?".

Delli ficou enjoada. Houve outra pausa na conversa e faltava só um dedo. Ela enfiou o pincel no vidrinho de novo e começou o minguinho. Minguinho. Seu vizinho. Fura bolo. E mata — Delli não queria ficar ali. Quando seus pais se divorciassem, Delli iria morar em Paris. À meia-noite. Com Bibijan. Com Fatty que cheirava a suor e tinha as unhas dos pés feias. Ela descobriria todos os segredos que Fatty sabia, que Fatty não contava. Ela imaginou que era Fatty, usando um véu, enquanto sufocava sua unha do pé, cuidadosa e deliberadamente, sob uma grossa camada de esmalte preto. Deve ser divertido usar véu.

"Você sempre põe a culpa em mim, Lili!", sua mãe de repente explodiu. "Eu só estava tentando fazer o meu melhor. Não foi fácil conseguir o green card. Bahman disse —"

Mas o que quer que Batman tenha dito deve ter engasgado Goli, porque Delli não ouviu nada a não ser a mãe fungando por um tempo. Ela olhou para baixo com admiração para seu trabalho. Dez dentes negros brilhavam de volta para ela, pontinhas de seus lindos pés brancos, dez pérolas negras no fim de dedos pálidos. Ela imaginou que era a vítima usando véu de um voraz vampiro que a sugava devagar pelos dedos dos pés —

Goli assoou seu nariz fazendo barulho.

"E a sua responsabilidade?", ela gritou. "E Ali? Lembra do que você disse há tantos anos?".

Uma onda de gelo desceu pelas costas de Delli com a menção de seu tio fantasma. Isso a trouxe de volta à realidade, fora das garras do vampiro comedor de dedos e para dentro dos braços do mártir da família. Qual era o segredo que cercava o desaparecido irmão da mãe? Ele estava morto? Delli ficou pensando se Fatty sabia. A qualquer momento a partir de agora, ela pensou, o nome de Fatty explodiria na conversa, como uma espinha inflamada.

"Pelo amor de Deus!", gritou Goli. "Você sabe o que vai acontecer se ela não for pra França agora, não sabe?".

A qualquer momento. Delli saiu da contemplação de seus dedos e respirou fundo antes de pôr o frasquinho no tapete branco. Só tinha uma manchinha, ela notou, no lado do seu dedão esquerdo. Ela estava tentando alcançar os lencinhos, quando uma bufada forte de feno grego de repente flutuou pelo corredor na direção da sala de tevê. A porta da cozinha tinha sido aberta.

"Goli, querida?", sua avó chamou, de um jeito ranzinza. "Se você não ficar com ela", Goli gritou, "Fatty vai levá-la de volta para o Irã".

Pronto. Por fim ela apareceu. Como bile. Como vômito. Os joelhos de Delli tremeram involuntariamente debaixo de seu queixo enquanto ela escorregava para frente no sofá e levantava meio instável, com sua cabeça rodando. Enquanto levantava, a porta atrás dela se abriu.

Olhando no espelho acima da tevê, Delli viu duas pessoas refletidas: uma enquadrada pela porta atrás e a outra na frente do sofá. A primeira era uma mulher na faixa dos quarenta anos, loira com raízes pretas e rímel escorrendo pelas bochechas. A segunda era uma garota de cara branca, quinze anos, usando uma camiseta preta, parada como uma cegonha trêmula em uma perna só. Delli não reconheceu nenhuma das duas.

"Ela não está bem o suficiente, Lili!".

Goli corria para a sala de tevê para escapar de Bibijan, mas o cheiro de feno grego tinha chegado antes dela; ele tinha penetrado; estava já instalado. Delli quis vomitar. E de repente o tapete brilhou debaixo dela.

O vidrinho de esmalte havia sido derrubado e seu conteúdo escorria pelas fibras brancas, como sangue lustroso e negro. Delli congelou. Suas unhas cintilantes estavam arranhadas, mas o pior era que o tapete, por nenhum exercício de imaginação, caberia na máquina de lavar louça para ser lavado. Olhando de novo para o espelho, ela sentiu uma punhalada de pena por sua mãe, parecendo tensa e exausta. Mas Goli não olhava para ela. Ela tinha parado de falar com Lili também. Ela olhava para o terceiro reflexo trêmulo que surgiu atrás dela. Uma pequena figura fantasmagórica entrou na sala, pálida e resfolegante com uma nuvem de cabelos brancos rodeando olhos aumentados.

"Goli, querida", sussurrou Bibijan. "Eu acho que preciso do remédio do sangue".

Nós somos uma família de vampiros, pensou Delli, com um arrepio de consciência, enquanto pulou na direção da tevê e pegou o vidrinho do remédio do coração, guardado na frente do espelho para o caso de emergência, para sua avó que chiava de cara pálida e ofegante.

teve que deixar o Irã às pressas. Nós aplaudimos. Era esse o bilhete premiado. Tudo em família. É possível ter acesso à conta sem a assinatura do General, que está morto faz tempo? Sua viúva ainda está viva, aparentemente, mas faz tempo que ela voltou ao Irã. Ou morreu. O agente, enquanto isso, mudou-se para a Austrália. Poderia ser complicado, mas, depois de alguns telefonemas e algumas cópias autenticadas de certificados, nossa prima está no trem para Luxemburgo para pegar seu dinheiro. Ela nos telefona em pânico. Não está lá. Nós ligamos para o banco em Luxemburgo e não chegamos a lugar nenhum. Nós saímos ao resgate, bilhete pré-pago. Acabou que o agente do irmão, um outro primo distante como se revelou, abriu mesmo uma conta há alguns anos. Mas ao invés de pôr nela seu próprio nome ou mesmo os nomes em conjunto, ou o nome do velho General, agora morto, ou o da esposa, ele pôs o dinheiro no nome de uma empresa sediada no Panamá. Então o dinheiro está, mas não está lá.

Ela não sabia de nada disso. O agente não contou nada e ela não suspeitava de nada. Até agora. Parece que o General sacou o dinheiro antes de morrer e ela suspeita dele também. Ou de sua viúva. Mas talvez ela suspeite do irmão acima de tudo. Parece haver mais do que uma conta no Panamá. Quando repetimos a sugestão de uma possível ajuda fraternal, ela recusa de imediato. Ela prefere não envolver o irmão nesse assunto, murmura. Isso o colocaria em uma posição difícil. Muito difícil.

De repente, nós desejamos não estar tão perto de tais dificuldades. Nós começamos a imaginar quantas dessas contas panamenhas têm conexões com o Irã. Há jeitos, há meios, mesmo agora, para pessoas empreendedoras darem a volta na lei, evadir ao invés de evitar sanções e impostos. É claro que isso põe ambos os lados em risco. Mas se o irmão dela não pode ajudar, então como nós podemos? O agente claramente também não pode ajudar. Ele não só está vivendo na Austrália como está morrendo lá, soubemos. Ele está terminalmente radioativo.

Apesar dos pesares, no entanto, e sem nenhuma ajuda nossa, nossa prima consegue prevalecer sobre a obtusa burocracia de Luxemburgo. Usando os certificados autenticados e todas as lágrimas que ela poderia exibir, ela enfim conseguiu que o banco reconhecesse seu direito a uma das contas suspeitas. Antes de deixarmos Luxemburgo, a transferência foi feita para o banco cantonal na amável e neutra Suíça. E seu irmão nem sabe. Nós aplaudimos de novo.

Mas, para muitos dias úteis depois, outra surpresa estava guardada. O banco suíço bloqueou a transação. Devíamos ter antecipado isso, é claro; como profissionais deveríamos saber que isso poderia acontecer, deveríamos tê-la alertado. A equipe de análise de lavagem de dinheiro de Luxemburgo provavelmente suspeitou da conexão panamenha. E com razão. E a suíça também. Por que elas não suspeitariam? Os bancos sabem como dar um golpe baixo. Eles só transferiram os fundos para lavar as mãos do caso.

Então, voltamos à estaca zero. Nossa prima está desesperada. Ela pagou um enorme depósito pela propriedade suíça cremosa, que ela perderá em poucos dias. O vendedor está ficando inquieto. Ela está muito além de inquieta. E o banco está obstinado. Ela nos leva para jantar de novo e se oferece para pagar, dessa vez, por nosso conselho profissional. Ela não quer se aproveitar do fato de que somos parentes, é claro. Negócio é negócio. E não se deve abusar das conexões familiares. Ela tem certeza de que seu irmão concordaria.

Nós fizemos uh-hum. E humm. Estamos mais ambivalentes, menos confiantes, porque afinal somos profissionais; estamos apenas pensando em sua segurança. Nós entendemos a delicadeza da situação. Confiamos que ela entende a nossa? De fato, ela diz. Ela deve sentir um terror mortal de seu irmão. Qual é exatamente a natureza de seus negócios no Irã?

No dia seguinte, ela agarra o nosso braço, nos leva para tomar um chocolate quente e nos compra uma jaqueta bem chique em Genebra. Apenas um pequeno sinal de gratidão por tudo o que fizemos. Tentamos o que podemos para digerir o chocolate e as diretrizes da Força-Tarefa de Ação Financeira para as avaliações de risco de lavagem de dinheiro no Panamá. Mas, apesar da jaqueta, nós arriscamos a possibilidade de que mais provas sejam necessárias, mais fatos são necessários. Outra assinatura? No dia seguinte, ela nos oferece um relógio. Calculamos o fuso em Perth. E depois na Flórida. Ficamos felizes por elaborar um e-mail. Ficamos felizes em ajudar, em especial quando algo funciona. Ficamos felizes por nos envolvermos, apesar de não estarmos especialmente felizes com os contatos comerciais de seu irmão com a Guarda Revolucionária. Enviamos o e-mail com a assinatura dela, com cópia em persa, por educação, e depois conversamos com nosso próprio banco.

Da vez seguinte que nossa prima vem para a Suíça, nós nos encontramos regularmente, comemos às custas dela, recebemos de presente lenços e perfumes e recentemente um par de luvas de couro. A propriedade cremosa agora está em nosso nome; foi o único jeito de resolver a questão, pelo menos por enquanto. Sem problema. Tudo na família. E parece que o irmão dela vai ter que fechar as contas panamenhas depois que seu agente radioativo morrer; talvez ele até tenha que executar seus negócios no Irã. Mas isso não é da nossa conta. Não é da nossa conta mesmo. Nós não perguntamos e não esperamos respostas. Há um limite no que você pode impor à família.

Imitação

Nós somos ótimos imitadores, melhores até do que os chineses. E, no entanto, nossa religião diz que imitar é blasfêmia; representar a realidade é o equivalente a nos compararmos a Deus. No passado, apenas as interpretações religiosas da paixão de Seus santos eram aceitáveis. Tudo mais era mentira. Então talvez seja por isso que nos tornamos bons mentirosos. Aprendemos a representar a realidade subversivamente. Apesar de nossos instintos miméticos, entretanto, temos tendência a acreditar que somos inimitáveis. Consideramos nossa cultura, nossa civilização e, acima de tudo, nossa religião única. Não somos nós os arianos originais, afinal de contas, o berço da civilização? Não temos a única fé verdadeira? Na verdade, em vez de reconhecer o quão bem podemos imitar os outros, nós suspeitamos que todo o resto do mundo nos copie.

É claro que nossas cópias nem sempre funcionaram, especialmente em relação ao ocidente. Estávamos tão ansiosos para imitar o que víamos que pulamos a bordo do carrossel reluzente sem questioná-lo. Nosso apetite por coisas *farangis* se tornou insaciável. Nós copiamos tudo. Nós desfilávamos magníficas exibições de flores nas floriculturas, ostentamos minissaias e penteados tipo colmeia de abelha nas ruas, piteiras e armários de bebidas em nossas casas, imitamos as comédias de Hollywood na tela. Mesmo quando nos ressentimos do ocidente, nós o copiamos indiscriminadamente. Sem discriminação. Os resultados foram desastrosos. Pois nós copiamos a imitação e não o original. As flores vendidas num arroubo de cores murcharam e morreram dentro de uma hora, sem água sob a telinha. Os vestidos Mary Quant, desenhados a partir da revista Burda, desbotaram depois de uma única lavagem e ficaram deformados no primeiro uso, sem solução para os tecidos apetitosamente brilhantes. Nossas comédias domésticas, cheias de réplicas e gestos empolados, misturavam a grandeza napoleônica e a desdentada cultura americana sem a mordida da nossa própria sátira. E nossas políticas econômicas, nossas relações políticas provaram ser vazias.

Então nossa desilusão foi igual à nossa humilhação. Quando o carnaval acabou sendo uma farsa, o filme de má qualidade, o vestido deformado e as flores mortas, nós nos sentimos trapaceados. Não tínhamos entendido que o ocidente era também o sistema mais bem-sucedido do mundo em dar a impressão de que era bem-sucedido. Não tínhamos percebido que a marca de fabricar ilusões do ocidente era viciante. Nosso ego estava machucado. Nós começamos a nos deixar levar por teorias da conspiração. Nós culpamos a América pela nossa imitação dela. Acusamos o capitalismo pela nossa submissão a ele. Nos permitimos ser enganados e pensamos que todos os outros estavam ali para nos enganar. E, por fim, já que a imitação tinha ficado restrita ao assunto religioso por tanto tempo, nós voltamos a ele, só para mentir legitimamente afinal, só para borrar as distinções entre a cópia e o original.

Mas há um perigo de pararmos de acreditar em nossas mentiras um dia. E aí? Há um risco de percebermos que não somos nem mais nem menos únicos do que todos os outros, que compartilhamos a propensão a fofocas iludidas como todos os outros, que nós cometemos tantas loucuras, sendo culpados de tantos crimes e tendo causado tanta miséria para os outros quanto eles causaram para nós. Então vamos ficar com vergonha?

Infelizmente, a cara da vergonha se tornou o maior golpe de todos. É a coisa mais fácil de reproduzir e muito tentadora de imitar. É também uma atividade pública popular para nós porque, como todos sabem, ser *sharmandeh* no privado não traz louvor. Auto-humilhação e autorreprovação só são eficazes com um público. Embora muitos de nós saibam como suportar a opressão em silêncio e demonstrar coragem na escuridão da cela da prisão, o fato é que a verdadeira humildade tem uma vida útil muito menor do que a sua cópia. Além disso, a vergonha cumpre todos os critérios religiosos da representação autêntica. É o negócio real.

Mas talvez nós tenhamos alcançado algum grau de originalidade a esse respeito. Sabemos de tudo isso. Nós nos curvamos a esse conhecimento. Nós criamos nossa própria e única marca de contrição autoperpétua porque nós todos somos muito conscientes sobre o quanto somos bons em sermos falsos.

Feno-grego

A casa dela sempre fedeu a isso. Havia esse odor acre e pungente, esse mordaz e esmagador cheiro, que se entranhava em todas as coisas do lugar. Era uma instalação permanente, como o encanamento, como o aquecimento. Inundava o tapete que ficava de parede a parede, impregnava as cortinas de cetim rosa na sala de estar e se agarrava ao velho cobertor xadrez jogado sobre o sofá e aos lençóis extras, cheios de florezinhas verdes, no armário da roupa de cama. O cheiro permeava até nossas roupas quando a visitávamos; na verdade, ele aderia a cada fio de cabelo e penetrava nossas peles. Às vezes, quando nós vínhamos para casa depois de um fim de semana lá, nós esfregávamos debaixo das unhas no chuveiro para evitar que nossos vizinhos torcessem o nariz quando passássemos.

Ela morava no sexto andar, num prédio alto, numa interseção anônima de Toronto. Não havia nada naquele cruzamento que o distinguisse de qualquer outro na cidade de Toronto, exceto o cheiro dela. Ele se espalhava por milhas nos arredores. Às vezes ele flutuava até a saída da garagem do seu bloco de apartamentos e chegava até os semáforos. Juramos. Era tão forte, tão penetrante, que nós poderíamos senti-lo no ar quando chegássemos ao cruzamento na estrada principal e, quando virássemos pela rua do lado e cruzássemos até parar na saída da garagem e abríssemos a porta do carro no estacionamento, nós praticamente nos sufocávamos. Talvez ela estivesse cozinhando com as janelas da sacada abertas, espalhando seus odores pela vizinhança inteira. Talvez tenha sido apenas porque a acumulação de ter cozinhado tantos anos tenha criado um miasma invisível que perdurava como uma nuvem sobre aquela seção da Avenida Lawrence, mesmo quando suas janelas estivessem fechadas. No inverno profundo, em temperaturas abaixo de zero, com neve caindo e blocos de gelo preto empilhados ao longo da rua, com limpa-neves passando e jorrando sal marrom e areia que se espalhavam em todas as direções, havia ocasiões quando nós jurávamos que podíamos sentir o cheiro a meio quarteirão de distância. Sabe Deus o que seus vizinhos pensavam daquilo.

Era pior dentro do prédio. No minuto em que entrávamos pelas portas principais, o cheiro dela nos engolia. Ele invadia todo o saguão do andar de baixo. Se infiltrava em todos os cantos entre a entrada e as escadas, saturando os cubos cobertos de púrpura que serviam de assentos no corredor, marinando o tecido marrom-escuro que revestia o elevador. Nos acompanhava e a todos que por acaso entrassem no elevador conosco até o apartamento dela no sexto andar e nos batia no rosto assim que as portas de metal se abriam. Os tapetes marrons do corredor estavam infestados; ficava mais e mais forte à medida que caminhávamos em direção à porta dela, a segunda, do fim para o começo, à esquerda. E quando chegávamos lá e tocávamos sua fedorenta campainha, já estávamos sentindo uma vertigem. Como seus vizinhos podiam suportar?

A coisa mais estranha era que ninguém reclamava. Ninguém

deixava um bilhete em sua porta, como nós teríamos gostado de fazer, dizendo: "Pare com o fedor!" — ou pôr mensagens em sua caixa de correio lá embaixo, ameaçando-a com um processo se ela não mostrasse alguma consideração para com os outros. Ninguém pedia a ela, com bases humanitárias, que limitasse sua atividade culinária, nem a acusavam de estar violando direitos olfativos. E nós parecíamos ser as únicas pessoas envergonhadas ao entrar ou sair do elevador no sexto andar.

Toda vez que alcançávamos o térreo, depois de tantas horas imersos em seus odores, nos apressávamos em passar pelo porteiro, para o caso dele adivinhar de onde estávamos vindo, e corríamos em pânico para o estacionamento, em desespero para fugir do aroma de família. Na verdade, nós nos comportávamos tipicamente como adolescentes imigrantes de segunda geração, o que éramos. No funeral, nós quase esperávamos que as flores fedessem.

Mas nunca esperávamos que tantas pessoas fossem ao enterro. Eles vieram de quilômetros de distância. Eles vieram de todo o país. E eles também vieram do prédio dela. Todos os vizinhos dela. Ela sempre foi excessivamente amigável com os vizinhos. Ela sempre os cumprimentava, conversava com eles. Ela costumava abraçá-los também, beijá-los, abraçar seus filhos. Foi realmente embaraçoso para nós. Nós desejávamos que ela não fosse tão fisicamente afetuosa com estranhos como esses, em especial se sentissem o cheiro dela. Nós desejávamos que ela se contivesse um pouco. Você pode acabar fedendo a feno-grego depois de apenas um abraço. Além disso, tentávamos explicar a ela que as pessoas não se abraçavam neste país a menos que fossem gays.

Ela não sabia de gays; ela pensava que isso queria dizer ser alegre. Ela ficou chocada quando contamos a ela pela primeira vez o novo significado da palavra. Nós queríamos chocá-la para que ela parasse de beijar os filhos das pessoas e de ser tão efusiva. Mas deu ruim. Ela começou a falar abertamente aos vizinhos depois daquilo sobre o número de cirurgias de mudança de sexo que aconteciam no Irã; "Vocês podem ter gays", ela dizia, com um certo orgulho, "mas nós temos um recorde mundial de travestis".

Tá brincando, eles falavam, olhando para nós com as sobrancelhas erguidas. Ela quer dizer transgêneros, nós gaguejávamos miseravelmente. É uma questão islâmica. Uau! Eles suspiravam, isso é que é religião. E nós poderíamos dizer que eles se impressionavam, não com o islamismo, mas com a nossa avó. Então nós a repreendíamos um pouco a respeito disso. Dizíamos a ela que dava às pessoas uma má impressão do nosso país dizer essas coisas. Mas, aparentemente, deu a seus vizinhos uma boa impressão dela. Eles a amavam. Eles a adoravam. Depois que ela morreu, eles sentiram sua falta. Eles nunca a esqueceram, para o nosso desalento agudo.

Quando chegamos para esvaziar o apartamento, um tempo depois do funeral, cabeças baixas e corações humilhados, esperando que não nos reconhecessem como parentes da velha iraniana fedida que morava no sexto andar e falava sobre cirurgias de mudança de sexo como se fosse um assunto do *Guinness Book*, eles nos pararam no ainda fedido saguão de entrada, esses vizinhos da nossa avó; eles nos encurralaram no ainda fétido elevador, nos contando histórias, recontando suas memórias da espirituosa senhora persa com sorriso torto e amor à vida.

Ela era tão real, nos confidenciaram; ela era tão verdadeira. Ela tinha um senso de humor tão aguçado; ela sabia tanto do mundo. "Uma baita de uma senhora liberada que ela era!". Eles disseram. "E tão generosa!". Eles nos contaram como ela costumava dar-lhes potes de picles caseiros, como ela fazia molhos incríveis, deliciosos goulashes para comer com arroz. A comida que ela cozinhava, os picles que ela compartilhava, eram tão fortes quanto sua fé na humanidade, tão memoráveis quanto sua tolerância com os seres humanos, sua mente aberta. "Você poderia confiar a sua vida praquela velhinha", disseram-nos. "Você poderia depender dela pra qualquer coisa: ela era tão aberta, tão viva".

♦

Eles tinham lágrimas nos olhos quando expressavam suas condolências. E, para nosso desconforto agudo, eles nos abraçavam, cheirando a feno-grego, pungentes de feno-grego.

"Você sabe", diziam, "uma das coisas sobre sua avó que nós sentiremos mais falta é esse delicioso odor de comida persa. Nós amávamos aqueles temperos especiais que a sua gente usa; muito éramos tão contentes de ser vizinhos dela".

Honestidade

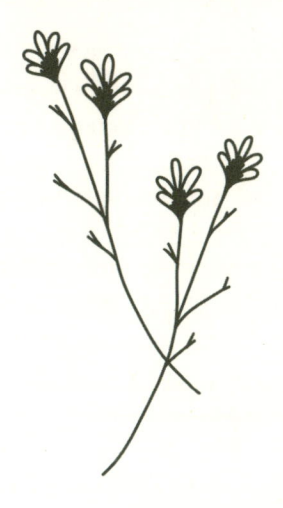

Goli estava aborrecida e seus pés sabiam. Eles estavam passando muita necessidade. É assim que o folheto diz: "Os seus pés estão passando necessidade?". E os dela estavam. Havia uma solução, claro, como havia para tudo na América. "Venha para a Pedicure Perfect e vamos mudar tudo isso", dizia o folheto. Então Goli foi, sentou-se em uma das escorregadias poltronas cor-de-rosa da Pedicure Perfect e respirou fundo. Não era um desses lugares onde um garra rufa mordiscava os dedos dos pés, mas os calos dela estavam chorando por atenção. Mesmo que não conseguisse adquirir novos pés, precisava recuperar a compostura depois da discussão com a filha. Delli, que havia recentemente obtido uma carteira de motorista aprendiz, havia levado sua mãe para fazer os pés apenas para abandoná-la lá e rugir em uma nuvem de fumaça e indignação no Mustang.

A garota que iria Mudar Tudo Isso se chamava Cymbeline; o crachá sobre seu seio esquerdo dizia isso. Americanos tinham o hábito de repetir seu nome a cada dois segundos e esperavam que você fizesse o mesmo. Goli olhou as letras por um bom tempo, sem ter certeza da palavra. Ela tinha ouvido falar de garotas americanas e mesmo persas chamadas Kim, mas esse soava como o nome de uma companhia de extração no Canadá ou algo assim. Ou um produto para acabar com os germes da casa, como diziam. Ou uma multinacional que fazia absorventes. Ela esperou que a garota não achasse que ela estava encarando seus seios. Ela estava só tentando não chorar. Delli a tinha aborrecido terrivelmente. Ela a tinha acusado de mentir.

"Oi, Kim", ela balbuciou enfim, com um sorriso valente, enquanto a garota se ajeitava com sua bandeja rosa. "Você pode fazer uma massagem? É só isso que eu preciso pra ser honesta".

Pra ser honesta. É uma frase que o marido, Bahman, usava todo tempo. Pra ser honesto, eu nunca estudei americano de verdade, mas eu amo ler; eu leio livros o tempo todo, pra ser honesto. Mas aquilo era uma mentira deslavada, como todo o resto que saía da boca daquele homem, incluindo os dentes; ele não lia nada, exceto seus bilhetes de loteria. Goli nunca aprendeu a língua direito, mas, ao menos, ela lia o que eles chamavam de literatura na Califórnia: revistas de cabeleireiros, folhetos de dieta de mercados de comida saudável, o manual da nova máquina de café. Ela meio que pegou a língua naturalmente, como suas amigas sugeriram. Apenas deixe vir naturalmente, quêri, elas aconselharam, logo que ela chegou ao país. E assim ela o fez, ouvindo rádio no carro, assistindo tevê, indo ao cinema, tentando ser uma autêntica americana. Se ela fosse mesmo uma, desabaria a chorar agora, mas uma mulher iraniana tinha que manter as aparências enquanto fazia os pés. Mesmo que ela fosse administrar um supermercado persa dali em diante.

Goli olhou de modo crítico para os pés, esticados à sua frente no banquinho da pedicure. Eles já tinham sido humilhados pelas bolhas e um joanete, mas era melhor que se acostumassem. Eles teriam que segurá-la em pé por horas atrás do balcão. Eles teriam que usar sapatos sem salto. Essa pedicure era a última aventura deles, porque eles teriam que trabalhar para se sustentar agora. O sucesso do supermercado dependia dos pés dela.

De acordo com um artigo que ela tinha lido na sala de consulta do oftalmologista com sua mãe — eles não diziam sala de espera neste país, ela tinha avisado Bibi, porque os pacientes ali preferiam ser clientes e não doentes —, "Farsi é a única língua falada no setor chique de Los Angeles desde que foi invadido por lojas iranianas". Aquilo era obviamente uma inverdade, na opinião de Goli. Não a parte da invasão, é claro, e o supermercado era a prova daquilo, mas a parte sobre a única língua. Goli nem sempre pronunciava as palavras corretamente, mas ela com certeza falava inglês. Ou, ao menos, um inglês iraniano. Embora adivinhasse muitas palavras, pra ser honesta.

Ela odiava ecoar Bahman. Pra ser honesto, estou em Malibu agora, Goli, com o Volvo. Só que ele pronunciava "vulva", porque ele também tinha sotaque, apesar da faculdade de economia em Londres. Ele tinha sotaque como um bolo em camadas: californiano sobre inglês britânico sobre inerradicável persa. O es-surfe, ele contou a ela contente, alivia minha mente. Como ela não conseguia aliviar, pensou Goli. Como seus peitos não tinham aliviado, ela lembrou, amarga. Ela piscava para o ilegível crachá sobre o seio da menina e imaginava a mente de Bahman ondulando, como um grande e desonesto balão, enquanto a garota com um nome impronunciável raspava suas solas com uma pedra-pomes rosada.

Ela desejou que Delli tivesse entrado na Pedicure Perfect para que elas pudessem conversar honestamente. Ela estava torcendo por um raro momento mãe-e-filha naquelas cadeiras cor-de-rosa. Esse último pedicure poderia tê-las ajudado a aguentar a ignomínia de seus futuros. Passar um tempo de qualidade juntas, suas amigas tinham aconselhado. Isso vai ajudar. Ela não estava tão certa que qualidade era a palavra exata para isso, mas queria conversar com Delli sobre o supermercado, sobre as mudanças que enfrentariam. Não seria fácil.

Desde o episódio no advogado, Goli sentiu uma necessidade urgente de honestidade. Seu marido, ela disse às suas amigas, era um livro regular de ficção policial; ela suspeitava dele como de todas as histórias de detetive. Ele a tinha estragado muito. Mesmo que algumas vezes fosse só um pouco, Goli pensou, enquanto observava o queijo parmesão sendo ralado de seus calcanhares. Como pequenos períodos em que ela esteve grávida e se sentindo mal e Bahman a deixava para sair e beber com os amigos dele. Como os tempos difíceis após a morte de seu pai, quando o dinheiro era curto e eles caíram em um buraco, como Bahman costumava dizer. Tempos tão finos quanto a filha, pensou triste. Ou tão largos quanto o filho. Goli suspirou quando a raspagem enfim chegou ao fim. Ela tentou ser honesta com seus filhos, ou pelo menos mais honesta do que seus pais tinham sido com ela.

Mas Delli pensava evidentemente de outra forma. "Eu quero saber a verdade!", ela tinha gritado do carro, como se Goli tivesse mentido a vida inteira.

◆

A pedra-pomes retornou à bandeja rosa e a pinça sobrevoava seus dedos agora. Goli rangia os dentes por causa da sequência e piscava as lágrimas de volta para dentro. A verdade era que seus dedos estavam cabeludos. Ela pintava o cabelo de loiro, tirava os pelos das pernas com cera, clareava o bigode, mas cabelos pretos ainda brotavam de seus dedos. Ela odiava. Eles a entregavam, a traíam. Peluda-carrancuda-irani-uda. Os colegas de Deli cantavam. Quando Delli ainda tinha amigos. Quando ela ainda estava comendo. Antes do Naw Ruz. Mas quando foi que essa filha, magra como um alfinete, adquiriu tal fome insaciável pela verdade?

Goli se retraiu e se concentrou nos pés quando a arrancação começou. A cena a caminho da Pedicure Perfect não tinha sido sobre Bahman nem comida; tinha sido sobre Bibi, que elas tinham deixado em casa, parecendo muito acinzentada. Delli estava preocupada com a avó e queria ficar com ela. Mas Goli, que estava desejosa de uma conversa de coração aberto sobre o supermercado, ficou desapontada. A discussão tinha começado ácida, do nada. Ela disse a Delli que tinha feito uma reserva dupla para elas e que seria um desperdício de dinheiro; além disso, ela pensou que Delli tinha orgulho dos pés. Delli retrucou que estava pouco se fodendo para seus pés; ela levaria a mãe, mas voltaria para ficar em casa com Bibi. Goli ficou chocada com seu linguajar, sentindo-se culpada por Bibi e furiosa por estar dependendo da filha para dirigir o velho Mustang. Ela perdeu a cabeça. Não fale com a sua mãe como uma americana, ela tinha dito. Ela falaria com bem quisesse, Delli retrucou. E ela iria exatamente aonde desejasse também. Foi aí que ela anunciou que ia a Paris com Bibijan.

Goli ficou olhando para ela. Elas tinham parado no sinal vermelho. "Paris?".

"Eu quero ver Khalehjan Lili", Delli respondeu, e pisou forte no acelerador quando a luz ficou verde. O Mustang engasgou e deu um solavanco para frente.

Goli perdeu a paciência. O que deu em Delli para achar que Lili queria vê-la? De onde diabos ela achava que as passagens sairiam? "Sua Khaleh não tem espaço pra você", ela gritou. "E eu não tenho dinheiro".

Delli fez cara feia, olhando para ela, perigosamente, no meio do cruzamento. "Eu quero ver a Fatty também", ela disse, "e, de qualquer modo, Bibijan não pode viajar sozinha pra França". Um Volvo 4x4, como o de Bahman, deu uma freada em cima delas enquanto Delli virou o carro à direita, sem dar seta, e estacionou mal, do outro lado da rua do lugar da pedicure.

O carro ficou arfando e piscando, como Bibi, enquanto Goli descia com dificuldade do banco da frente e batia a porta enferrujada. Ela não podia confiar em si mesma para dizer qualquer coisa.

"E eu quero saber a verdade sobre o tio Ali", Delli gritou para a mãe. E então se foi, deixando-a ilhada.

Goli mordeu o lábio. Ela franziu a testa para os pelos brotando dos dedos dos pés e para a memória das palavras de Delli. Era verdade que Bibijan não estava bem; era verdade que não apenas os olhos dela, mas seu coração estava piorando. Goli estava adiando a inevitável consulta ao médico. Outra conta, outra despesa.

Ela estava adiando a ideia do supermercado persa também, e o desafio de fechar as contas. Mas por que Delli estava tão obcecada com Ali agora, pensou Goli, contraindo-se desconfortavelmente sob a pinça. Ela deve ter ouvido escondida. Essa era pior coisa do telefone fixo; dava para ouvir cada palavra que as pessoas diziam da sala de tevê.

O problema era que Lili tinha ligado de volta mais tarde do que na noite anterior. Depois de concordar algumas semanas antes com o fato de que sua mãe poderia ir a Paris antes do planejado, por conta dos trâmites do divórcio, ela tinha de repente ligado de novo quando Delli ainda estava na sala de tevê para perguntar se não seria melhor mandar a Bibi para o Teerã então?

Goli ficou chocada. "Você ficou louca?".

"Não permanentemente, é claro", Lili respondeu.

"Só louca o suficiente pra deixar que ela seja presa ao chegar em terra?".

"É onde ela quer estar, Goli".

"Na prisão —?".

"Não, no Irã".

"Dá no mesmo!", Goli zombou.

"É porque ela se sente mais perto do Ali lá", Lili começou. "É porque —"

Mas Goli interrompeu. "Não a velha história do Ali de novo! Já ouvimos essa antes".

"Não é a velha história". A voz da irmã falhou. "E não é como antes", completou, e então começou a tossir sua nojenta e rouca tosse de fumante. A sala de tevê tinha ficado muito quieta, mas Bibi ainda estava acordada, dando a descarga no banheiro de cima. Goli aguardou. "É por que ela parou de esperar". Lili por fim disse, com dificuldade. "Ela sabe".

"Neste caso, por que voltar?", Goli interrompeu. "Por que procurar por Ali lá se —", mas ela não pôde terminar a frase.

"Porque há tantos outros como ele", disse Lili. "Milhares. Milhões, talvez. Muitos deles na prisão. É isso que conta pra ela. Você não enxerga? Solidariedade".

Goli não enxergava. "Isso é idiota", ela disse, "jogar fora sua liberdade porque outras pessoas estão na prisão. Você pode mandá-la pra lá se quiser, mas eu não vou. E ela não está tão bem pra viajar tão longe de qualquer modo, Lili".

Mas ela não poderia explicar o quão indisposta Bibi estava porque a tosse da irmã começou de novo. Era como se Lili não quisesse saber. E quando ela enfim limpou a garganta e começou a falar, Goli estava só meio que ouvindo. Ela estava esgotada. Ela estava preocupada com o apartamento em cima do supermercado. Ela estava ansiosa com dinheiro e não interessada em solidariedade. E, além disso, tudo era muito familiar. Lili estava dizendo o que ela já sabia: que Bahman esteve mentindo, que ele estava trapaceando Mehdi, que Fathi também tinha guardado segredo sobre Ali...

"Mas a garota não é uma ladra completa", Lili completou. "Ela tem boas razões".

E foi aí que Delli de repente saiu da sala de tevê, com aparência de final trágico. Goli sentiu um tranco e acordou. Uma ladra completa? O que a Lili queria dizer? E que segredos Fathi sabia sobre Ali? E como sua irmã sabia sobre eles também? Mas com Delli parada no corredor, encarando-a com seus olhos de peixe-morto, Goli não quis falar sobre ladras. Ou sobre as mentiras de Bahman. Não na frente da filha. E foi por isso que ela se sentiu tão ferida pelas acusações de Delli no estacionamento agora, e por ela ter acelerado barulhenta para ir para casa ficar com Bibi, depois de dizer que queria saber a verdade.

As pessoas poderiam dizer o que quisessem, pensou Goli, se contorcendo debaixo da pinça, mas ela realmente tentava ser consciensiosa, ser o que suas amigas chamavam de uma mãe interessada. Ela sempre se preocupava com seus filhos, sempre ia às reuniões de pais e professores. Sua ansiedade provava que ela era uma boa mãe, mesmo que ela pudesse não ter sido uma boa filha. Mas ela estava preocupada com Delli. Ela tinha receio de que a garota estivesse passando por coisas difíceis com esse divórcio. Ela está passando por maus momentos, repicavam as amigas. Ela era grudada no pai, assim como Goli tinha sido com o General. Nenhuma surpresa, suas amigas disseram. Garotas são sempre grudadas com seus pais, quêri. Mas, na verdade, o que Delli disse, depois que Goli parou de falar com Lili na noite anterior, não tinha nada a ver com Bahman. Ela queria saber do tio, Ali. "Ele está vivo?", ela perguntou quando Goli colocou o telefone no gancho. "Ele está na prisão?". De todas as possibilidades que tinham sido aventadas por anos, em relação ao destino do seu irmão desaparecido, esta era sempre a que deixava Goli mais furiosa. Na prisão? Com prostitutas e manifestantes e espiões? Com jornalistas e professores e Baha'is? De onde diabos Delli tinha tirado aquela ideia? Se ele tivesse sobrevivido à guerra, se ele tivesse sido solto dos campos de concentração vivo sem que elas soubessem, por que Ali estaria na prisão?

"Eu pensei que era isso que você tinha dito", Delli resmungou, miseravelmente. "Que ele estava na prisão com todos os outros". Ela queria saber o que o tio tinha feito de errado.

Goli rangeu os dentes quando os últimos cabelos foram arrancados dos dedos dos pés. Essa conversa de certo e errado a aborreceu. Quando ela repreendeu a filha por ter entendido mal, Delli corrigiu-a, como uma professora, e disse que ela sempre a maltratava por causa do seu inglês. E então ela subiu as escadas para dar descarga no vaso também e para ver como estava Bibi, então Goli teve que esvaziar a lava-louças sozinha. Era difícil quando seus filhos tratavam sua gramática sem respeito algum, quando deixavam você ir para casa sozinha depois de uma pedicure e encarar a música do supermercado sozinha. E não era fácil quando sua irmã pensava que sua mãe deveria voltar para o Irã, porque metade do país estava em uma espécie de prisão ou outra. Goli sentiu um estremecimento imperceptível passar por ela quando as pinças deram lugar ao cortador de unhas. As cadeiras cor-de-rosa da Pedicure Perfect eram escorregadias e era impossível ficar imóvel nelas. Isso pode ser perigoso com cortadores de unhas. Mas o pior de tudo foi quando o marido começou a contar mentiras sobre seu irmão morto.

Goli ficou dura. Se Lili estava certa e Bahman estava fazendo coisa errada, se ele sabia de algum segredo sobre Ali, segredo que ele tinha contado a Fathi e não a ela... ela nunca o perdoaria. Hipotecar a casa, roubar as escrituras, até o divórcio não era nada. Mas seu irmão! Goli tremeu involuntariamente quando o cortador de unhas pegou um tiquinho de pele. Ela desejou que a jovem mulher de nome impossível sobre o seio esquerdo estivesse cortando as unhas de Bahman agora. Desejou que ela estivesse derramando cera quente na cabeça do marido e arrancando fora cada fio de cabelo de seu corpo peludo com aquela pinça. Ela desejou que fizesse mais e cortasse fora agora mesmo aquele engodo de masculinidade que ele tinha.

Vish, seu povo fala as coisas de um jeito muito visceral, suas amigas riam quando ela traduzia expressões do persa para o inglês. Elas ficaram aterrorizadas ao saber que persas comiam o fígado um do outro e chamavam suas filhas de estômago. Ela tentou explicar que isso não era um abuso linguístico dos direitos humanos. É só um jogo, ela contou, sem conhecer a palavra para metáfora. Mas elas a olharam bem friamente depois daquilo.

E tinha começado como um jogo com Delli também. "É nossa última pedicure", ela apelou, "antes da mudança. Eu tenho certeza de que Bibi vai ficar bem por uma hora".

Mas a filha se recusava a jogar. "Às vezes, você fala tanta merda, mãe", ela fez careta. "Diga a si mesma a verdade, de uma vez!".

Que verdade?, pensou Goli desalentada, esticando os dedos dos pés. Há tantas. A dela, a de Lili, a de Bahman, a de Bibi e agora a verdade de Delli. Mas aquilo fazia dela uma mentirosa? Ela desejou que sua filha não se referisse a excrementos tão frequentemente, mas estava aliviada que o corte das unhas tinha terminado. Você sempre pagava duas vezes na Pedicure Perfect: primeiro pela tortura e depois pelo seu fim. Ela supunha que Fathi tivesse sua versão dos fatos também; Lili tinha admitido. E sobre a verdade de Ali? Ou a merda toda do Mehdi?

A pedicure estava levando uma eternidade para se preparar para a massagem, remexendo interminavelmente nas pinças, mudando os cortadores de lugar na bandeja rosa, desse lado para aquele. O jogo entre Mehdi e Bahman era um assunto alongado também, como partidas de tênis, para frente e para trás, de um lado para o outro. Depois da morte do General, Bahman tinha se virado do avesso, como ele nunca se cansava de dizer, para assegurar que os certificados estivessem autenticados e que as declarações estivessem carimbadas para que os direitos de viúva de Bibi fossem para ela diretamente, ao invés de passar pelos dedos grudentos de Mehdi. Não deu certo, é claro; Mehdi interviu e Bahman perdeu aquela rodada.

Depois, era sobre trazer Bibi para os Estados Unidos. Quando Ali não voltou depois da Guerra, Bahman começou a trabalhar no green card da velha senhora. Ele tinha dado um jeito para que os formulários fossem preenchidos e que propinas fossem pagas e que todas as taxas legais fossem quitadas e ele ficou muito aborrecido mesmo quando Bibi permaneceu no Irã e se recusou a virar uma estrangeira. Ela preferia pagar ao Mehdi para que ela pudesse continuar tendo esperança. Então, ele perdeu essa rodada também.

Finalmente, ele se focou em Ali. Quando Bahman começou a fazer muitas perguntas sobre o irmão, Goli pensou que era compaixão no início. "Vinte anos!", ele tinha dito. "Isso é tempo demais, pra ser honesto!". E ela concordou. Era tempo para resolver a questão de uma vez por todas, tempo para estabelecer o que tinha acontecido com seu irmão caçula. Ele estava vivo? Estava morto? Estava apodrecendo em algum campo no Iraque ou, pior ainda, em alguma prisão? Era tempo de resolver o problema no tribunal. O governo devia a eles explicações, compensações.

"Vinte anos", Bahman repetiu sabiamente, "é muito tempo, pra ser honesto".

Bem, era tempo demais para ficar ouvindo um mentiroso, Goli cedeu, sua garganta constrita quando a garota que não era Kim enfim abriu o óleo. Era tempo demais para não saber quem estava traindo quem. Porque no final de tudo, ela pensou, enquanto o óleo fez uma poça nas mãos da mulher, Bahman e Mehdi eram dois tipos iguais; no fim das contas, era só uma questão de dinheiro para eles. E ela fechou os olhos para impedir que as lágrimas caíssem, quando a massagem afinal começou em suas panturrilhas doloridas.

Bahman pensou que ele tinha ganho a última rodada. Ele ainda teve a coragem de ir até a casa na noite anterior, depois que Lili telefonou e depois das perguntas de Delli sobre seu tio na prisão, para provar algo. A lavadora de louça tinha acabado de ser carregada, e Goli estava pronta para cair de exaustão, quando ele apareceu carregando sua roupa suja nos braços.

"Surpresa", ele disse, piscando sob a luz mortiça sob a porta da cozinha. "Estou sem encanamento em Malibu e preciso de cuecas limpas".

Goli ficou atordoada com a pele de elefante que ele tinha. Como ele podia fazer isso? Como ousava fazer isso, como se a cena do advogado nunca tivesse acontecido? Era cinco para a meia-noite. Todo mundo estava na cama, nenhum banheiro estava sendo usado, e até os vampiros estavam dormindo, e lá estava Bahman sorrindo na porta com uma pilha de cuecas debaixo do braço, dizendo que era mais barato do que ir à lavanderia.

"Leva menos de um minuto", ele disse. "Só uma lavagem rápida".

Então, Goli o convidou para entrar, tão cortês quanto pôde para agradar, como se ainda fosse a filha do General, como se a cena do advogado nunca tivesse acontecido. Ela também tinha algumas perguntinhas rápidas para ele, ela disse. Sente-se. Quer chá? Demora menos de um minuto também; o tempo da lavagem. Mas quando ela mencionou Ali, ele ficou na defensiva. O que tinha Ali? Já não tinham falado o suficiente sobre Ali? E, de qualquer forma, ele estava com um pouco de pressa, para ser honesto. Quando ela perguntou sobre o dinheiro do mártir, ele disse que era até melhor que Bibi tivesse se recusado a assinar os papéis judiciais antes, ou Mehdi teria conseguido pôr suas mãos pegajosas nele também, e ele esperava que houvesse sabão em pó antialérgico na casa. E quando ela desafiou sua honestidade, ele ficou perturbado e assegurou que ele tinha encontrado uma maneira de contornar aquilo. O caso foi enfim resolvido. Ele tinha conseguido que o irmão dela fosse formalmente declarado morto, por meio de amigos dele.

"De dentro", ele disse e deixou cair várias cuecas no chão.

Goli deu um suspiro involuntário se lembrando de suas palavras, quando a massagem começou na outra perna. Morto de dentro? Defunto de fora? Então Lili estava certa. Bahman só estava interessado nos fundos de compensação, como Mehdi. Ele estava de olho no dinheiro de mártir, como Mehdi. Um dentro do país e o outro fora, um pelos tribunais e o outro com velhos golpes, ambos tentando matar Ali, apagá-lo da existência, morto. "Só administrativamente", Bahman completou, juntando suas roupas, encabulado.

Goli mandou o marido sair da casa e nunca mais voltar. Ele respondeu que a casa pertencia ao banco de qualquer maneira e ela teria que sair em breve. Ela disse que ele era um assassino e um trapaceiro. Ele disse que o dinheiro do mártir era algo devido a ele; era dele por direito, dado tudo que ele tinha gastado no green card de Bibi. "Pra ser honesto, Goli, eu fiz isso pelas crianças", disse ele, enquanto ela segurava a porta aberta. "Pelo futuro delas".

E foi isso que bastou para Goli. Chega. Ela estava grata a ele por pensar no futuro dos filhos, ela disse. E ela iria cobrar isso dele, ela garantiu, indicando a porta aberta. Mas, a partir de agora, ela assumiria a gerência do supermercado; ela compraria as ações de Bahman. Ele não tinha que matar o irmão dela para obter seus ditos pagamentos, ela disse; ela pagaria a ele cada centavo, mês após mês, com seu próprio trabalho duro. "Então, puxe as calças, por favor, e saia. Nós temos que cuidar de nossas próprias vidas a partir de agora".

Quando Goli bateu a porta em Bahman e sentou à mesa da cozinha no escuro, tinha se tornado uma empresária. Uma que era meio triste, muito cansada, mas independente. E embora seus seios majestosos estivessem pesados de emoção, ela também sabia que suas lágrimas deviam pertencer ao irmão agora. Ela não choraria mais por ela, mas por ele e pelos outros como ele.

Goli se abaixou e puxou um lenço da bolsa. Massagens nos pés sempre a deixavam sentimental. Mas isso com certeza ia além das lágrimas. Isso era sério. A massagem estava ficando mais lenta, mais suave. Ao chegar às solas dos pés, Goli sabia que a morte de seu irmão, administrativa ou não, merecia mais do que lamento; exigia coragem e muito trabalho. A massagem era apenas um carinho nos tornozelos agora. Tinha acabado. Ele tinha se ido, Bibi estava indo e Bahman havia sumido. Seus pés não tinham alternativa a não ser sustentá-la honestamente atrás do balcão do supermercado depois disso. Eles teriam que fazer a sua parte. Eles teriam que carregar o peso de sacos de arroz atrás da loja e segurá-la reta e vertical enquanto ela enchia as prateleiras. Ela tinha algumas dívidas, sim, mas também tinha um gerador de dinheiro para pagá-las. Ela mostraria a Bahman.

Quando a última carícia alcançou seu calcanhar com bolhas, Goli esfregou a dor de seus olhos e assoou o nariz plastificado no lenço inadequado. Não seria fácil ficar em pé, mas ela teria que ficar; ela teria que se erguer pelos outros e por ela de agora em diante. Seus filhos. Sua mãe. Talvez Bibijan não estivesse tão gagá afinal. Talvez não fosse tão louco voltar ao Irã pelo amor de Ali e em nome da justiça, voltar pelo bem e em solidariedade aos outros como ele, se posicionar por todos os chamados espiões e traidores mortos por cumplicidade e enviados ao reino do porvir ou a Evin por terem esperança em seu país. E se Delli quisesse saber a verdade sobre eles, quem poderia culpá-la? E se Fathi podia contar a ela, por que ela não deveria saber? E se Lili sabia mais do que ela poderia dizer no telefone, talvez elas pudessem conversar de novo, conversar de verdade? Talvez os muros estivessem caindo, afinal, dentro da prisão.

Há um Deus Além das Fronteiras, pensou Goli, encarando o crachá no seio pela última vez, um Deus Além dos Nomes. Era hora de ir. Ela puxou a bolsa e preparou um sorriso de despedida. "Você é uma massagista fantástica", ela disse à garota inominável, adicionando uma gorjeta para lá de generosa à conta exorbitante a fim de se desculpar por possíveis faltas de cortesia interculturais.

Goli balançou pelo salão Pedicure Perfect em seus sapatos de salto instáveis e saiu pela porta. Ela podia ainda ouvir as palavras da filha através dos pneus que cantaram e o calor do sol de Los Angeles. Delli tinha insistido em voltar para casa porque Bibi estava sem ar. Sem. Ar. A verdade era que ela precisava ir ao médico com urgência. Com urgência.

Aquelas eram palavras perigosas; elas queimavam na garganta de Goli enquanto ela respirava a fumaça do carro e esperava para atravessar a rua. Porque a verdade era que ela queria que Bibi deixasse os Estados Unidos antes de ir a um médico. A verdade é que ela não podia arcar com os custos caso sua mãe adoecesse na Califórnia e fosse hospitalizada e aprisionada em tubos e por fim morresse. Tendo suportado as despesas de um pai doente, Goli não queria assumir a responsabilidade pela mãe, especialmente neste momento. Ela estava mais preocupada com os pagamentos para que Bibi morresse do que com a saúde e a vida da mãe. Essa era a verdade horrível e vergonhosa.

Goli pôs seus pés no pavimento fervente e começou a caminhar sobre seus sapatos de salto flamejantes em direção à faixa de segurança. Ela desejou que estivesse usando sapatilhas; suas bolhas estavam ainda cruas. Mas de repente uma porta de carro bateu e uma voz a chamou.

"Ei, mãe, Bibi me mandou de volta pra buscar você".

E lá estava sua filha magra como um alfinete, frágil como uma vara, do outro lado da rua. Delli parou ao lado do Mustang de segunda mão, sem ar-condicionado, e acenou bravamente para ela no meio do escaldante estacionamento. "Como estão seus pés?", ela disse, quando o homenzinho ficou verde e começava a bipar. "Bibi está bem. Ela disse pra não se preocupar com ela. Ela disse que não precisa ir ao médico".

A cabeça de Goli girava no calor. Isso que é uma mãe, ela pensou, enquanto começava a cruzar o bulevar. Isso que é uma filha, ela pensou, quando Delli circundou o carro chiante para abrir a outra porta. Sim, aqui estavam duas que valiam a pena emular: jovem e velha. Ela tinha perdido a verdade em algum lugar, mas elas pareciam tê-la encontrado.

"Obrigada, joonie", ela respondeu, com um sorriso californiano. "Senti a sua falta, mas você fez bem de ter voltado. Eu vou ligar pra um médico assim que chegar em casa". Ela balançou de leve quando chegou à porta do Mustang e encontrou seu cotovelo colado ao de Delli. Ela é forte, pensou Goli, surpresa, porque ela é honesta.

"Estive pensando", ela arquejou, se acalmando no assento abrasador e fechando a porta enferrujada em seguida. "Você está certa sobre Bibijan. Ela precisa viajar com alguém. Ela está fraca demais para ir sozinha. E eu tenho que lidar com a mudança para o flat e começar a trabalhar no supermercado logo. Então porque você não vai até Malibu, depois de me deixar em casa, falar com Baba sobre a viagem. Ele deve saber que você quer descobrir coisas sobre seu tio Ali. Eu tenho certeza que ele vai pagar a passagem. Ele é um homem generoso".

Goli sentiu pena de Bahman. Ele também não ganharia esta rodada. A menos que ele percebesse o quão sortudo era de ter uma filha daquelas. E ela mesma podia perder tudo também, pensou Goli, contemplando a estrada à frente, enquanto Delli conduzia o Mustang soluçante através do sinal vermelho. A menos que Delli entendesse o quão sortuda era de ter uma mãe como aquela.

Sim, havia muito que fazer, para ser honesta.

Eles

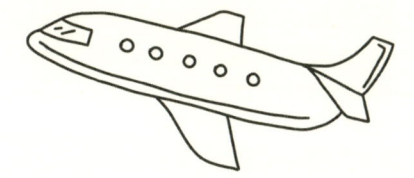

Nós viemos muito aqui para nos lembrarmos. É um lugar que gostamos de visitar só para que possamos pensar neles. Os mortos são sempre receptivos e há menos estresse num cemitério do que num parque, menos barulho. Há ainda diversos bancos neste, que em geral estão livres. Nosso favorito é sob aquele plátano, onde as sementes rodopiam no outono, como pequenos paraquedas, como pequenas rodas de oração. No inverno, nós trememos quando sentamos lá, junto com os pássaros que comem migalhas. Na primavera, nós arfamos. Do contrário, é um lugar tranquilo e isso é um conforto para nós. Agradecemos por sentar aqui em silêncio entre as folhas caídas, em paz com os mortos plácidos.

Não há escavadeiras. Nada de escavadeiras.

Aqui também não há pranto, nem lamento alto. No nosso país, nós anunciamos nossa tristeza, como vendedores ambulantes vendem seus produtos, mas, aqui, cemitérios são uma desculpa para o silêncio ou então para um tipo de jardinagem tranquila. As pessoas não choram a tristeza compartilhada aqui; eles não batem em seus peitos nem choram ruidosamente, como costumamos fazer. Eles fungam discretamente em lenços, acenam com a cabeça gentilmente, sorriem educadamente e depois se afastam para arrancar ervas daninhas, jogar flores fora. Na verdade, eles são tão preocupados com a casa da morte quanto da vida, e se ocupam com tirar as plantas dos vasos, com esfregar o mármore. Mas não há compartilhamento de desgraças, nem exigência de porquês e de portantos. Eles não querem que suas dúvidas e medos ecoem para além do túmulo.

E nem nós queremos. Nem nós.

No Irã, o luto público nos protege de pensar. Nós lamentamos estridentemente para nos protegermos de questões e para provar que ainda estamos vivendo. Mas, aqui, o silêncio é usado com o mesmo fim. Nos acolchoa, nos envolve; cria um tipo de envelope ao nosso entorno que nos permite a cura, a cicatrização das feridas. Agradecemos que os vivos não preencham este espaço com seu falatório; sentimos gratidão por eles não nos olharem querendo conversar quando passam. Apresentações são supérfluas em um cemitério — para onde mais as pessoas podem ir a partir daqui, depois de tudo? — e então palavras são raramente trocadas, sotaques passam despercebidos. E isso nos cai muito bem mesmo.

Nos cai bem como o chão.

Não é apenas porque somos de um país estrangeiro e não falamos a língua corretamente que nós queremos que nos ignorem. Os mortos são a maioria aqui afinal, e eles dão o tom, seus padrões prevalecem. Eles são aqueles que visitamos e devem ser objeto de atenção, não nós. Como eles não respondem a perguntas, não respondem a nenhuma alegação, eles ensinam a contenção. Então, se as pessoas desviam os olhos de nós, de passagem, sempre no assento deste banco, sabemos que não é por preconceito ou suspeita. É mais devido a um tipo de constrangimento, um reconhecimento desajeitado de que é aqui que eles podem acabar um dia também. Estamos em igualdade de condições com eles aqui. Estamos aqui por amor e para lembrar.

E eles também estão. Eles também.

Portanto, eles aceitam a nossa presença aqui. Ninguém pergunta de onde viemos; ninguém quer saber quanto tempo planejamos ficar. Ninguém nem olha para nossas carteiras de identidade ou pede para ver nossos vistos neste lugar. Eles nos respeitam, e nós a eles, porque a morte é o nosso fim comum e a dor nosso direito humano universal. Eles ficam mudos diante de um túmulo, e nós também. Eles acariciam a lápide, hesitantes antes de ir embora; nós lamentamos em silêncio com eles. Eles sabem que nós perdemos alguém querido.

E nós perdemos. Nós perdemos.

É claro, alguns nos olham de soslaio, como de hábito, os olhares curiosos. Mesmo que palavras não sejam trocadas abertamente, há certa avaliação em andamento, uma espécie de apreciação. A questão não é quem somos, mas no que nossos mortos acreditavam. Não há necessidade de conversa quando o granito conta a história e, embora muitas vezes ele minta, nós confiamos, confiamos no que a pedra fala. A maioria dos túmulos tem cruzes aqui e os poucos sem ficam perceptíveis, suas lápides em forma de ogivas instantaneamente reconhecíveis. Nos velhos cemitérios de guerra, os muçulmanos que lutaram ao lado dos cristãos, há um século, se distinguem deles na morte como não se distinguiam na vida, pela direção que encaram. É como se esses homens não tivessem morrido lutando nas mesmas trincheiras, seus ossos enterrados na mesma lama.

A dor une, a perda convida a empatia, mas as lápides são menos democráticas.

Não que a dor seja uniformemente caridosa. Tão logo perdemos os mortos de vista em um cemitério e esquecemos a razão pela qual estamos aqui, o granito e o mármore podem intervir. Há julgamentos tácitos, avaliações não ditas, a comparação das lápides: quanto custou essa? Ou aquela? E você já viu tamanha monstruosidade? Quem vem ou quem não vem para cuidar dos túmulos; quem rega as plantas e quem não; e qual é a responsabilidade do prefeito, é claro. Então ele finalmente pôs uma nova bomba d'água e pôs algum cascalho nas trilhas. Você pensaria que ele já teria plantado algumas árvores e arrumado os bancos na sombra com todo o dinheiro dos contribuintes! A dor tende a ser menos generosa do que os mortos.

Nós acenamos em acordo, é claro, já que sentamos em um dos bancos; nós concordamos e sorrimos e então, com medo de que falem mais, nós viramos para o lado e começamos a arrancar ervas daninhas, a jogar fora as flores. Pois sentimos mesmo uma culpa meio vaga quanto ao dinheiro dos contribuintes.

Há uma trama aqui que pertence a nós.

E então nós rezamos. É assim que pagamos o que devemos, com orações para os mortos deles e para os nossos, para aqueles que deixamos para trás e aqueles que morreram antes, para aqueles que estão deitados ao nosso redor aqui, ou os que foram soprados, como sementes, para longe. Não muitas pessoas aqui se engajam em tal atividade secular. A economia não encoraja. Então nós compensamos. Nós suplicamos em nome deles. E nós enterramos tudo o que pode ser dito da morte — seus mistérios, sua partida absoluta — dentro desse chão, e aí esperamos. Pela renovação.

Estamos gratos que ninguém profana este solo.

A sepultura que visitamos não tem uma cruz. Nem a lápide em forma de ogiva, com uma lua crescente entalhada. Nem tem incenso queimando a seus pés para guiar nossos mortos ao possível Nirvana. Mas há um brilho de esperança aqui, como a luz pálida do inverno sobre o letreiro dourado. Há uma espécie de névoa ao redor. Não é nem do ocidente nem do oriente, porque é o túmulo de um viajante, o túmulo de alguém que estava de passagem. É um túmulo humano e poderia pertencer a qualquer um.

Pois também os mortos são de um outro país.

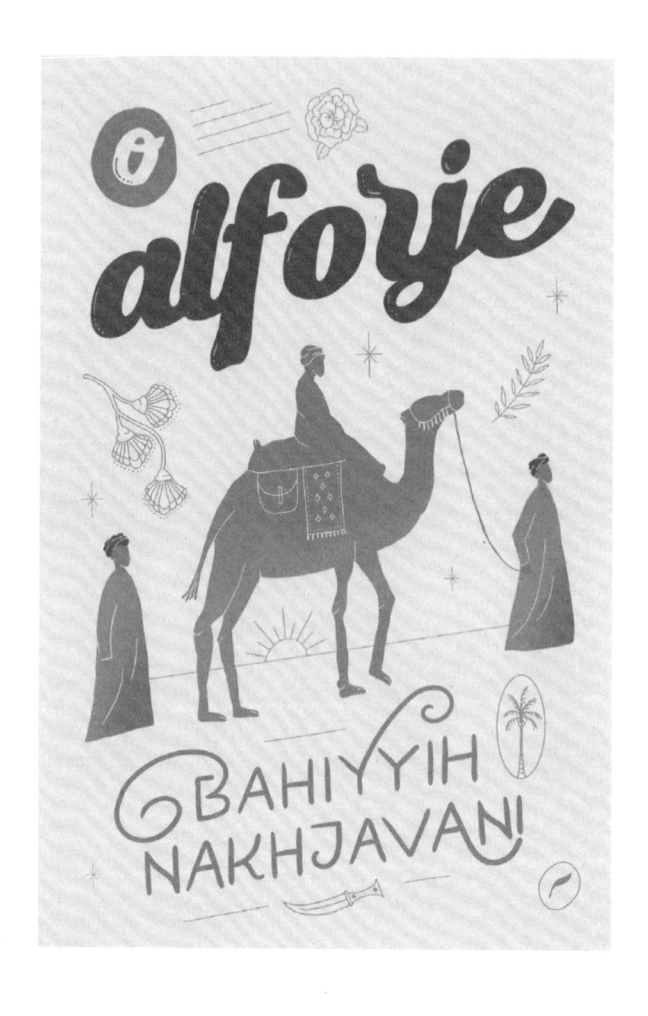

Leia mais **BAHIYYIH NAKHJAVANI**

alforje

BAHIYYIH NAKHJAVANI

O alforje

Ao contrário do que se diz, o deserto é um território fértil. Ao menos para Bahiyyih Nakhjavani, que, a partir de uma trama complexa, faz convergir nas areias árabes um grupo de personagens que têm suas trajetórias costuradas por um misterioso alforje. Uma noiva que viaja para encontrar o futuro marido, um padre em peregrinação, um beduíno de alma livre e uma escrava falacha são alguns dos retratos que a autora pinta com maestria e profundidade. Ainda que tenham origens, crenças e desejos muito diferentes, todos os viajantes terão a vida transformada pelas escrituras sagradas.

livraria dublinense

A LOJA OFICIAL DA DUBLINENSE E DA NÃO EDITORA

LIVRARIA.**dublinense**.COM.BR

Composto em MINION e impresso na PALLOTTI,
em LUX CREAM 70g/m², em SETEMBRO de 2019.